LA PROPHETIE DES PIERRES

Flavia Bujor

LA PROPHETIE DES PIERRES

Editions Anne Carrière

ISBN : 2-84337-193-7

© Editions Anne Carrière, Paris, 2002

www.anne-carriere.fr

à Jean Losserand
et à Stephen

« J'aime celui qui rêve l'impossible. »
Goethe

1

Le vieil homme relut le passage de *La Prophétie* et hocha gravement la tête. «Bientôt, très bientôt», murmura-t-il. Il se leva de sa chaise avec difficulté et se retourna. Le duc de Divulyon, l'air soucieux, lui faisait face.

«Alors?» demanda-t-il.

Le vieillard poussa un long soupir. Il semblait à bout de forces. D'innombrables rides creusaient son visage. Il tenait à peine debout, le dos voûté, les jambes tremblantes. Il se laissa tomber dans un fauteuil et dit faiblement :

«Je ne peux rien y changer. Elle suivra son destin.»

Le duc, dont l'angoisse était perceptible, haussa le ton :

«Théodon, tu es sage. Tu as consacré ta vie entière à comprendre *La Prophétie*. Tu as aidé mon père. Tu m'as aidé. Tu m'as conseillé, tu m'as soutenu. Ne m'abandonne pas maintenant! Il faut qu'elle vive. Il faut qu'elle triomphe, quoi qu'il advienne. Elle est si jeune. Dire que bientôt... Que puis-je faire pour la protéger, Théodon ? »

Le vieillard se prit la tête dans les mains et répondit après un long silence :

« Je l'aime autant que toi. Je l'ai vue grandir et je me suis attaché à elle, même si ma raison me l'interdisait. Mais elle n'échappera pas à la Prophétie. Crois-moi, si j'avais pu l'aider, j'aurais été le premier à le faire. Tu me demandes comment la protéger ? Mais tu ne peux pas la protéger, essaie de comprendre ! Tout ce que tu as à faire, c'est de lui remettre ce qui lui appartient le jour venu. Pars maintenant. Va passer avec elle les derniers moments qui te restent. »

Le duc, résigné, murmura : « Ces quatorze années ont passé bien trop vite. » Puis il sortit de la pièce.

Le vieillard regarda les flammes flamboyer dans l'âtre. La Prophétie allait s'accomplir. Ce n'était plus qu'une question de jours. Il avait attendu ce moment, il l'avait guetté avec impatience. Bientôt, toutes ses questions trouveraient une réponse. Il frissonna. Il avait été assez stupide pour s'attacher à l'enfant. Il aurait dû l'éviter. *La Prophétie* avait pris un autre sens : dans ces pages obscures où il avait tant cherché à lire le futur et à comprendre le bouleversement annoncé, il ne voyait plus à présent que le destin de Jade.

Jade était affalée sur son lit. Elle tenait un livre mais elle était bien trop agitée pour lire. Son regard se perdait dans le vide. Soudain, elle entendit frapper. Elle se leva d'un bond et cria : « Entrez ! »

Un serviteur, entrebâillant la porte, lui annonça : « Votre père désire s'entretenir avec vous. Pouvez-vous le recevoir maintenant ? »

Etonnée qu'il ne soit pas occupé à cette heure du jour, elle donna son consentement. Le domestique sortit.

Jade lissa ses longs cheveux noirs puis les rejeta en arrière. Elle se regarda dans la glace, la mine satisfaite. Son sourire laissait entrevoir des dents légèrement écartées. Ses cils étaient peut-être un peu trop épais et il fallait qu'elle lutte constamment contre quelques mèches rebelles. Dès qu'elle s'énervait (ce qui lui arrivait souvent), ses joues se coloraient de rouge, et elle perdait l'air emprunté qu'elle affichait la plupart du temps. Mais elle se savait belle, grande, mince, et s'habillait toujours avec soin. Elle était sûre d'elle. Ce qu'elle voulait, elle savait qu'elle l'obtiendrait.

Alors qu'elle offrait à son reflet un sourire reconnaissant, son père entra dans la pièce. Elle alla à sa rencontre. Il la serra contre lui avec une affection inaccoutumée. D'habitude, même s'il aimait beaucoup sa fille, il ne montrait pas ses sentiments de façon aussi expansive. Il était d'un naturel flegmatique et faisait preuve de sang-froid en toute occasion. Pourtant, ce jour-là, quelque chose le poussait à se comporter autrement. Lorsqu'il libéra Jade de son étreinte, il resta un moment à la regarder, sans parler. Il admira une fois de plus ses yeux verts, dont l'intensité ne pouvait que frapper. « Elle est courageuse et volontaire, se dit-il pour se rassurer, et elle a une forte personnalité. » Sa physionomie trahissait son caractère : on pouvait lire sur son visage qu'elle était fière, décidée, mais aussi capricieuse et têtue. Son père ne parvenait pas à détacher d'elle son regard ni à prononcer la moindre parole.

Ce fut elle qui rompit le silence :

« Papa, il y a un problème ? Tu n'es pas en train de régler une affaire, de lire des tonnes de documents ou de faire mille autres travaux, comme chaque jour ? Il s'est passé quelque chose de grave pour que tu ne travailles pas ? C'est ma faute ? »

Elle prononça ces derniers mots avec une innocence feinte. Son père répondit d'une voix qui sonnait faux :

« Non, non, Jade, il ne se passe rien. J'ai juste un peu de temps libre. Je reconnais que c'est rare, mais, comme tu vois, cela m'arrive aussi. Alors, comment vas-tu ? »

Jade lui répondit, très excitée :

« La fête approche. Ça va être absolument extraordinaire ! J'hésite encore entre la robe mauve, en soie, ou la blanche, en satin. J'en ai commandé une troisième, magnifique, du comté de Tyrel. Si elle arrive à temps, c'est celle-là que je porterai. J'ai vraiment hâte d'y être ! Au lieu de compter les jours, je compte les heures, et même les minutes. J'ai donné des ordres pour la décoration de la salle, les plats, les musiciens. Quel plaisir de tout organiser moi-même ! Et j'ai fait venir des musiciens d'une ville voisine. »

Elle continua à parler avec entrain, mais son père ne l'écoutait plus. « Elle est trop insouciante, ne put-il s'empêcher de constater, elle ne connaît ni les efforts, ni le danger. Elle ne pourra pas survivre. » Il se reprocha aussitôt de ne pas faire davantage confiance à Jade et essaya de se concentrer sur ses paroles.

« Ce sera grandiose, superbe, hors du commun ! J'ai presque du mal à l'imaginer. Je n'ai toujours pas décidé s'il faut servir les glaces avant les macarons ou après. Peut-être serait-ce mieux après, non ? Au fait, je ne suis pas sûre que la baronne de Carolynt viendra. Il paraît qu'elle est fiévreuse. C'est la seule qui n'a pas encore confirmé. De toute manière, je la trouve ennuyeuse.

— Jade ? Sais-tu ce que la peur signifie ? »

Elle s'arrêta net, surprise et agacée. Pourquoi son père l'avait-il interrompue, surtout pour lui poser une question hors de propos ? Ne se réjouissait-il pas à l'idée de la fête qui approchait ? Elle répliqua, irritée :

« La peur ? Peur de quoi ? Je n'ai jamais eu peur. C'est un sentiment que je méprise. Seuls les lâches et les faibles ont peur. Pourquoi me demandes-tu ça, papa ? »

Elle s'interrompit. Elle venait de s'apercevoir que son père était blême. Comment avait-elle pu ne pas remarquer plus tôt ses traits tirés, ses cernes et ses yeux rougis ? Et, surtout, son expression hagarde ? Il s'était passé quelque chose. Peut-être une affaire qui avait mal tourné ?

« Si seuls les lâches et les faibles ont peur, alors je suis lâche et faible, dit-il alors. Après tout, qu'importe.

— Mais papa ! Tu es respecté et admiré par tout le monde, et ce n'est pas pour rien ! Tu es le duc de Divulyon ! » De nouveau, elle s'animait, ses yeux verts brillaient. « Je veux bien croire que tu aies un problème dans tes affaires, mais que tu aies peur, non ! Si c'est une blague, ce n'est pas drôle. »

Le duc ne répondit rien à cela. L'ardeur de Jade retomba. Elle prononça gravement : « Et maintenant, papa, dis-moi pourquoi tu n'accordes aucune importance à mon anniversaire qui approche. Dans quelques jours, j'aurai quatorze ans !

— Tu te trompes, Jade. Je me préoccupe beaucoup de ton anniversaire. Mais... » Le duc se mordit la langue. Il en avait déjà trop dit. Elle ne devait rien savoir avant l'heure. Craignant de se trahir et de devoir fournir des explications, il partit brusquement. Il monta dans ses appartements et se mit à faire les cent pas. Chaque seconde le rapprochait du moment où il devrait tout avouer.

Jade demeura pensive. Le comportement de son père était plus qu'étrange. Elle y réfléchit un bref instant, puis haussa les épaules, décidant de ne pas tenir compte de l'incident. Elle se concentra de nouveau sur les festivités de son anniversaire, et le sourire lui revint aussitôt.

2

Ambre était assise dans l'herbe. Comme à son habitude, elle rêvait et regardait d'un œil distrait les moutons qu'elle devait garder. D'autres images occupaient ses pensées. Elle s'imaginait vivre près du soleil et de sa chaleur bienfaisante, dialoguer avec les nuages, les oiseaux. Le vent l'emportait dans de merveilleux voyages ; la nuit, elle était éblouie par l'éclat des étoiles qu'elle pouvait toucher de la main, et...

« Briette ! Briette ! »

Elle revint brutalement à la réalité. Elle avait oublié qu'elle ne gardait pas seulement des moutons, mais aussi l'un de ses petits frères. Il était tranquillement étendu sous un arbre, et lui criait de toutes ses forces :

« Briette ! Viens ! Je m'ennuie. Briette ! »

Personne ne l'appelait Ambre, on la surnommait Briette depuis toujours. Son véritable prénom était sans doute trop prétentieux pour une paysanne. Il aurait mieux convenu à une fille de noble, quelqu'un d'un autre monde. Elle s'était souvent demandé quelle était la raison qui avait poussé ses parents à l'appeler ainsi. Elle n'avait jamais trouvé de réponse plausible mais elle aimait ce prénom pour son originalité, son parfum de mystère. Il semblait renfermer un secret.

« Briette ! Briette ! Steuplé, viens ! »

Ambre se leva et alla rejoindre son frère. Elle s'assit à côté de lui, à l'ombre de l'arbre.

« Tu as un problème ? demanda-t-elle de sa voix apaisante.

— Je m'ennuie, voilà le problème ! Je veux que tu me racontes une histoire. »

Ambre lui sourit et lui caressa la joue avec affection.

« Peut-être, mais pas maintenant.

— Pourquoi ?

— Je voudrais rester seule, ne rien dire, et essayer d'écouter le silence.

— Je veux une histoire ! Ce que tu dis, c'est n'importe quoi ! » Le garçon lui agrippa le bras : « S'il te plaît, Briette », insista-t-il.

Elle lui ébouriffa tendrement les cheveux et, se libérant de son étreinte, l'embrassa sur la joue.

« Plus tard, c'est promis, dit-elle. Pour l'instant, je te laisse. Je n'aime pas être à l'ombre. Je retourne au soleil.

— Mais Briette, il fait si chaud ! Comment tu fais pour supporter le soleil ?

– J'aime ça. Tout simplement. »

Ambre retourna au milieu du pré et se laissa tomber dans l'herbe. Personne ne voulait sortir par un temps pareil. La chaleur était étouffante et l'air brûlant. Sans un nuage à l'horizon, le ciel était presque trop bleu, trop pur. Les rayons du soleil inondaient de lumière le visage d'Ambre. Elle aimait les sentir caresser sa peau, elle appréciait cette chaleur qu'on disait insupportable. Au village, on priait pour que la canicule ne dure pas, pour qu'elle n'entraîne pas une période de sécheresse. Ambre, quant à elle, aurait souhaité que ce temps-là fût éternel.

Au détour du sentier, une silhouette apparut. Ambre tourna la tête dans sa direction. Un garçon accourait vers elle. Il atteignit le pâturage essoufflé et, à bout de forces, s'arrêta près d'elle. Elle le connaissait bien, c'était son ami d'enfance. Elle lui sourit. Il la regarda avec tristesse. Elle était si sereine. Ses cheveux, entre le roux et le blond, aussi dorés que le soleil, encadraient son visage aux traits harmonieux. Elle avait le teint hâlé. Ses yeux, marron clair, où l'on distinguait une touche de vert, donnaient à son regard une douceur et une quiétude innées.

Le garçon prononça à regret, le souffle court :
« Briette, dépêche-toi. Je reste avec ton frère. Je garderai les moutons mais vas-y, cours ! Ta mère... elle va très mal. »

Ambre crut que son cœur s'arrêtait de battre. Tout s'effondrait autour d'elle. Elle voyait flou. Elle avait peur. Elle avait froid, malgré le soleil écrasant. Elle était incapable de bouger.

« Briette ! Cours ! Pars ! Tu as peu de temps. Cours, Briette ! »

La voix parvenait à Ambre comme de très loin. La tête lui tournait, le monde entier vacillait. Elle se ressaisit brutalement. Il fallait qu'elle arrive avant qu'il ne soit trop tard. Elle se leva d'un bond et se mit à courir. Vite. Vite. Des larmes brouillaient sa vue, inondaient son visage. Elle ne s'en rendait pas compte. Une seule chose avait encore de l'importance : éviter l'inévitable, la mort de sa mère. Cela ne devait pas être ! Très malade, celle-ci souffrait beaucoup, depuis des semaines, des mois. Aucun remède n'existait. Mais elle ne devait pas mourir ! Ambre continuait sa course effrénée contre le temps et la mort. Elle apercevait déjà le village. Elle courait, elle courait, sans avoir conscience de la fatigue, de son épuisement. Enfin, elle arriva sur la place, puis devant la maison. Elle poussa la porte, entra dans l'unique pièce, obscure et silencieuse et se précipita vers sa mère. Elle s'agenouilla auprès d'elle et lui prit la main, qu'elle serra de toutes ses forces, s'y cramponnant et sentant sa chaleur. Sa mère était allongée sur le seul lit, fait de paille. Son visage exprimait une souffrance indescriptible et, déjà, son teint était d'une pâleur de mort. Elle gémissait, semblait divaguer.

Elle murmura, d'une voix faible et chevrotante :
« Tu es là, Ambre. Tu es là », marqua une pause, puis
reprit : « Il ne me reste plus que quelques jours à
vivre et j'aurai accompli ma mission.

— Maman, ne parle plus. Ça te fatigue.

— Non. Quelques jours. Mais je ne tiendrai pas. Je
suis trop malade. »

Ambre essayait de refouler ses larmes. Elle devait
se montrer forte, comme toujours. Elle serra la main
de sa mère davantage. Un profond désespoir s'abattit
sur elle.

« Maman, maman, ne put-elle s'empêcher de balbutier, tout va s'arranger. »

Elle s'efforçait de croire à ses propres paroles,
voulait se persuader elle-même. Surtout, elle aurait
souhaité que tout cela ne soit qu'un cauchemar, espérant qu'elle allait se réveiller dans le lit de paille, ser-
rée contre ses frères et sœurs, comme à l'ordinaire.
Mais non, le cauchemar durait. Ambre tentait de fuir
l'horrible vérité. Elle avait l'habitude de s'inventer un
monde de rêve lorsque celui où elle vivait était trop
cruel. Elle s'y cachait, refusant la souffrance. Mais
son imagination était fragile ; elle s'effaçait trop facilement pour laisser place à la réalité. Alors, la douleur se faisait encore plus intense, comme pour se
venger de celle qui avait tenté de la nier.

« Ambre. Il faut que je vive. Encore un peu. Quelques jours, seulement quelques jours. Je suis proche
du repos. »

Ambre frémit au son de la voix. Elle s'aperçut que son propre visage, comme celui de sa mère, était mouillé de larmes. Sa mère gémissait, presque résignée. Elle-même ne voulait pas encore rendre les armes. Elle était de ceux qui se battent jusqu'au bout, même quand tout espoir s'est éteint et qu'il n'y a plus d'avenir à l'horizon. Elle était ainsi, et persistait à chercher une lueur dans la nuit.

« Ambre. Ambre. Ma mission, Ambre.

— Chut, maman. Chut. Ne parle plus. C'est fatigant, dans ton état. Mais ne t'inquiète pas, tu t'en sortiras. Ce n'est pas plus grave qu'un rhume. Demain, tu te lèveras. Tu verras, le soleil brille. Les cerises sont mûres. L'herbe est plus verte que jamais. Il n'y a pas un nuage. Le ciel est si bleu. Ça vaut le coup de sortir. Je t'assure, demain, tu seras mieux. »

Ambre avait la voix brisée et peinait à réprimer un sanglot.

« Ambre. Je ne veux vivre que quelques jours de plus. Après, peu m'importe mais il y a ma mission et c'est encore trop tôt. Si je meurs, qui accomplira ce qui doit être accompli ? Ambre, rester en vie encore quelques jours est pour moi un devoir. Mais je n'y arriverai pas. C'est au-dessus de mes forces.

— Maman, calme-toi, repose-toi, c'est important.

— Ambre, quand mon dernier jour, si proche, sera là... promets-moi de me croire. Même si mes

paroles sont celles d'une malade affaiblie... Promets-
moi.

— Je te promets tout ce que tu veux, maman, mais
maintenant, arrête de parler, ça t'épuise. »

Ambre n'avait pas pris au sérieux une seule des
paroles de sa mère ; elle attribuait ses divagations à la
fièvre.

3

« Moi, je serais à la place de sa grand-tante, je me ferais du souci pour elle. Elle est si fermée, si solitaire...

— Vous avez raison. Elle n'est pas normale ! Elle n'a pas une seule amie et personne n'arrive à deviner ce qu'elle pense.

— Elle ne sourit jamais, c'est incroyable ! Et son regard baissé... Sa manière d'être tellement neutre et insistante que ça en devient dérangeant.

— Oui, c'est ça : quelque chose d'inhabituel, d'intrigant, qui met mal à l'aise. »

Les deux commères se turent en voyant approcher l'une des plus vieilles femmes du village. Personne ne connaissait son âge, pas même elle qui n'avait plus la force ni l'envie de compter les années. On ne prêtait plus attention à ses propos, qu'on jugeait souvent dénués de sens, et pourtant, par-delà les apparences, elle restait lucide. Elle avait le dos courbé, le visage marqué d'une ride pour chaque chemin qu'elle avait emprunté, chacun de ses pas lents semblait lui coûter un grand effort.

Au bout d'un moment, elle arriva près des commères. Il était impossible qu'elle les ait entendues, car elles s'étaient tues à son approche. Elles lui adressèrent un sourire faussement bienveillant en la saluant. La vieille femme les considéra avec un mépris non contenu. Elle leur dit d'une voix ferme : « Opale n'est certes pas normale. Oui, elle est différente. Et elle accomplira des choses que vous n'oseriez même pas imaginer. »

Puis, elle s'éloigna lentement. Les deux commères, interdites, remarquèrent pour la première fois la dignité et la volonté qui animaient l'arrière-grand-tante d'Opale.

D'aussi loin qu'elle s'en souvienne, Opale avait toujours vécu avec son arrière-grand-tante Eugénia et la fille de celle-ci, qui portait le même prénom. Pour la différencier de sa mère, on l'appelait Gina. Opale n'avait pas connu d'autre logis que la maison cossue où elles habitaient toutes trois. Sa grand-tante Gina, malgré son âge avancé, restait vigoureuse. Elle s'était toujours occupée de l'entretien de la maison et de l'éducation d'Opale, et lui avait appris tout ce qu'elle savait : les Lettres et l'Histoire. Elle lui avait aussi transmis sa connaissance des plantes et des remèdes. Opale était une élève réfléchie et appliquée. Elle ne se demandait pas si apprendre lui plaisait. Ses goûts, ses sentiments, ses idées étaient indéfinis, souvent même inexistants. De nombreux garçons la trouvaient belle, mais elle demeurait de marbre, et son indifférence refroidissait rapidement les ardeurs que la jeune fille suscitait. Elle était un peu trop maigre, frêle, son visage semblait de porcelaine et son teint était laiteux. Une impression de fragilité se dégageait d'elle tant ses traits étaient délicats. Ses grands yeux, d'un bleu clair délavé où un soupçon de gris était parfois visible, avaient un regard absent. De lourdes boucles tombaient sur ses épaules, accentuant son apparence évanescente. Ses cheveux étaient blonds, mais chacune de ses mèches avait une nuance différente : claire, miel, cendrée... Elle marchait le plus souvent la tête baissée, les yeux rivés au sol. Elle n'était pas timide, mais la compagnie des autres ne l'attirait pas. Personne ne l'aimait vraiment et elle n'aimait vraiment personne. Malgré l'attention que lui prodiguaient Eugénia et Gina, elle n'avait jamais connu ni chaleur, ni affection véritable.

Opale cherchait un objet à dessiner. Elle dessinait beaucoup, d'une manière nette et précise, recherchant la perfection dans la ressemblance. Elle avait un jour entendu dire que l'art était une façon différente d'envisager le réel mais cela n'avait pas beaucoup de sens pour elle. Elle aimait reproduire ce qu'elle voyait et voulait avant tout se surpasser. Alors, elle cherchait des modèles toujours plus difficiles à restituer. Ce jour-là, elle ne trouvait rien qui lui convienne. Elle avait détaillé chaque coin de sa chambre. Soudain, une idée lui traversa l'esprit. Elle se leva et se dirigea vers la chambre de Gina. Elle y entra – elle en avait la permission mais ne s'y rendait jamais. Elle frémit, avec l'impression de commettre un délit. « C'est ridicule, pensa-t-elle. J'ai le droit d'être ici ! Gina est partie au village, mais si elle était là, elle serait tout à fait d'accord pour que j'aille dans sa chambre ! » Elle éprouvait pourtant une sorte de malaise. Elle avança et s'assit sur le lit. La chambre ne manquait pas d'objets complexes qu'elle pouvait prendre pour modèles. Elle avait l'embarras du choix mais, mue par une envie bizarre, elle tenta d'ouvrir le tiroir de la table de chevet. Il était fermé à clef. Opale s'étonna de ce qu'elle venait de faire. Elle n'avait jamais été curieuse. « Il se passe quelque chose, marmonna-t-elle. Je ne me contrôle pas. » La sensation étrange la poursuivait. « Cette pièce... », pensa Opale. Elle s'interrompit. Instinctivement, elle défit les draps du lit, puis souleva l'oreiller. Elle découvrit une petite clef, s'en empara, la fit glisser dans la serrure du tiroir de la table de chevet. Puis elle s'arrêta un moment et respira profondément. « Qu'est-ce que je suis en train de faire ? » se demanda-t-elle. D'un geste brusque, elle ouvrit le tiroir. La première chose qu'elle y vit fut un livre volumineux, dont le titre, inscrit en lettres d'or était *La Prophétie*. Un marque-page était glissé au milieu. Opale ouvrit le volume à cette page et lut quelques lignes avant de le refermer d'un geste sec. « Aucun intérêt », se dit-elle. Elle essaya de se raisonner : que s'attendait-elle à trouver ? Agacée, elle continua l'inspection du tiroir quand son regard fut attiré par une bourse de velours noir, dont elle défit les cordons. « Il y a quelque chose à l'intérieur. Quelque chose qui m'appelle. » C'était un objet lisse et chaud au toucher. Une sensation inconnue pénétra Opale : elle avait l'impression d'être ailleurs. Elle sortit l'objet et l'examina. C'était une pierre précieuse, de taille modeste, ronde. Sa couleur était d'un vert très pâle, glacé et uniforme. Opale la serra. « Ce n'est pas une pierre, murmura-t-elle pour elle-même. C'est quelque chose d'autre, de puissant. Un message. » Elle ne savait pas d'où lui venaient ces convictions, mais elle se sentait proche de la vérité. Elle était dans un état second, comme envoûtée. Elle oubliait tout autour d'elle. Il lui semblait qu'un contact, un lien presque palpable existait entre elle et la pierre, que celle-ci voulait lui signifier quelque chose. Opale la serra encore davantage. Alors, la pierre refroidit et sa surface lui parut rêche. La jeune fille ressentit un vide immense, une mélancolie subite. La pierre devint gelée en quelques secondes. Opale, frissonnante, fut obligée de la lâcher. La communication qu'elle croyait établie fut brutalement brisée. Elle porta la main à son front. Il était brûlant. « Je n'aurais jamais dû ouvrir ce tiroir, se reprocha-t-elle intérieurement. Je ne devais pas découvrir cette pierre. » Elle le savait, elle le sentait. Avec des gestes hâtifs, elle remit la pierre dans la bourse et lui fit regagner sa cachette initiale. Puis elle prit le livre qu'elle avait laissé sur le lit et le rangea également dans le tiroir, qu'elle ferma à clef et replaça celle-ci sous l'oreiller. Elle arrangea soigneusement les draps. Il était temps.

Gina, sa grand-tante, entra dans la chambre.

« Opale, s'exclama-t-elle ! Tout va bien ? Tu es toute pâle.

— Je vais très bien. Je cherchais juste un objet à dessiner », répondit-elle.

Malgré ses efforts pour paraître détendue, sa voix laissait percer son trouble.

*

Au moment même où Opale avait touché la pierre, il avait violemment sursauté. Un rictus avait déformé son visage malveillant. Il avait tout de suite mandé par télépathie au Conseil des Douze de se réunir. Puis il les avait rejoints dans leur vaste salle de réunion. Tous avaient baissé les yeux de crainte, à son approche. De sa voix glaciale, il avait déclaré : « Ce que nous n'espérions plus s'est enfin produit. J'ai pu intercepter quelque chose de très intéressant. »

Les douze membres du Conseil devinaient de quoi il s'agissait. La satisfaction se peignit sur leurs visages moroses. L'un d'eux demanda :

« Devons-nous ordonner aux chevaliers de l'Ordre de nous la ramener ?

— Non, répondit-il, intransigeant. J'ai une meilleure idée.

— De laquelle s'agit-il ? questionna un autre membre du Conseil, avide d'en savoir plus.

— De la troisième. Peut-être la plus dangereuse. Elle a en elle des puissances encore endormies. Je l'ai ressenti lorsqu'elle est entrée en contact avec sa pierre. C'est arrivé trop tôt pour elle, nous pouvons nous en réjouir. Quelques jours encore et nous aurions perdu l'avantage !

— De quelle pierre est-il question ? interrogea un autre membre du Conseil.

— L'opale, la plus pure des trois. Mais aussi la plus fragile, maintenant que je sais tout d'elle... »

Paris, 2002

Le Dr Arnon ôta ses lunettes. Il fit signe à l'infirmière de s'approcher :

« On dirait qu'elle dort paisiblement, vous ne trouvez pas ? »

Il désigna un lit où était blottie une forme chétive. Elle semblait plongée dans un profond sommeil, mais son visage avait une couleur de cendre.

« Il ne lui reste plus très longtemps, ajouta-t-il. A mon avis, pas plus de quelques jours. Vous ne vous y êtes pas attachée, j'espère ? »

L'infirmière haussa les épaules d'un geste fataliste.

« Non, pas vraiment. Et puis, elle a déjà tellement souffert... »

Le docteur observa un moment de silence. Il nettoya minutieusement les verres de ses lunettes avant de lâcher gravement :

« De toute façon, nous ne pouvons plus l'aider. Elle a définitivement renoncé à se battre depuis la mort de ses parents.

-- Elle n'a pas d'autre famille?

— Pas de frères et sœurs, répondit-il. Juste un oncle, qui est désormais son tuteur légal. Mais il la connaît à peine. C'est lui qui paie son traitement avec l'argent des parents.

— Une famille riche? demanda l'infirmière.

— Oui. Mais cela ne va pas la sauver.

— Et cet oncle, il ne vient jamais la voir?

— Non, répondit-il lentement. Personne ne vient jamais la voir. »

Ils se turent. L'infirmière observa la silhouette fragile étendue sur le lit. Elle n'avait pas le droit de s'attacher à quelqu'un de si proche de la fin. Elle détourna le regard.

Le Dr Arnon lui dit doucement :

« Des histoires tristes, vous devez déjà en avoir entendu beaucoup et, croyez-moi, vous en entendrez encore bien davantage.

— Je sais.

— Alors, suivez-moi, oublions tout ça. Un café, ça vous tente? »

L'infirmière acquiesça. Sans un regard, elle quitta la pièce et referma la porte derrière elle. Dans la chambre, on n'entendait plus que le bruit de l'appareil qui maintenait la malade en vie.

4

Jade était magnifique dans sa robe bleu-vert du comté de Tyrel, taillée sur mesure. Ses yeux verts luisaient d'un éclat particulier et un sourire illuminait son visage. Elle évoluait dans la salle comme une reine parmi ses sujets. On ne regardait qu'elle, elle était l'étoile de la soirée. Elle adorait cela. Elle dansait, parlait avec ses invités, riait sans retenue. La fête était encore plus réussie que prévu. Les plats étaient délicieux, les décors somptueux et le faste impressionnant. « C'est le bonheur parfait », pensa-t-elle.

*

Chaque minute supplémentaire que sa mère gagnait contre la mort était un petit miracle. Contre toute attente, elle avait réussi à tenir jusque-là. Depuis le jour, si proche, où Ambre avait accouru à son chevet, sa fin ne faisait plus aucun doute et pourtant elle s'accrochait à la vie. La jeune fille restait près d'elle jour et nuit, ne dormant plus et ne mangeant que quelques bouchées de pain lorsque la faim l'assaillait. Aujourd'hui, sa mère allait encore plus mal. Elle avait perdu conscience le matin et n'était pas encore revenue à elle. Heureusement, elle respirait encore, mais avec tant de difficultés...

Le soleil était déjà couché. Il fallait que sa mère sorte de ce coma néfaste. « Elle vivra, elle vivra, elle vivra, se répétait Ambre avec une conviction inébranlable. Il y a toujours de l'espoir, toujours ! Tant qu'elle respire... »

« Ambre... » La voix devenue rauque de sa mère la fit sursauter. Elle avait repris connaissance.

« Maman ! Oh, maman...

— J'y arriverai, Ambre, j'y arriverai... Quelle heure est-il ? »

Ambre lui répondit, contente de la trouver à peu près lucide, malgré son regard de plus en plus vitreux.

« C'est bien, Ambre. Il ne me reste que si peu de temps à tenir... J'aurai rempli ma mission. Je serai tranquille, là-haut... au ciel.

— Maman !

— Il faudra que tu sois forte. Que tu acceptes ce que tu es destinée à accomplir.

— Repose-toi, maman.

— Au fait, j'espère que tu n'as pas oublié... Tu as quatorze ans aujourd'hui.

— Ça m'était sorti de la tête.

— Eh bien, Ambre, je te souhaite un joyeux anniversaire. »

*

Depuis qu'Opale avait découvert la pierre, tout allait mal. Elle avait perdu le sommeil et une fièvre tenace s'était emparée d'elle. Elle n'en avait rien dit à Eugénia et Gina, de crainte qu'elles ne découvrent la cause de sa maladie. En secret, elle avait confectionné des remèdes à base de plantes, mais cela s'était révélé vain. La fièvre persistait et elle était sujette à de violentes nausées. Elle avait peur de se trahir, de laisser entendre qu'elle avait trouvé cette pierre étrange dans les affaires de Gina. « Je ne voulais rien faire de mal », ne cessait-elle de se répéter. Depuis sa découverte, elle ne prononçait plus un mot, à part le strict nécessaire. Elle s'était encore plus repliée sur elle-même. « Qu'est-ce qui m'a pris ce jour-là ? se demanda-t-elle. Je ne comprends vraiment pas. »

« Opale, encore un peu de gâteau ? » s'enquit Gina, un sourire forcé aux lèvres.

Opale tressaillit, tirée de ses pensées.

« Non, merci », répondit-elle froidement.

Elle voyait bien que sa grand-tante tentait de détendre l'atmosphère, mais elle n'arrivait pas à surmonter son sentiment de culpabilité. Gina ne parvenait plus à contenir son agacement. Sa patience et sa diplomatie volèrent en éclats et elle haussa le ton, irritée :

« C'est ton anniversaire ! Eugénia et moi voulions que tout se passe bien, mais toi, tu n'en as rien à faire !

— Gina..., tenta d'intervenir Eugénia.

— Laisse-moi, continua Gina, de plus en plus énervée. Opale, est-ce qu'un sourire ou un simple remerciement seraient trop te demander ? Après tout ce que
nous avons fait pour toi ? Mais qu'as-tu à la place du
cœur ? une pierre ? »

Opale jeta à Gina un regard incisif. « En parlant de
pierre, tu me dois des explications », voulut-elle crier.
Mais elle se tut et baissa la tête.

*

Le duc de Divulyon contemplait Jade avec amertume. « Pourquoi ? » se demandait-il sans arrêt.
« Pourquoi elle ? Pourquoi maintenant ? Pourquoi tout
ça ? » Il savait que ses questions étaient inutiles,
qu'elles ne changeraient rien à la situation. Lui-même
était impuissant, incapable de modifier ou d'empêcher
quoi que ce soit. Pourtant, une voix intérieure continuait à l'accabler et à maudire cette prophétie. Il aurait
voulu faire taire cette voix de plus en plus douloureuse, lui intimer le silence. Mais il n'y arrivait pas. Il
ne pouvait penser qu'à Jade. Avec mélancolie, il plongea la main dans la poche de sa veste d'apparat. Il
serra la bourse de velours noir.

*

Ambre avait les yeux injectés de sang, les cheveux
sales et emmêlés ; chacun de ses muscles était tendu ;

ses lèvres étaient desséchées. Elle ne s'en rendait pas compte et peu lui importait. Elle devait surveiller sa mère. Tous ses frères et sœurs avaient été hébergés sous d'autres toits. Mais elle était l'aînée et se devait de rester au chevet de sa mère. La pièce était éclairée par la faible lueur d'une bougie. Sa flamme était vacillante et menaçait de s'éteindre à chaque instant. «Comme le bonheur, songea-t-elle. L'autre jour, j'étais assise dans ce pâturage, heureuse, et tout à coup, la vie est devenue un horrible cauchemar.»

«Ambre..., gémit sa mère. Je me sens mal... très mal...

— Maman, arrête de parler, ça t'épuise complètement. Repose-toi. Dors, il est tard. Bientôt, tu iras beaucoup mieux.

— Oui... quand tout sera fini... quand je n'aurai plus à souffrir... quand je serai... dans l'autre monde.

— Maman, je t'en supplie, sois courageuse!

— J'ai presque hâte... de m'en aller... de rejoindre mon homme... d'oublier la douleur, la pauvreté... la sensation de n'avoir... rien fait... de ma vie...

— Maman! Rien de tout ça n'est vrai! Tu as fait tant de choses... Regarde, tu m'as faite, moi. Sans toi, je ne serais rien!

— Si tu savais...»

*

Après que Gina se fut calmée, un silence oppressant s'installa dans la pièce. Autour de la table, chacune fuyait le regard de l'autre. Eugénia et Gina consultaient nerveusement leur montre à intervalles réguliers. Opale, d'ordinaire impassible, n'en pouvait plus. Elle voulait se lever, partir s'enfermer dans sa chambre. Mais elle restait assise, désespérée. La fièvre lui faisait tourner la tête. Au bout d'une demi-heure, Eugénia toussota et déclara :

« Il est temps. »

Opale, surprise, la regarda.

« Temps de quoi ? » demanda-t-elle, inquiète.

Eugénia lui sourit tristement et répondit :

« Il reste encore une heure, mais je crois qu'il vaut mieux commencer sans attendre.

— Commencer quoi ? » demanda à nouveau Opale.

Gina se racla discrètement la gorge. Elle présenta ses excuses à Opale pour s'être emportée, puis elle regarda Eugénia et répéta :

« Oui. Il est temps. »

Ensuite, elle sortit un objet et le déposa sur la table. Le sang d'Opale se glaça dans ses veines. Son visage blêmit. La bourse de velours noir !

« Gina sait que je l'ai trouvée et que j'ai fouillé dans sa table de chevet, pensa-t-elle, affolée, et elle veut des explications. »

Mais, étrangement, Gina ne paraissait pas en colère.

« C'est une longue histoire, dit-elle, mais nous ne pouvons pas tout te raconter. Il faudra que tu découvres l'essentiel par toi-même. N'ouvre pas cette bourse toute de suite. En fait, ne l'ouvre pas avant minuit, parce que cela pourrait être très grave. »

Opale, stupéfaite, l'écoutait. Mais, ayant déjà ressenti le pouvoir de la pierre, elle ne mit pas en doute les paroles de sa grand-tante.

*

« La soirée est déjà très avancée, pensa le duc de Divulyon. Plus qu'une demi-heure. » Il se dirigea vers Jade qui discutait avec ses invités.

« Jade », murmura-t-il.

Elle se retourna, rayonnante.

« Papa ! Je ne t'ai pas vu de la soirée. La fête est réussie, non ? » Elle sourit.

Le duc de Divulyon sentit sa gorge se nouer.

« Oui, la fête est très réussie, parvint-il à articuler, et tu es splendide. » Un sourire vint à nouveau illuminer le visage de Jade. « Jade... il va falloir que tu quittes tes invités. Je dois te parler. »

Jade sursauta.

« Comment ? s'insurgea-t-elle. Mais c'est ma fête, papa ! Mon anniversaire ! Ce n'est pas si urgent, ce que tu as à me dire !

— Si. Justement, ça l'est. »

Jade ne dissimula pas sa déception et son énervement. Elle prit congé de ses invités et suivit à contre-cœur son père. Il la conduisit dans un des salons intimes du palais et ferma la porte à clef derrière eux. Elle s'assit en face de lui, contrariée. Le duc de Divulyon respira profondément. Il fallait commencer, pour qu'à minuit...

« Jade, dit-il, je ne suis pas ton père. »

*

La mère d'Ambre rassembla le peu de forces qui lui restaient et continua :

« Ambre... je sens que tu ne me crois pas... mais je ne délire pas ! Ta vraie mère t'a confiée à moi à ta naissance pour que je te protège jusqu'à tes quatorze ans. Ambre, je t'ai aimée autant que mes enfants. »

Ambre ne pouvait pas y croire. C'était tout simplement impossible. Mais sa mère sortit quelque chose de sa tunique : une bourse de velours noir. Elle la lui tendit. Ambre la prit, intriguée.

« N'ouvre pas cette bourse avant minuit. Elle est à toi, et son contenu aussi. Ta mère me l'a donnée... avec toi. »

Une sensation de malaise s'immisça en elle.

*

« Il y a deux autres filles, dit gravement Gina. Tes ennemies. Ne leur fais jamais confiance. Elles aussi ont été confiées à des gens à leur naissance, pour assurer leur sécurité.

— Quelle sécurité ? demanda Opale. De quoi sommes-nous menacées ?

— Tu ne dois pas le savoir, coupa Eugénia. Pas encore. »

Opale restait calme. Elle avait l'intuition que tout allait changer bientôt, mais elle demeurait impassible.

Elle jeta un regard à la nuit noire et sereine. Elle n'avait pas peur du lendemain, ni d'aucun autre jour à venir. Elle demanda juste :

« Pourquoi avoir attendu si longtemps pour me dire tout ça ? »

*

Jade avait bondi de son fauteuil, le regard incrédule. « Quoi ? » s'était-elle exclamée sur le coup. Puis elle avait hurlé : « Je n'y crois pas ! Je n'y crois pas ! » Ses joues étaient empourprées et ses yeux flamboyaient de rage. Il lui fallut quelques minutes pour retrouver un semblant de calme. Une intuition l'avait forcée à prendre la situation très au sérieux : son père ne mentait pas — ou plutôt, le duc de Divulyon, celui qu'elle avait cru être son père ! A présent, elle arpentait la pièce, une colère sourde grondant en elle.

« Je me fiche de cette bourse de velours et de ces deux autres débiles ! Je me fiche de ma mère qui m'a abandonnée à ma naissance et je me fiche de savoir ce que tu ne veux pas me dire !

– Jade..., voulut répondre le duc de Divulyon.

– C'est vrai ça. Pourquoi toute cette histoire ridicule me tombe sur la tête ? Je n'ai rien demandé, moi !

– Jade..., coupa le duc de Divulyon. Ce n'est pas tout.

– Quoi encore ? Une autre petite surprise dans le même genre ? Eh bien non merci, je m'en passerai !

« – A minuit, tu devras retrouver les deux autres filles sous un arbre dont je t'indiquerai l'emplacement. Tu ne reviendras qu'après avoir affronté beaucoup d'épreuves. Surtout, ne révèle ton identité à personne, et cache soigneusement la bourse de velours. Tu vas rencontrer beaucoup d'ennemis sur ta route. Apprends à te méfier et à les reconnaître.

– Quoi ? s'étrangla Jade. Mais je ne veux pas partir ! Je n'en veux pas, moi, d'un avenir pourri comme ça ! Je veux rester ! S'il te plaît, papa... Je veux rester. » Jade éclata en sanglots.

« Jade, murmura le duc de Divulyon, je t'aime plus que je n'aurais aimé ma propre fille. »

*

« Maintenant, il faut que tu partes. La bourse contient aussi un peu d'argent. Tu t'en sortiras, Ambre.

– Maman, je ne veux pas te quitter ! Tu as besoin de moi !

– Plus à présent, Ambre. L'arbre se trouve près d'ici, entre le village et le palais de Divulyon, dans une prairie où les fleurs poussent toute l'année, et qui n'appartient à personne. C'est un des derniers endroits enchantés du Royaume.

– Je vois où c'est, maman, dit Ambre, dont le cœur battait trop vite, trop fort, à lui en faire mal.

— L'arbre est grand, aux feuilles toujours vertes, et aux fruits toujours mûrs. Tu y rencontreras tes ennemies. Pars, Ambre. Tu dois t'en aller. Et moi aussi...

— Maman, je ne peux pas partir. Tu es et tu resteras toujours ma mère. Je ne te quitterai pas. Pas maintenant.

— Sois forte », répondit faiblement sa mère. Puis elle ferma les yeux et sourit doucement.

« Maman, je resterai », dit Ambre, sûre d'elle. Elle jeta un regard à sa mère : « Maman ! Maman, cria-t-elle, paniquée. Maman ! »

Sa mère semblait dormir paisiblement, mais elle ne respirait plus. Elle avait quitté ce monde, sans un mot, apaisée, avec l'image incertaine d'un endroit plus libre.

« Maman, murmura Ambre, maman... » Une douleur lancinante s'empara d'elle. Elle déposa un baiser sur le front de sa mère. Elle aussi devait partir vers l'inconnu. « Je serai forte », se promit-elle. Puis, le cœur blessé et souffrant, elle s'engouffra dans la nuit.

5

Sous un ciel étoilé, dans la prairie éternellement fleurie, sous l'arbre aux feuilles qui ne tombaient jamais, elles se dévisageaient. Depuis qu'elles s'étaient rencontrées, quelques minutes auparavant, elles n'avaient pas prononcé un mot. Elles se détaillaient mutuellement, la même pensée à l'esprit : « Nous sommes ennemies. » Jade scrutait avec dédain les deux filles. La tête haute, le regard fier, elle voulait clairement leur signifier qu'elles n'avaient aucune importance pour elle. « Une paysanne et une petite bourgeoise, ça ne m'impressionne pas », se dit-elle avec ironie. Mais au fond d'elle-même, la jeune fille éprouvait un profond désarroi, et elle était résolue à n'en rien laisser paraître. Elle observa Ambre, les traits défaits, qui pleurait en silence. « Pauvre fille, tu fais pitié ! » pensa-t-elle. Elle détailla ses vêtements grossiers, son visage sale, sa chevelure maculée de boue. Elle n'éprouvait aucune haine envers elle, même si elle était censée être son ennemie. Puis son regard heurta celui d'Opale. Aussitôt, elle sentit ses muscles se raidir. « Elle n'est pas mon genre, celle-là, constata-t-elle. On est et on restera ennemies ! Qu'est-ce qu'elle a à me regarder comme ça ? Elle m'énerve, mais elle m'énerve ! »

De fait, Opale fixait Jade d'un air absent. D'habitude, elle ne portait pas de jugements hâtifs, mais elle avait tout de suite compris qu'elle et cette fille à l'air guindé n'étaient pas faites pour s'entendre.

Ambre, elle, était trop bouleversée par la mort de sa mère pour avoir des pensées claires. Elle essayait de retenir ses larmes sans y parvenir. Elle jeta quelques regards distraits à ses deux ennemies, mais, trop abattue pour penser, se contenta de les observer, sans les juger. Des bribes de phrases lui revenaient et elle se revoyait près de sa mère : « Deux autres filles... tes ennemies... une prairie... on la dit enchantée... la bourse... avant minuit... »

Un détail tira Ambre de ses songes. Elle fit un effort pour repousser momentanément la douleur qui oppressait son souffle et se répéta les dernières paroles de sa mère : « Sois forte. Sois forte ! » Il fallait qu'elle lutte contre cette souffrance, qu'elle revienne au moment présent. Alors, elle sécha ses larmes et rompit le silence :

« La bourse de velours noir ! Vous avez l'heure ? »

Jade et Opale, surprises qu'Ambre ait évoqué une certaine bourse, la regardèrent avec curiosité. Même si elles ne l'auraient jamais avoué, elles étaient contentes que quelqu'un ait enfin pris la parole.

« Vous avez l'heure ? » répéta Ambre.

Jade consulta sa montre dont le bracelet était serti de diamants et qu'elle exhibait avec orgueil.

« Il est minuit dix », répondit-elle d'un ton hautain.

Ambre regarda Jade. Elle n'enviait pas sa tenue, ses bijoux précieux et son regard ardent, mais elle admirait malgré elle la force qu'elle dégageait. Puis son regard se posa sur Opale. Immobile, le visage muet d'émotion, elle avait un sang-froid qui, dans la situation, impressionna Ambre.

« Je m'appelle Ambre. Si je vous demande l'heure, c'est parce que ma mère m'a donné une bourse de velours noir, mais je ne dois pas l'ouvrir avant minuit.

— Moi aussi ! s'exclama Jade. Sauf que moi, c'est le duc de Divulyon, qui a été mon père pendant quatorze ans — mais ne l'est plus —, qui me l'a donnée.

— Ah bon ? s'étonna Ambre. Moi aussi, ma mère n'était pas non plus ma vraie mère. Mais pour moi, c'est toujours ma mère, et puis... elle vient de mourir... »

Gagnée à nouveau par l'émotion, elle s'interrompit. Opale, qui avait gardé le silence jusqu'ici, dit avec une douceur inaccoutumée :

« Ambre, je suis désolée pour toi. Ce doit être dur de vivre tout ça dans la même journée.

— Oui, acquiesça Ambre, un peu soulagée d'entendre une parole amicale. Et toi, tu as aussi reçu une bourse ? »

Opale fit oui de la tête.

« On a ça en commun, toutes les trois. Au fait, je suis Opale. » Puis, d'une voix dure, elle ajouta : « Même si je ne sais pas pourquoi, nous sommes ennemies.

— Tout à fait, ajouta Jade avec brutalité en regardant Opale.

— Je ne crois pas, fit Ambre. Pourquoi être ennemies quand on ne se connaît même pas ? Franchement, rien ne nous y oblige !

— Si, insista Jade. Mon soi-disant père, le duc de Divulyon, ne ment jamais. Il a dit qu'on est ennemies, alors on l'est.

— Ton père adoptif, c'est le duc de Divulyon ? demanda Ambre.

— Oui. Jusqu'à ce soir, j'étais Jade de Divulyon. Maintenant, je ne sais plus. Non seulement je ne connais rien de ma famille, mais il paraît qu'il ne faut pas que je dise mon nom, parce que j'ai plein d'ennemis cachés, et gnangnangnan...

— On m'a dit la même chose, confia Ambre.

— Moi aussi, confirma Opale.

— Et alors ? A quoi ça m'avance ? Je ne sais pas où je dois aller, je ne sais pas ce que je dois faire ! Et puis, pourquoi est-ce que je me retrouve avec vous ? Quelqu'un sait ce qu'on fait ici ?

— Non, répondirent Ambre et Opale à l'unisson.

— On est bien ! remarqua Jade. Et pourquoi dis-je " on " ? Vous êtes mes ennemies, alors il n'y a pas de " on " ! Pourquoi resterait-on ensemble ?

— On est plus fortes à trois que seules, surtout si on a des ennemis communs, répondit Ambre. A priori, ce sont eux qui représentent le plus grand danger, non ? Moi, je ne vous veux aucun mal, je ne sais même pas qui vous êtes.

— Et si on ouvrait ces bourses noires ? coupa Jade. Il y a peut-être quelque chose d'important à l'intérieur.

— Bonne idée, approuva Ambre.

— On est quand même ennemies ! » rappela Opale.

Sa remarque ne trouva pas d'écho. Ambre et Jade étaient occupées à ouvrir leurs bourses de velours. Opale les imita avec l'envie irrépressible de revoir la pierre. Ambre étouffa un cri en découvrant une pierre aux couleurs d'automne, d'un orange foncé et translucide virant au rouge ou au marron. Elle croyait contempler un coucher de soleil. Elle se sentit un peu apaisée et la douleur en elle, sans s'effacer, s'atténua légèrement, laissant place à une douce chaleur. Elle serra cette pierre, qui, elle le sentait clairement, n'en était pas vraiment une.

Au même moment, Jade prit au creux de sa main une pierre d'un vert profond, pur et intense. « Un jade... » murmura-t-elle. La pierre avait une teinte si riche, si frappante, qu'elle resta un long moment à l'observer. Puis, à son tour, sans savoir pourquoi, elle la serra avec force.

Pendant ce temps, Opale examinait la pierre qui avait déclenché sa fièvre. Elle n'avait pas remarqué auparavant ses reflets bleutés, nacrés, qui donnaient au vert pâle un chatoiement complexe et fascinant, comme si la pierre était parsemée de paillettes. Instinctivement, Opale aussi la serra avec vigueur. Les trois filles sentirent peu à peu leurs angoisses les abandonner. Tout, en elles, se relâchait, chaque pensée devenait agréable. Puis elles oublièrent qu'elles se trouvaient dans cette prairie, qu'elles avaient été plus ou moins chassées de chez elles et qu'il faisait nuit ; elles oublièrent tout, et une liberté nouvelle s'empara d'elles. Elles fermèrent les yeux en même temps. Un lien se forma entre elles. Leurs pierres semblaient communiquer, s'échanger, se confondre, et elles-mêmes les suivaient. Elles n'étaient qu'une et étaient des milliers à la fois ; cela n'avait pas d'importance : elles formaient un tout, un ensemble indestructible. Peu à peu, une image se construisit dans leurs esprits, une image inconnue et compliquée. Elle flotta pendant de longues minutes, le temps d'imprégner leurs mémoires, puis elle s'estompa et disparut.

Les trois filles sortirent doucement de l'état où elles avaient été plongées. Aucun doute n'était possible : elles devaient suivre ce dessin, ce symbole étrange, composé de spirales, de courbes et d'arabesques. Les pierres leur avaient parlé en leur imposant cette figure. Les filles s'observèrent avec un regard neuf et presque amical. La voix encore lointaine, Ambre dit : « Ce ne sont pas des pierres. C'est autre chose. Une aide. Je le crois vraiment, pas vous ?

– Si, approuva Jade. Maintenant, on sait ce qu'il faut faire : comprendre et aller vers ce symbole.

– Il fait nuit, coupa Opale. On verra demain. Il faut trouver un endroit pour dormir.

– Ici ! proposa Ambre.

– Ici ? s'indigna Jade. Je ne dormirai que dans un manoir, dans une chambre spacieuse et dans un lit moelleux.

– Jade, dit Ambre de sa voix douce, il est tard. On ne va pas marcher pendant des heures jusqu'au prochain manoir et débarquer en disant : " Coucou, c'est nous ! Il est trois heures du matin et on aimerait bien dormir ici. Bien sûr, on ne vous dira pas nos noms, ni rien sur nous, parce que vous êtes peut-être nos ennemis et qu'après tout, venir chez les gens à trois heures et vouloir dormir chez eux, c'est tout à fait normal ! " »

Jade jeta à Ambre un regard courroucé.

« Je ne dormirai pas ici », répéta-t-elle en détachant soigneusement chaque syllabe. Elle chercha un argument convaincant. « En plus, si on nous a dit de partir, de faire attention à des ennemis inconnus, c'est parce qu'il doit y avoir un danger ici.

– Pas forcément, objecta Opale.

– Mais si ! appuya Jade. On ne doit pas retourner en arrière, et encore moins rester sur place. Il faut trouver ce que ce symbole signifie le plus vite possible. »

Ambre, dubitative, réfléchit un instant, puis déclara : « Je connais une petite ferme isolée à une heure d'ici.

Une vieille femme qui y vit seule avec ses poules et ses chats. On pourrait dormir dans l'étable. Elle ne s'en rendra pas compte. On sera en sécurité.

— Une étable! Et puis quoi encore? protesta Jade avec véhémence. Ma robe sera toute froissée. Le sens du symbole, ce n'est pas dans une étable qu'on le trouvera.

— Pourquoi pas? La vieille femme me connaît, et même si elle ne fait plus confiance à personne, elle répondra à mes questions. Au matin, j'irai la voir sous prétexte d'une visite de courtoisie.

— Et tu lui parleras de nous? Pas question! coupa Jade.

— Mais non! Je ferai comme si je venais d'arriver, et je ne parlerai pas de vous. Je lui dirai que ma mère est morte et qu'elle a dessiné le symbole avant de mourir. Je le reproduirai et lui demanderai si elle le connaît.

— En gros, tu lui feras avaler un énorme mensonge! exulta Jade. Ça me plaît! Mais si, après, la vieille en parle? Si nos ennemis savent qu'on recherche le symbole? Ou si la vieille est notre ennemie?

— Aucun risque, assura Ambre. Elle n'a plus toute sa tête et vit coupée du monde. Bon, on perd du temps, si on y allait?

— Non, non et non!» Jade tapa du pied avec colère. «Je ne veux pas y aller! C'est hors de question. Vous voyez mes bijoux, comment je suis habillée?

Réfléchissez un peu et vous comprendrez que je ne suis pas une paysanne qui dort dans les étables.

— On y va, décida Ambre.

— Non!» s'entêta Jade. Elle ne supportait pas qu'on lui résiste.

«Opale, qu'en penses-tu?» demanda Ambre.

Opale, comme à son habitude, s'était tenue à l'écart de la discussion. Elle répondit :

«Je suis d'accord, on y va. Et si Mlle Jade la capricieuse ne veut pas venir, elle n'a qu'à rester ici.

— Je ne suis pas capricieuse! s'écria Jade, furieuse. La preuve, je viens!» dit-elle sans réfléchir.

Elle se mordit les lèvres d'avoir ainsi cédé aux désirs d'autrui. Et elle allait dormir dans une étable! Mais son orgueil l'empêcha de revenir sur ce qu'elle avait dit. Elle vit Opale lever les yeux au ciel :

«Alors, finalement, tu as changé d'avis? On s'en serait bien passées!»

Jade la foudroya du regard, incapable de trouver une réplique cinglante. Ambre s'interposa entre elles.

«Arrêtez! ordonna-t-elle fermement. On doit partir.»

Jade et Opale emboîtèrent le pas à Ambre sans protester davantage. Elles marchaient rapidement, soucieuses de ne pas s'attarder, et ne disaient plus rien, perdues dans leurs pensées. Jade cherchait le moyen d'humilier Opale. Cette fille du village, se croire au-dessus d'elle! C'était intolérable! Une fureur sourde vibrait en elle et la faisait frémir. En plus, elle allait devoir s'abaisser à dormir dans une ferme. Elle avait envie de hurler, de frapper Opale, mais la nuit était déjà trop noire et son futur trop incertain.

De son côté, Opale se posait des questions sur le symbole qu'elles devaient comprendre, sur ces ennemis tapis dans l'ombre et sur les jours à venir. Elle sentait que quelque chose s'éveillait en elle : un intérêt pour sa nouvelle existence. Elle était délivrée d'un poids : quitter la maison était pour elle comme quitter une prison, même si celle-ci avait été confortable. Elle s'était trop longtemps sentie enfermée dans un quotidien banal, dans la certitude que demain n'apporterait rien de neuf. A présent, la liberté lui ouvrait une nouvelle vie. Elle allait découvrir le monde, connaître un danger qu'elle savait proche. Elle n'était ni excitée, ni effrayée. Elle était curieuse : elle allait enfin comprendre ce que « vivre » voulait dire.

Quant à Ambre, elle ne pouvait que tourner ses pensées vers sa mère. Elle revoyait son sourire protecteur et entendait sa voix bienveillante, son rire sonore. Elle se remémorait les moments affectueux passés ensemble ; son visage simple, marqué de tant de chagrins et de trop rares bonheurs, lui revenait en mémoire telle une icône. Sa mère avait perdu son mari, frappé par une maladie foudroyante. Elle ne s'en était jamais vraiment remise. Ambre aussi avait dû surmonter ce deuil, mais cela avait été plus facile : elle n'avait jamais vraiment aimé ce père rustre et brutal, qui ne se préoccupait aucunement d'elle. De plus, elle était petite quand sa mort était survenue, elle n'avait pas clairement compris ce qui se passait. Mais aujourd'hui, tout était clair, tranchant, et elle devait accepter cette douleur atroce. Quelques larmes roulèrent sur ses joues.

« Sois forte, sois forte... » La voix de sa mère se répercuta en elle. « Jade et Opale ont plus de caractère que moi, pensa-t-elle. Elles sont fortes de nature, tandis que moi, je dois m'efforcer de l'être. Il faut que je lutte. Si j'arrive à me convaincre moi-même que je suis capable de surmonter tout cela... alors, peut-être, j'y arriverai. » Sur ces conclusions, Ambre accéléra le pas. La ferme n'était plus très loin. Les trois filles avaient traversé des plaines étendues, des champs, des prairies verdoyantes et quelques collines peu élevées. Derrière l'une d'elles, à l'écart de tout, la ferme à moitié abandonnée apparut. « Suivez-moi », dit Ambre à voix basse.

Elles pénétrèrent dans une étable obscure et désaffectée, presque en ruine. Des poutres pendaient, des toiles d'araignées envahissaient chaque recoin et une odeur nauséabonde flottait sur la paille. Ambre s'étendit sur le sol, nullement déconcertée. « Bonne nuit », dit-elle en bâillant. Opale, après une hésitation, l'imita et s'allongea à proximité. Jade, horrifiée par les lieux, résolut de ne pas bouger.

« Je ne dormirai pas, déclara-t-elle à voix haute. Je ne dormirai pas. » Voyant que ses paroles ne suscitaient aucune réaction, elle reprit : « C'est pas grave, ne vous inquiétez pas autant pour moi ! Je resterai debout. Je vous assure que ce n'est rien. »

Pas de réponse. Soudain, une idée lumineuse lui traversa l'esprit. Elle s'approcha d'Ambre, qui avait déjà fermé les yeux, et la secoua avec enthousiasme. Ambre retint un cri, effrayée. Apercevant le visage de Jade penché au-dessus d'elle, elle lui demanda ce qui se passait.

« Passe-moi tes vêtements, répondit Jade.

— Quoi ? Pardon, tu peux répéter ?

— Il faut qu'on échange nos vêtements !

— Qu'est-ce qui lui passe par la tête ? marmonna Opale.

— Je ne t'ai pas demandé ton avis », répliqua sèchement Jade.

Puis elle se tourna de nouveau vers Ambre et lui dit, pressante :

« Dépêche-toi ! J'ai un plan. Passe-moi tes vêtements. Je te prête ma robe. Mais attention ! Ne l'abîme pas, ne la salis pas, ne la froisse pas.

— Sinon, c'est la fin du monde, soupira ironiquement Opale.

— Pour une fois, tu as raison ! répondit Jade sur le même ton. Ambre... vite !

— Si tu insistes, obtempéra Ambre, mais j'aimerais bien savoir pourquoi.

— Aucune importance », assura Jade.

Mais tout à coup, comme frappée par une nouvelle idée, elle ajouta : « Non, finalement, c'est bon. Je reste comme je suis.

— Mais..., balbutia Ambre, qui ne savait plus quoi faire.

— A demain! lança Jade joyeusement.

— A demain? répéta Ambre, interloquée. Attends, Jade!»

Mais Jade ne l'écouta pas et se faufila hors de l'étable.

6

Jade, d'un pas décidé, se dirigea vers l'entrée de la ferme. Elle traversa un jardin désolé où orties et ronces poussaient de façon anarchique. Arrivée devant une porte de bois brun branlante, elle frappa quelques coups, sans hésiter. « Ouvrez ! » cria-t-elle. Il fallait tirer la paysanne de son sommeil. Jade tapa de nouveau à la porte en redoublant d'ardeur. Elle persévéra pendant quelques minutes. Constatant que personne ne lui ouvrait et que, visiblement, la femme dormait encore, elle décida de changer de méthode. Elle poussa alors un hurlement strident et soutenu. Dans l'étable, Ambre et Opale l'entendirent et se regardèrent, abasourdies. Que faisait Jade ? Celle-ci s'arrêta un moment, puis reprit avec davantage de puissance. Cela ne pouvait que réveiller la vieille. Affolée, à demi endormie, celle-ci ouvrit la porte. Elle vit une jeune fille, d'une élégance extrême, parée de bijoux hors de prix. « Je rêve encore... », se dit la paysanne. Mais Jade prononça alors d'une voix posée et bien réelle :

« Bonsoir, je m'appelle Jade et je vais dormir chez vous, parce que votre étable est très inconfortable et que je ne compte pas dormir à la belle étoile. Vous comprenez, ce n'est pas trop mon genre. »

La vieille femme, ahurie, écarquilla les yeux. Jade continua :

« Je suis habituée au luxe, mais un lit propre pourrait me suffire. J'ai été chassée de mon palais, alors je dois m'adapter. Bon, maintenant, montrez-moi ma chambre, parce que je suis vraiment fatiguée. »

La femme referma la porte. « Cette fille est folle », pensa-t-elle. Mais Jade, tenace, se mit à tambouriner avec violence, tout en criant : « Ouvrez ! » La paysanne, curieuse d'en savoir plus, bien que très méfiante, rouvrit doucement. Jade la regarda dans les yeux, avec sérieux. Calmement, elle reprit :

« J'avais prévu de mettre des vêtements de paysanne et de vous faire croire que j'étais une pauvre fille martyrisée en fuite. Vous m'auriez immédiatement accueillie. Mais j'ai préféré être franche, alors ne me décevez pas. Je suis vraiment en fuite, et même si je n'ai pas l'air d'être pauvre, depuis à peu près une heure, je le suis. »

De nouveau, la vieille femme referma sa porte. Elle n'hébergeait jamais personne et cette fille était si bizarre ! Mais elle ne mentait pas, car sa voix avait un accent de vérité et son expression était parfaitement sincère. La femme entrouvrit une troisième fois la porte.

« Pourquoi fuis-tu ? demanda-t-elle avec âpreté.

– Pas par plaisir ! On m'y a obligée et moi même, je ne comprends pas trop pourquoi. Ne croyez pas que, sans cela, je serais venue dans une ferme aussi misérable que la vôtre ! Et ne me refermez pas la porte au nez, ce n'est pas très poli et ça m'énerve. De toute manière, tant que vous ne me ferez pas entrer, je ne bougerai pas d'ici. »

La vieille se sentit ébranlée par le regard farouche de Jade. Cette fille avait quelque chose de puissant et de rare en elle.

« Entre, dit la vieille femme. Suis-moi. »

Jade refoula un sourire de triomphe. La paysanne la guida à travers un couloir étroit et la fit entrer dans une chambre exiguë, modestement meublée, mais fraîche et agréable.

« C'était la chambre de mon fils, dit-elle avec nostalgie.

– Ça ira, répondit Jade.

– De toute façon, à part la mienne, c'est la seule chambre.

– D'accord. Mais j'ai évidemment besoin d'une chemise de nuit convenable.

– Je ne tiens pas un hôtel », maugréa la vieille femme.

Elle quitta la pièce sans rien ajouter. Au bout de quelques minutes, elle revint avec une chemise de nuit blanchâtre, jaunie par le temps, taillée dans un tissu de qualité médiocre. Elle la tendit à Jade, qui s'en empara.

« Ce n'est pas mon palais, mais ce n'est pas l'étable non plus, déclara-t-elle en guise de remerciements.

— Installe-toi, lui dit son hôtesse de sa voix peu aimable. Mais demain, tu t'en iras.

— Oh, seulement si j'en ai envie. Mais ne vous inquiétez pas, je ne pourrai pas rester.

— Tant mieux ! Allez, dors et laisse-moi tranquille. Tu en as des manières, pour tirer les honnêtes gens de leur sommeil au milieu de la nuit.

— Ah, mais j'étais bien obligée ! Je vous répète que votre étable est répugnante. »

La vieille femme ébaucha un sourire fugace et hésitant. Elle avait oublié depuis longtemps comment on souriait. Durant des années, elle avait vécu isolée, attendant vainement la fin des malheurs qui s'étaient abattus sur elle. Puis elle avait sombré dans l'amertume. Enfin, quelqu'un était venu, et même si ce n'était qu'une jeune fille capricieuse, autoritaire et probablement folle, cela lui faisait du bien de s'extraire quelques instants de sa torpeur.

Elle s'en alla de son pas pesant, sans dire un mot de plus. Elle retourna dans sa chambre et s'endormit aussitôt, un sentiment de satisfaction niché au fond du cœur.

Quant à Jade, elle enfila la chemise de nuit en grimaçant : elle était un peu large, mais chaude et moins rêche qu'elle n'en avait l'air. La jeune fille se glissa dans le lit. Elle aurait voulu rester éveillée pour réfléchir à tout ce qui lui était arrivé mais ses paupières se fermèrent malgré elle.

Au matin, le coq chanta. La lumière du soleil inonda la chambre de Jade. Elle ne se réveilla pas pour autant et dormit assez tard. Lorsqu'elle ouvrit les yeux, reposée, sa première pensée fut pour le symbole, comme s'il avait habité ses rêves. Elle se leva d'un bond, s'habilla rapidement. Elle avait apporté avec elle un petit sac bleu turquoise, peu encombrant et indispensable. Elle en sortit une brosse et se coiffa avec soin. Puis elle prit la bourse de velours noir et en sortit la pierre. Elle la serra en pensant : « Dis-moi ce que je dois faire. » Mais il ne se passa rien et la pierre resta un simple jade. Elle la rangea à sa place, agacée. « Je sais très bien ce que je dois faire, se dit-elle. Ce n'est pas ce truc qui m'aidera. » Elle jeta un regard circulaire à la chambre. Quelques livres poussiéreux étaient rangés sur une étagère. Les murs, d'un blanc douteux, étaient dénués de décoration. Un bureau en bois était adossé près du lit. Jade s'en approcha. Rien n'était visible à sa surface, mais les tiroirs regorgeaient de lettres. Jade essaya d'en lire quelques-unes, mais elle ne put déchiffrer l'écriture, embrouillée, que l'encre à moitié effacée rendait illisible. Elle soupira et remit les lettres à leur place. Décrétant que son inspection de la chambre était terminée et que cette pièce ne contenait rien qui puisse l'intéresser, elle en sortit et guidée par la voix de la vieille qui parlait à ses chats, fit irruption dans la cuisine, qui servait aussi de salon et de salle à manger.

« Te voilà, constata aigrement la paysanne en apercevant Jade. Assieds-toi. »

Jade prit place devant la table rectangulaire, d'un bois solide et rugueux. Elle dit : « J'ai faim. Donnez-moi quelque chose à manger et je partirai après. »

La vieille femme déposa devant elle une tranche de pain noir et rassis.

« Ah non ! protesta Jade en repoussant le pain. Je veux quelque chose de bon. Je vous préviens, je ne partirai pas tant que vous ne m'aurez pas servi un vrai petit déjeuner.

— Tu ne te contentes pas de me déranger, répondit son hôtesse, tu es exigeante en plus !

— Evidemment ! Et puis quoi encore ? Apportez-moi vite des œufs au plat, du pain frais, de la confiture, du chocolat et du lait !

— Rien que ça ?

— Non, vous avez raison, ce n'est pas tout : mettez-moi dans un panier assez de nourriture pour quelques jours. Je suis en fuite, je vous le rappelle, alors je dois organiser ma survie. Je ne tiens pas à mourir de faim. Et si ça arrive, ce sera votre faute, car vous ne m'aurez pas aidée ! Vite.

— Mais..., s'étonna la vieille paysanne.

— Tant que vous y êtes, apportez-moi aussi une feuille et un stylo.

— Pour quoi faire ?

— Vous tenez à avoir ma mort sur la conscience ? » répliqua Jade, d'un ton faussement dramatique.

La vieille femme comprit qu'argumenter ne servirait à rien. Elle se plia aux volontés de Jade. Elle lui servit un petit déjeuner consistant. Ensuite, elle prépara plusieurs repas froids, divers et nourrissants, qu'elle disposa dans un large panier. Jade la regardait s'affairer dans la cuisine, tout en mangeant avec appétit. Lorsque son hôtesse eut satisfait ses désirs, elle lui sourit et lui réclama de nouveau une feuille et un stylo. Elle était rassasiée et avait dévoré tout ce qui se trouvait sur la table. A présent, il ne fallait plus penser qu'au symbole et à sa signification. La vieille femme débarrassa la table et lui donna de quoi écrire. Jade traça le symbole d'une main sûre.

« Que fais-tu ? questionna la paysanne. Tu n'es toujours pas contente, tu veux quelque chose de plus ? Je n'en peux plus !

— Tout va bien, la rassura Jade. Mais approchez-vous, j'ai quelque chose à vous montrer. Dites-moi ce que vous savez sur ce signe. »

La vieille paysanne observa le dessin longuement, puis secoua la tête.

« Je ne sais vraiment rien. Je ne peux pas t'aider.

— Ne me cachez rien, répondit Jade d'un ton persuasif. Je dois découvrir à tout prix ce que signifie ce symbole.

— Je ne le connais pas.

— Vous êtes absolument sûre ?

— Il n'y a pas plus sûre. Mais je connais quelqu'un qui saurait le déchiffrer. Il habite dans une ville à quelques heures d'ici. Cette ville s'appelle Nathyrnn.

– Je connais, dit Jade avec suffisance, mais je n'y suis jamais allée. Qui est cet homme ?

– Il vend des livres anciens. Il a beaucoup voyagé, mais... »

La vieille femme s'arrêta. Jade ne remarqua pas son trouble et demanda :

« Vous connaissez bien cet homme ? Peut-on lui faire confiance ? Enfin... puis-je lui faire confiance ?

– C'est mon fils, lâcha la paysanne, la voix brisée.

– Ah, je vois. Pourquoi est-ce que parler de lui vous fait pleurer comme ça ? »

En effet, une larme coulait sur la joue de la vieille.

« Je ne peux pas en parler.

– Je vous ai dit mon prénom et je ne vous ai pas caché être en fuite. Maintenant, c'est à vous de me faire confiance. Vous avez dû comprendre que je ne suis pas du genre à lâcher prise. Je vous ferai parler parce que je suis très curieuse !

– Mon fils a de nombreux ennemis, tu pourrais être dans leur camp.

– Ne vous inquiétez pas pour ça ! J'ai moi-même une collection d'ennemis très impressionnante ; il paraît qu'ils sont partout. Pourtant, je ne les connais pas, mais que voulez-vous, de nos jours ! dit Jade d'un ton léger et ironique.

– Je crois que je suis obligée de te raconter l'histoire de mon fils ou je ne me débarrasserai jamais de toi ! soupira la vieille femme.

– Vous pouvez en être sûre, approuva Jade.

– Mon fils est quelqu'un d'exceptionnel. Dès son enfance, il a voulu s'instruire. Il aimait déjà la nature et il avait un grand cœur, qu'il a toujours...

– Epargnez-moi le blablabla, et racontez-moi ce qui est si exceptionnel.

– Nous étions très pauvres, bien plus qu'aujourd'hui, commença la vieille femme. A seize ans, mon fils est parti découvrir le monde. Il avait besoin de liberté et d'aventure. Il est parti, une nuit, en laissant une lettre d'adieu derrière lui.

– Juste une question, intervint Jade. Comment il s'appelle, votre fils ?

– Jean, Jean Losserand. Jean est donc devenu un vagabond. Il a parcouru le monde, solitaire et courageux. Il m'écrivait souvent. Un jour, il est rentré dans un pays très étrange, le seul pays au monde qui n'est pas dominé par le Conseil des Douze.

– Dominé ! s'exclama Jade. Vous exagérez. Gouverné plutôt.

– Le seul pays qui n'est pas dominé par le Conseil des Douze, s'obstina la vieille. Sous le Conseil des Douze, celui qui naît paysan restera paysan toute sa vie. Celui qui est faible sera méprisé et écrasé. Celui qui pense différemment sera forcé de regagner le rang. Celui qui essaye de sortir de ce rang sera refoulé et piétiné. Celui qui crée devra se contenter de reproduire. Celui qui a un don sera forcé de devenir banal. Celui qui se révolte sera tué. Celui qui rêve de liberté sera sur-le-champ emprisonné. Celui qui...

— Taisez-vous! cria Jade. Vous dites des absurdités. D'ailleurs, si la liberté est interdite, comment votre fils peut-il être vagabond?

— Justement, laisse-moi poursuivre. Je disais que Jean est arrivé dans ce pays peu commun. Cet endroit n'est gouverné par personne, m'a-t-il écrit, et chacun y vit comme il l'entend. Mais peu de gens peuvent franchir le champ magnétique qui entoure ce territoire. Pour y parvenir, il faut croire en la beauté de chaque être, à la créativité, à la liberté. Il faut croire à un monde meilleur, à la magie de chaque instant et aux rêves invraisemblables. Il faut pouvoir imaginer l'inimaginable. Il faut croire à l'impossible. Alors, seulement, on peut pénétrer dans ce pays. C'est pour cela qu'il est inaccessible au Conseil des Douze.

— Qu'y a-t-il dans ce pays? Comment s'appelle-t-il? demanda Jade.

— Ce pays s'appelle le Conte de Fées et l'on y trouve des créatures magiques, des gens chaleureux... Mais je ne peux pas te décrire ce qu'on y voit vraiment, car je n'y suis jamais allée. Il faudra que tu interroges mon fils. C'est à travers ses lettres que je connais tout cela. Il a écrit que n'importe quel enfant peut entrer dans ce pays, car ce qui est irréel pour les adultes est normal pour lui.

— Qu'a fait votre fils là-bas?

— Ce qu'il a fait? Il a aidé des gens, il a vécu des aventures incroyables... Il a risqué sa vie, a combattu des forces maléfiques...

— On dirait un conte ! fit Jade, incrédule.

— Rien d'étonnant dans le Conte de Fées. Mais mon fils, pris d'un mal du pays subit, a refusé la gloire et le bonheur de là-bas, et a décidé de revenir à la maison. Peu de gens décident de quitter ce pays de cette manière. Certains cessent simplement de croire en ce qui les entoure et se réveillent un jour dans leur lit d'origine. Ils ne peuvent plus retourner dans le Conte de Fées. Mais pour Jean, c'était différent. Il voulait simplement retrouver sa maison d'enfance. Or, le Conseil des Douze avait instauré une nouvelle loi interdisant le vagabondage. Jean a été arrêté par les chevaliers de l'Ordre et a vécu en prison trois longues années. Puis il a été obligé de trouver un métier. Comme seuls les livres pouvaient encore le faire voyager, il est devenu vendeur d'ouvrages anciens. Mais, il y a dix ans, le Conseil des Douze a supprimé la communication par lettres, et je n'ai plus eu de ses nouvelles. Il n'a pas le droit de quitter la ville de Nathyrnn, où il est sous surveillance.

— Je pourrais vous donner un de mes bijoux d'une valeur inestimable pour vous remercier de m'avoir accueillie, dit Jade. Mais je vais faire mieux : même s'il vous faut peut-être attendre encore longtemps, je vous rapporterai des nouvelles de votre fils. »

7

De nouveau, les trois filles marchaient à travers le duché de Divulyon. Elles contournaient les villages et évitaient les champs où les paysans travaillaient. Il ne fallait pas se faire remarquer. Nathyrnn était encore loin.

Ambre tenait le panier rempli de vivres que Jade avait apporté. Pendant la nuit passée dans l'étable, elle s'était tellement inquiétée ! Opale et elle s'étaient longuement demandé ce que Jade avait entrepris. Ambre, de caractère rêveur, avait imaginé mille possibilités. Elle frémissait en envisageant les conséquences des actes que Jade avait pu commettre. Opale, elle, gardait son calme habituel. Elle expliqua à Ambre qu'elle ne vivait qu'au moment présent, qu'elle ne se retournait jamais vers le passé, mais ne craignait pas non plus l'avenir. Jade pouvait faire ce qu'elle voulait, s'en soucier à l'avance ne changerait rien. La conversation dévia peu à peu. Ambre parla sans retenue, décrivant avec flamme le monde qu'elle avait laissé derrière elle.

Elle reconstitua son quotidien pour Opale, étonnée par l'amour qu'Ambre portait à chaque chose. Elle raconta comment elle observait la lune et les étoiles, comment elle humait le parfum de chaque fleur sauvage, comment elle courait dans l'herbe fraîche, pieds nus et comment elle nageait dans l'eau limpide du lac. Elle expliqua aussi à quel point elle aimait le soleil, imaginer des histoires fantastiques, écouter les autres et les aider, lire des contes qui, bien que proscrits, étaient disponibles chez un homme généreux et instruit. Elle relata d'autres choses encore, et Opale buvait chacune de ses paroles. Ambre avait été heureuse, même si elle avait vécu dans le dénuement matériel le plus total. Elle avouait avoir souffert, mais cela n'avait fait que rendre son bonheur plus précieux. Et puis, sa mère était morte... Ambre ne confia pas à Opale sa douleur ; elle n'était pas prête. Mais elle la remercia de l'avoir écoutée et se rendit compte qu'en se livrant à elle, elle avait tissé un lien, encore fragile, entre elles.

A présent qu'elles marchaient vers Nathyrnn, Ambre examina Opale. Elle était certaine qu'elle n'était pas aussi insensible qu'elle le paraissait. La nuit dernière, elle avait fait un cauchemar qui l'avait réveillée. Elle avait vu dans son regard une expression effrayée, comme si elle attendait de l'aide. Opale avait rêvé d'un danger très proche et de visages sombres et menaçants. Fiévreuse, elle avait murmuré :

« Ils sont là, tout près. Ils savent, pour moi. Je n'aurais jamais dû aller dans la chambre. C'est trop tard. »

Ambre l'avait rassurée de sa voix apaisante. Toutes deux s'étaient rendormies rapidement.

« On est encore loin ? gémit Ambre à l'intention de Jade.

– Oui, répondit-elle sèchement. Je vous ai déjà expliqué trois fois qu'on doit aller à Nathyrnn trouver ce Jean Losserand, lui parler du symbole et lui faire raconter son voyage au Conte de Fées.

– Je ne crois pas aux contes et à ce pays magique, coupa Opale. Le Conseil des Douze a interdit les contes ; je n'en ai jamais lu et cela ne me manque pas !

– Moi, j'y crois, dit Ambre, catégorique. J'ai toujours inventé des histoires dans ce genre et j'ai adoré les raconter. J'aimerais vraiment y aller, dans le Conte de Fées ! Et toi, Jade ?

– Bien sûr que j'en ai lu, des contes ! Dans mon palais, il y avait un vieux philosophe appelé Théodon. Il obéissait au Conseil des Douze à sa manière et je crois qu'il ne le craignait pas. C'est lui qui m'a donné des contes à lire et m'a appris beaucoup de choses.

– Beaucoup de choses ? railla Opale. On ne dirait pas ! »

Jade s'apprêtait à répliquer, mais Ambre intervint :

« Calmez-vous ! On ne va tout de même pas se disputer comme des enfants chaque fois qu'on commence à parler ! Jade, tu n'avais pas fini. Tu y crois à ce pays, à la magie, à l'irréel ?

– J'aimerais y croire, répondit Jade, après une courte réflexion. Ce pays existe, ça, j'en suis sûre.

Mais qui sont ceux qui l'habitent ? Est-ce que le Conte de Fées est un lieu magique ou une simple légende ? J'ai besoin d'entendre ce que Jean Losserand a vécu et, là, peut-être que je serai vraiment convaincue. »

Personne ne trouvant rien à ajouter, la conversation prit fin. Un silence obstiné s'installa de nouveau.

Jade essaya d'imaginer Nathyrnn, Jean Losserand et son récit, mais elle n'y parvint pas et laissa tomber. Elle se mit à réfléchir aux questions qu'elle poserait à l'ancien vagabond. Elle brûlait d'impatience, énervée par cette marche trop longue à son goût.

Ambre se rappela le matin où, saisie de craintes pour Jade, elle l'avait vue arriver avec un panier débordant de nourriture et un sourire déconcertant.

« Nous partons à Nathyrnn », avait-elle dit simplement.

Ambre l'avait pressée de questions et Jade avait tout raconté. Opale avait écouté sans s'étonner, mais Ambre avait contenu une exclamation de surprise : la vieille femme qu'elle connaissait, se comporter avec tant de cordialité ? Incroyable.

Jade avait parlé longuement du Conte de Fées. Durant cette partie de son récit, Ambre glissa dans un rêve éveillé : elle s'imagina passant le champ magnétique de ce pays merveilleux, dans un paysage digne de ce nom, et se mit à inventer en détail les aventures incroyables qui l'entraînaient dans ce monde magique.

« Ambre ! »

Agacée d'être tirée de ses songes, Ambre considéra Jade.

« Ambre, tu ne vois pas qu'Opale a un problème ? »

Ambre se tourna vers Opale. Elle était restée en arrière et s'était arrêtée. Ses traits étaient figés en une expression d'effroi. Son regard était absent, fixe et terrorisé.

« J'ai essayé de la secouer : elle n'a pas bougé, continua Jade. Et toi, tu continuais à marcher !

— J'étais autre part, se justifia Ambre.

— Opale a l'air de ne plus être vraiment là non plus. Personnellement, ça ne me dérange pas, mais ce pourrait être grave. »

Elles entourèrent la jeune fille, elles lui parlèrent, essayèrent de la tirer de son immobilité. Ambre était submergée de remords injustifiés à l'égard d'Opale. Elle ne savait pas comment l'aider et cette impuissance la torturait. Soudain, Opale parut revenir à la réalité. Son expression redevint normale. Elle voulut dire quelque chose, puis, subitement, elle s'effondra sur le sol, inanimée. Dans un cri, Ambre s'agenouilla près d'elle. Jade resta debout à observer les événements mais son regard trahissait une inquiétude qu'elle aurait préféré ne pas éprouver. Heureusement, Opale revint à elle au bout de quelques minutes.

« Qu'est-ce qui s'est passé ? »

Elle ne répondit pas immédiatement. Elle chercha ses mots pour décrire avec exactitude chaque sensation qu'elle avait éprouvée.

« Quelqu'un m'a transmis un message, mais il ne m'a pas révélé son identité. Au début, j'ai ressenti une douleur atroce s'infiltrer en moi et mon corps s'est raidi contre ma volonté. La souffrance m'a engourdie. Une voix d'homme m'a parlé. Elle résonnait dans ma tête, déplaisante, et disait que je serais la première à mourir. Chaque mot me faisait mal. Après, la voix a dit que j'étais sous son contrôle et que je ne pouvais rien y changer.

— Un de nos ennemis qui n'avait rien à faire de mieux que de tourmenter une pauvre fille, interrompit Jade. Lamentable !

— Non, contredit Ambre. Ça a l'air sérieux : quelqu'un a contacté Opale par télépathie.

— La voix m'a aussi envoyé des images, poursuivit Opale. D'abord, celle d'une ville. Je suis certaine que c'était Nathyrnn. Une forte nausée, en plus de cette douleur inexpliquée, m'a assaillie. La voix m'a dit alors : nous nous rencontrerons dans cette ville. Ensuite, j'ai vu un énorme livre dont le titre, *La Prophétie*, était gravé en lettres d'or. Il était couvert de sang. La voix a envahi mon esprit : la Prophétie ne se réalisera pas comme d'autres l'auraient voulu mais, sur un point, elle dit la vérité... Vous mourrez ! Quant à l'Elu, il succombera aussi. Mais tu seras la première à tomber et c'est toi qui les trahiras tous. Tu es sous mon emprise et tu m'obéiras comme un automate.

— C'est forcément un mensonge ! » s'écria Ambre.

Jade ne tenta pas d'humilier Opale par une phrase coupante. Tout à coup, elle n'arrivait plus à ressentir aucune haine. Son ennemie n'était peut-être pas aussi insensible qu'elle le laissait croire. En cet instant précis, Opale était presque touchante ; elle pleurait sans bruit.

« Je sais que toutes ces paroles sont vraies, dit-elle d'une voix feutrée. J'en suis convaincue.

— Mais non, répliqua Ambre, pour la rassurer. Opale, tu sais bien que cette voix te voulait du mal et qu'elle t'a sûrement menti.

— Non. J'aimerais bien, mais je sais que tout était vrai. La voix m'a dit d'autres choses encore. »

Opale se tut. Ses larmes se firent plus abondantes. Elle réussit à contenir un peu son abattement, mais le message avait suscité en elle trop de peur pour qu'elle puisse se contrôler avec vigueur.

« La suite ! ordonna brusquement Jade. Raconte ce que la voix a dit de plus.

— Si ça ne te dérange pas, s'empressa de compléter Ambre.

— La suite du message était parfaitement vraie. La voix a pris une intonation qui se voulait suave, mais elle était cassante et éraillée. Elle m'a dit qu'elle me connaissait mieux que moi-même et que je n'avais jamais brillé en quoi que ce soit, que je n'avais jamais ressenti de l'amour, de la tristesse, de la joie, de la pitié ou de la peur. Elle a ajouté que je n'avais jamais tenu compte des autres, que je n'avais jamais éprouvé de l'intérêt pour quelque chose. Que je n'avais été qu'un fardeau pour mon entourage, que je n'étais rien. Rien. Ses derniers mots ont été que personne n'a pu m'aimer et que personne ne le pourra jamais. Et tout ça est complètement vrai. C'est la réalité. »

Opale n'éclata pas en sanglots. Au contraire, elle ravala ses larmes. Elle redressa la tête avec dignité et déclara :

« Je ne suis pas cette fille-là. Si personne ne m'aime, tant pis ! Mais je n'ai plus à feindre l'indifférence, à présent. »

Ambre et Jade, impressionnées et un peu gênées, se taisaient. Jade avait failli rire de toute cette comédie, mais Ambre, d'un regard sévère, l'en avait empêchée.

Finalement, lasse de se taire, Jade dit avec entrain :

« Ça ne change rien. On va à Nathyrnn ! Et on devrait repartir sur-le-champ. On s'occupera de ce message plus tard. De toute façon, il n'y a rien à faire.

— J'aimerais demander conseil à nos pierres, répliqua Ambre. Cette histoire de voix ne me plaît pas.

— Tu as peur ! s'exclama Jade avec mépris.

— Oui et alors ? C'est quand même normal, non ? J'ai des raisons, il me semble et je ne suis pas comme toi.

— Comme moi ?

— Oui, fière au point de ne jamais avouer mes sentiments.

— Pardon ? Tu me critiques ou je me trompe ?

— Tu te trompes ! Je ne fais que constater. Bon, sortons les pierres. Fin de la discussion. »

Les yeux verts de Jade brillèrent un moment, exprimant une de ses colères naissantes, mais la fureur qui y miroitait s'éteignit rapidement. Chacune des trois filles sortit sa pierre de la bourse noire et la serra. Il ne se produisit rien. Jade ragea. Ambre et Opale, déçues, se demandèrent pourquoi il ne s'était rien passé.

« On n'a pas le choix : il faut aller à Nathyrnn », répéta Jade.

Ambre approuva, mais Opale s'écria aussitôt :

« Non ! Il ne faut absolument pas y aller ! Celui qui m'a envoyé le message m'a dit que je le rencontrerais là-bas. Je ne peux pas y aller. Impossible.

— C'est vrai, soutint Ambre. Tu cours peut-être un vrai danger. Evitons cette ville. »

Jade retint sa protestation. Elle aurait pu se montrer inflexible, expliquer encore une fois son désir de rencontrer Jean Losserand, de comprendre le mystère du Conte de Fées et la signification du symbole. Pourtant, elle se tut. Même si elle était une parfaite égoïste (ce qu'elle n'aurait jamais cru, et encore moins avoué), elle ne voulait pas mettre la vie d'Opale en danger. Seulement, Jade avait beau être superficielle, elle était aussi intelligente. Elle comprit que quelque chose dans le message n'était pas cohérent et se mit à réfléchir. Elle resta debout, préoccupée, et ne tarda pas à trouver la faille. Alors, sûre de son raisonnement, elle lança à Ambre et Opale :

« Nous partons à Nathyrnn. Faites-moi confiance, personne ne court de danger. »

*

Pendant toute la nuit, il avait réfléchi. Il n'avait rien
mangé, il ne s'était pas reposé. Il n'en avait pas besoin.
Il devait élaborer sa stratégie. En dehors de cela, rien
ne comptait. A l'aube, il avait de nouveau demandé
par télépathie au Conseil des Douze de se réunir. La
séance avait été brève. Il leur avait simplement déclaré
que tout était en ordre, que le plan était infaillible et
qu'il allait bientôt commencer son exécution. Les
membres du Conseil, craintifs, n'avaient pas osé lui
demander quels étaient ses projets. Ils lui faisaient
entièrement confiance. Il était leur supérieur. Il leur
ordonna de revenir à midi, pour une réunion de haute
importance.

Maintenant qu'il était l'heure de revoir ces incapables avides de pouvoir et d'argent, il rajusta d'un
geste sec sa tenue — une longue robe pourpre brodée
de fils d'or — et se dirigea vers la salle de réunion du
Conseil des Douze. Il ouvrit la porte avec son habituelle brusquerie. A son entrée, le silence se fit.
Chaque participant sentit la peur l'envahir et tous
s'immobilisèrent. Personne n'osa le regarder. Satisfait
de voir son autorité respectée, il prit la parole. Les
murs vibrèrent au son de sa voix caverneuse :

« Opale est sous mon contrôle, dit-il calmement.
Tout s'est passé comme je le voulais. Elle a cru chacune de mes paroles. »

L'admiration se mêla à la peur des membres du Conseil des Douze. Il les toisa un moment, considérant leurs visages cupides, leurs cheveux blancs et leurs yeux ternes. Lui ne connaissait pas la vieillesse.

« Que va-t-il se passer ? osa demander le Troisième membre du Conseil, un homme d'âge avancé, mais encore naïf et influençable.

— Vous n'avez pas besoin de le savoir.

— Non, bien sûr », balbutia le Troisième membre.

Les membres du Conseil des Douze osèrent enfin lever les yeux vers lui. Sa silhouette massive était entourée d'ombre. Seul son regard se détachait de l'obscurité dans laquelle était plongé son visage. Ses yeux perçants luisaient d'un dur éclat.

« J'ai fini. Je vous informerai de la suite. »

Sur ces mots, il sortit de la salle de réunion. Le Conseil des Douze le regarda partir, lui, le Treizième membre dont personne ne connaissait l'existence à l'extérieur de ces murs et qui imposait sa volonté à tous. Son image ne se reflétait pas dans les nombreux miroirs. Il n'avait pas d'ombre. Ce n'était pas un homme.

8

Ambre admirait Jade. Elle paraissait irréfléchie et gâtée, mais venait de leur prouver qu'elle pouvait être aussi très perspicace. Elle avait deviné rapidement ce qu'elle-même n'aurait jamais imaginé : « Si la voix menace de te retrouver à Nathyrnn, avait-elle dit avec assurance, c'est sans doute qu'elle souhaite que tu n'y ailles pas. » Opale avait été difficile à convaincre. Son beau visage, livide, était ravagé par la peur ; elle tremblait de tous ses membres. Chaque pas qui la rapprochait de la ville lui coûtait un effort. Elle avait commencé par implorer Jade de ne pas poursuivre. L'angoisse l'avait étreinte, insupportable. Elle avait hurlé de douleur, poussant un cri si désespéré qu'elle s'était effrayée elle-même un peu plus encore. Jade s'était emportée et lui avait ordonné de les suivre. Comme Opale ne voulait rien savoir, elle lui avait finalement administré une claque étourdissante et l'avait tirée par le bras. Elle ne connaissait ni la patience ni la modération, et Opale en subissait les conséquences.

« Tu viens avec nous, que ça te plaise ou non. Tu n'es pas dans ton état normal ! En d'autres circonstances, je t'aurais abandonnée ici sans le moindre regret mais là, tu es à la portée de n'importe quel ennemi télépathe en manque d'activité. »

Même non consentante, la joue en feu, Opale finit par obéir à Jade.

« Opale, est-ce que ça va mieux ? » demanda Ambre au bout d'un certain temps.

Opale refusa de parler de son état. L'humiliation qu'elle venait de subir gagnait sur ses craintes et elle ne voulait pas y ajouter l'impression d'être prise en pitié.

« Tout va bien, déclara-t-elle avec une assurance retrouvée.

— Tu es sûre ? insista Ambre.

— Oui.

— Jade, Nathyrnn est encore très loin ? questionna Ambre. Opale est encore faible.

— Je vais très bien », rétorqua celle-ci que la sollicitude d'Ambre agaçait.

« On est à une heure ou deux de Nathyrnn, indiqua Jade.

— Tu es sûre d'avoir pris le bon chemin ?

— Tout à fait. » Le ton de Jade était sec.

« J'ai faim, reprit Ambre. On n'a presque pas touché à nos provisions ce matin. Il faudrait faire une autre pause, se reposer et prendre un autre repas.

— Non, fit Jade.

– On s'arrête ! » intervint Opale.

Jade lui lança un regard plus étonné que contrarié : elle ne s'attendait pas à une telle opposition.

« On s'arrête, renchérit Ambre.

– D'accord », se résigna Jade en soupirant.

Elles s'assirent hors du sentier, entourées d'herbe sèche et de plantes sauvages. Ambre sourit en constatant que le soleil brillait de tous ses feux. Elle se mit à manger avec un appétit qu'elle ne soupçonnait pas. Elle regarda Opale qui, depuis l'intervention télépathique, semblait être devenue quelqu'un d'autre. Ses grands yeux bleus étaient remplis d'angoisse et toute couleur avait quitté son visage. Ambre savait qu'elle agaçait Opale à se préoccuper d'elle, et elle en était secrètement affectée. Elle avait besoin de l'estime des autres et elle aurait aimé qu'Opale lui témoigne un peu plus d'amitié. Mais elle avait conscience que cette fille était sur ses gardes et qu'elle les considérait toutes les deux comme des ennemies potentielles.

« Je n'ai pas faim, dit Opale en repoussant le panier que lui tendait Ambre.

– Essayons d'utiliser les pierres encore une fois, proposa alors celle-ci.

– Ça ne sert à rien », dit Jade, qui défit tout de même les cordons de sa bourse noire et serra la pierre qu'elle contenait.

Ambre et Opale l'imitèrent. Cette fois-ci, l'effet fut immédiat. Les trois filles se sentirent prises dans un tourbillon et une nausée les envahit. Une angoisse sans nom les étreignit. Les pierres paraissaient frémir et les filles étaient secouées de tremblements. Soudain, la communication fut rompue. Elles restèrent debout, chancelantes. Ambre et Jade se sentaient fatiguées, vidées de toute énergie, mais Opale avait repris son attitude normale et toute peur l'avait quittée.

Honteuse de la faiblesse dont elle avait fait preuve, elle voulut alors se rattraper :

« Partons vite vers Nathyrnn. J'ai été stupide de ne pas vouloir vous suivre. J'étais envoûtée par ce message et je n'ai fait que dire des choses ridicules. Il faut les oublier. »

Elle voulait qu'Ambre et Jade comprennent qu'elle n'était pas la fille émotive qui avait parlé sous l'emprise de la voix. Celle-ci, qui avait résonné dans son esprit, l'avait déboussolée et anéantie avec une facilité terrifiante. Elle s'en voulait à elle-même.

Machinalement, les trois filles s'étaient remises en route.

« Jade, dit Ambre, quand on sera à Nathyrnn, tu devras vendre ta robe et tes bijoux pour t'acheter des vêtements plus neutres. Habillée comme tu l'es, on se fera remarquer.

— J'aime me faire remarquer, rétorqua Jade, exaspérée. Et je ne veux pas ressembler à une paysanne ! Si tu n'as pas les moyens de te payer des bijoux et une robe du comté de Tyrel, tais-toi et laisse-moi porter ce que je veux. »

Ambre, vexée, voulut répliquer, mais elle se retint. Mieux valait ne pas attiser la colère de Jade. Il était vrai que sa robe, finement confectionnée par d'habiles artisans, lui seyait à merveille. Emportée par son imagination, Ambre l'imagina en guerrière, un sabre ruisselant de sang à la main, à cheval sur un étalon blanc comme l'écume de la mer, le regard farouche. Elle tourna ensuite ses pensées vers Opale et se la représenta en princesse de contes, vêtue d'une robe gris perle en accord avec ses yeux bleu clair et son teint pâle. Elle portait un diadème d'or qui se fondait dans sa chevelure blonde et bouclée. Sous le diadème, Opale gardait les yeux baissés, comme toujours. Ambre sourit à cette pensée. Elle fut finalement sortie de sa rêverie par la voix de Jade :

« Voici Nathyrnn ! »

Les trois filles étaient arrivées sans encombre devant la ville et n'avaient croisé que des paysans, étonnés de leur présence, mais n'osant même pas les regarder. A présent, les remparts impressionnants qui entouraient Nathyrnn avaient remplacé les champs et les prairies.

« Comment on entre ? demanda Ambre, déconcertée.

— Je n'avais pas prévu ça », dit Jade avec une pointe d'amusement. On aurait dit que le danger et l'imprévu l'attiraient.

Les remparts étaient gardés par des chevaliers de l'Ordre. Trois d'entre eux se tenaient là, dans leur uniforme gris, montant des chevaux de même couleur, une épée tranchante au fourreau. Ils étaient redoutés et impitoyables. Ils poursuivaient et châtiaient les coupables sans aucune indulgence, appliquant partout la terrible loi du Conseil des Douze.

Jade se dirigea vers un des chevaliers, faisant signe à Ambre et Opale de la suivre. Elles se tinrent derrière elle, méfiantes.

« Que voulez-vous ? » les apostropha brutalement le chevalier. Il était imposant, aux traits vulgaires et peu aimables. Sa voix était dure et sèche.

« Il faut qu'on entre dans Nathyrnn, répondit Jade sur le même ton, nullement intimidée.

– Votre autorisation !

– Quelle autorisation ? » laissa échapper Ambre.

Jade la fusilla du regard.

« Ne l'écoutez pas, dit-elle au chevalier avec un sourire enjôleur. C'est une de mes servantes qui n'a pas toute sa tête.

– Donnez-moi l'autorisation, répéta l'homme. Personne n'entre dans Nathyrnn sans une autorisation délivrée par le duc de Divulyon, élu par le Conseil des Douze et chargé d'administrer ce territoire.

– Je le sais », dit Jade promptement.

Elle voulut ajouter qu'elle était la fille du duc de Divulyon mais se retint. Elle ne devait révéler son identité à personne. Elle sourit de nouveau au chevalier. L'homme semblait un peu déconcerté par son apparence : il devinait qu'elle était riche et certainement issue d'une famille influente. Mais il avait des ordres et ne pouvait laisser entrer quiconque sans autorisation.

Jade dit alors :

« Je suis la nièce du duc de Divulyon ; je m'appelle Coralie de Mordorais et ces deux filles sont ma servante et ma suivante. »

Jade avait une cousine de ce nom-là, fille de la sœur du duc, qui était à peu près de son âge.

« J'ai entendu parler de votre illustre famille, mademoiselle de Mordorais, approuva le chevalier d'une voix radoucie. Mais, sans autorisation, je n'ai pas le droit de vous laisser entrer.

— Vous subirez la colère de mon père, déclara calmement Jade.

— Le comte de Mordorais ?

— Lui-même, acquiesça-t-elle. Vous n'êtes pas sans savoir qu'il est sous les ordres du duc de Divulyon. Il est très influent auprès de lui, et donc auprès du Conseil des Douze.

— Je n'en doute pas.

— Mon père m'a demandé d'aller à Nathyrnn pour rencontrer un homme, un certain Jean Losserand. Il doit me rendre un bien lui appartenant, un livre de grande valeur.

— Pourquoi le comte de Mordorais n'a-t-il pas envoyé un page ou ne vous a-t-il pas fait accompagner d'une escorte ? demanda le chevalier, dubitatif.

— J'ai tenu à voir Nathyrnn et je n'aime pas m'encombrer d'une escorte. Mon père m'a bien donné une autorisation d'entrée, signée par le duc de Divulyon, mais je l'ai égarée. Il sera très fâché si je reviens les mains vides. »

Le chevalier se tut, peu convaincu. Jade ajouta :

« Comment pouvez-vous douter de mes paroles en voyant mes bijoux ? A part moi, dans tout ce duché, seule la fille du duc de Divulyon peut en porter de semblables ; ils montrent bien que je suis Coralie de Mordorais et que vous devez me laisser entrer.

– Je ne peux pas. »

Jade s'énerva :

« Laissez-moi entrer dans Nathyrnn sur-le-champ ou je vous jure que mon père vous traînera dans la boue jusqu'à ce que vous demandiez grâce ! assena-t-elle, les yeux ardents de colère. Il vous fera torturer sur la place publique comme si vous n'étiez qu'un vulgaire criminel, et vous mourrez dans d'atroces souffrances. Si vous n'ouvrez pas cette porte maintenant, vous le regretterez !

– Je... je ne peux vraiment pas, mademoiselle de Mordorais.

– Obéissez-moi ! » rugit Jade.

Ambre suggéra à voix basse :

« Ja... euh, Coralie, il faudrait peut-être que tu offres un de tes bijoux à ce chevalier pour qu'on puisse rentrer...

– Votre servante n'est pas aussi idiote que vous le dites, mademoiselle de Mordorais.

– Vous n'aurez rien ! protesta Jade. Je n'ai pas à payer pour entrer.

– Et vous n'entrerez pas, conclut le chevalier.

– C'est ce que vous croyez. Ouvrez cette porte.

– Non.

– Ouvrez ! » rugit-elle.

Le chevalier posa instinctivement la main sur la garde de son épée. C'est alors qu'Opale s'avança majestueusement, repoussant Jade qui trébucha, surprise. Elle fixa le chevalier de l'Ordre de son regard glacial et s'adressa à lui d'un ton calme et résolu :

« Assez de mensonges. Cette fille n'est pas Coralie de Mordorais et je ne suis pas sa suivante. »

L'homme, interloqué et impressionné par l'assurance d'Opale, lui demanda :

« Alors, qui est la soi-disant Mlle de Mordorais ?

– C'est ma propre suivante. Nous avons interverti les rôles pour assurer ma protection.

– Votre protection ? s'étonna le chevalier, de plus en plus abasourdi. Mais qui êtes-vous ?

– Ma famille est trop noble pour que son nom soit prononcé devant vous, répondit Opale, impassible. Le Conseil des Douze m'a chargée d'une mission de la plus haute importance. Je dois garder le secret et voyager dans la plus grande discrétion. »

Le chevalier regarda Opale avec admiration.

« Pourquoi n'avez-vous pas d'autorisation pour entrer dans Nathyrnn ? demanda-t-il. Et quelle est votre mission ?

– Hélas ! Nous venons de loin et nous voyagions en compagnie d'un guide. Malheureusement, celui-ci nous a trahies. Il a volé notre autorisation et s'est enfui. Quand nous nous en sommes aperçues, il était trop tard pour réagir. Quant à ma mission, je ne devrais pas en parler, mais comme vous vous montrez si compréhensif, je vais vous révéler quelque chose...

— J'écoute, répondit l'homme, curieux.

— Ma mission concerne la Prophétie et trois ennemies du Conseil des Douze. »

Le visage du chevalier de l'Ordre s'éclaira.

« C'est donc vrai ? La rumeur mentionne en effet... le sujet que vous avez évoqué. »

Opale frémit. Ainsi, son intuition s'avérait juste. Elle reprit :

« Vous comprenez qu'il est absolument nécessaire de m'aider dans ma mission. Le Conseil des Douze ne doit pas être freiné dans une recherche aussi urgente ! »

Opale avait parlé avec sérieux, ses grands yeux bleus plantés sans ciller dans ceux du chevalier.

« Je comprends tout à fait », balbutia celui-ci.

Il héla ses deux acolytes et, ensemble, ils ouvrirent la porte de Nathyrnn.

Sans un mot de remerciement, Opale entra avec dignité dans la ville, suivie par Jade et Ambre.

« Bonne chance ! » leur cria le chevalier de l'Ordre.

Et la lourde porte de Nathyrnn se referma derrière elles.

9

Depuis dix ans, Jean Losserand s'efforçait de garder intact son goût de l'aventure et de la vie, mais il se rendait compte avec amertume que sa soif d'absolu se mourait à petit feu. Longtemps, il avait rêvé de s'évader de la prison qu'était cette ville mais, l'espoir le quittant, il ne trouvait plus la force d'entreprendre quoi que ce soit. De temps à autre, il avait une triste pensée pour sa vieille mère et se disait qu'il ne la reverrait jamais. Son existence monotone avait étouffé jusqu'à son amour de la liberté. Même les livres avaient perdu leur charme; les contes, les histoires fantastiques et tous les romans avaient été interdits. Seuls les récits biographiques ou techniques étaient autorisés, parce qu'ils n'inquiétaient pas le Conseil. Jean Losserand n'avait plus aucun réconfort, on le surveillait sans répit et il n'avait plus assez de volonté pour y changer quelque chose. Sa vie était réduite à un interminable et langoureux soupir. Jusqu'au jour où il entendit frapper à la porte de son magasin.

Il avait très peu de clients, il ne prenait plus la peine d'entretenir sa librairie, qui était tombée en décrépitude. Les livres poussiéreux et déchirés s'amoncelaient en désordre et la porte de la boutique restait close. Il fut donc surpris de constater que quelqu'un pouvait encore s'intéresser à lui. Il se dirigea d'un pas lent vers la porte et l'ouvrit. Il resta stupéfait devant les trois adolescentes, si différentes, qui le regardaient avec curiosité.

« C'est vous, Jean Losserand ? » s'enquit Jade.

Le libraire l'observa un moment et nota la vivacité et la détermination qui animaient ses yeux verts. « Couleur de jade », se dit-il.

« Excusez-nous de vous déranger, dit Ambre doucement, mais est-ce que vous êtes bien Jean Losserand, le fils de la vieille femme qui habite dans une ferme isolée ?

— Avec une étable très mal tenue, ajouta Jade.

— Je suis bien Jean Losserand, dit le libraire, ahuri. Vous connaissez ma mère ?

— Oui ! répondit Jade avec gaieté. Elle est très accueillante.

— Ma mère ? répéta-t-il, incrédule.

— Oui, confirma Jade, mais nous sommes venues vous demander de l'aide. On peut entrer ?

— Bien sûr. »

Jean Losserand guida ces visiteuses insolites dans une pièce contiguë, les invita à prendre place dans des fauteuils au velours rouge usé et leur servit avec empressement des biscuits. Il leur prépara aussi du thé et en profita pour les examiner. Elles étaient toutes trois vêtues normalement, d'habits de qualité, mais pas luxueux. Là s'arrêtait leur ressemblance. Lorsqu'il dévisagea Ambre, il fut saisi d'un doute. Sa main gauche se mit à trembler sans retenue comme chaque fois que l'émotion l'assaillait. Il eut du mal à poser la théière sur une table basse. Ambre s'en aperçut et servit à sa place le thé aromatisé à la menthe dans les tasses de porcelaine ébréchées.

« Merci, murmura-t-il dans un souffle. Et maintenant, dites-moi ce que je peux faire pour vous.

– C'est très long », répondit Jade.

Elle se tut, prenant soin d'observer le décor qui l'entourait. Elle but une gorgée de thé brûlant et en renversa un peu sur son pantalon. Ambre l'avait finalement convaincue de vendre sa robe et une partie de ses précieux bijoux. Elle en avait été agacée, mais il fallait avouer que les habitants de Nathyrnn regardaient avec stupeur sa somptueuse tenue. Finalement, elle avait cédé et, avec une partie de l'argent que sa robe et ses bijoux lui avaient rapporté, elle s'était acheté des vêtements plus neutres. Ambre avait sorti de sa bourse de velours noir quelques piécettes de cuivre et avait elle aussi investi dans des habits simples et peu originaux, car même son accoutrement de paysanne suscitait l'étonnement. Elle s'était aussi lavé le visage à une fontaine publique pour effacer les traces de terre, de paille et de pleurs. Elle se sentait mieux, fraîche, même si elle était fourbue : la communication établie avec les pierres l'avait privée de son entrain. Elle grignota sans appétit un bout de biscuit. Elle était soulagée d'être enfin arrivée chez Jean Losserand ; sa boutique, située dans une rue sombre et étroite, avait été difficile à trouver. Ambre devait avouer que Nathyrnn ne lui plaisait pas. Les gens paraissaient tous maussades et silencieux ; les rues étaient trop calmes, les magasins, rares. Tout était mal entretenu et désolé. Elle était rassurée de se trouver dans la librairie, en compagnie de cet homme qui semblait être amical et se montrait attentionné. Elle l'avait détaillé avec attention, comme elle aimait le faire. Il était d'une taille imposante, mais ses épaules s'affaissaient un peu, donnant l'impression qu'il portait un encombrant fardeau. Ambre estima son âge entre trente et quarante ans. Son visage était empreint de bonté et de sagesse, mais ses yeux exprimaient une sorte de désespoir résigné et de nostalgie.

« Expliquez-moi en quoi je peux vous aider, dit-il à nouveau. Qui êtes-vous ? Que faites-vous à Nathyrnn ? »

Il paraissait s'adresser à Ambre, mais ce fut Jade qui répondit :

« Nous venons des alentours du palais de Divulyon et nous sommes ici pour vous voir. Nous avons pu entrer dans Nathyrnn grâce à un brillant mensonge d'Opale. »

Jade la désigna du menton avec une pointe de mépris qu'Opale lui retourna sous la forme d'un regard glacial. Jade reprit :

« Nous savons que vous êtes de notre côté et nous avons des ennemis communs. » A voix basse, elle ajouta : « Il paraîtrait que le Conseil des Douze se réunit pour parler de nous. Et pas pour dire du bien...

— Si vous êtes des ennemies du Conseil des Douze, bienvenue à Nathyrnn. Cette ville est une vraie prison où ceux qui sont allés au Conte de Fées sont enfermés, expliqua Jean Losserand.

— On ne comprend pas du tout pourquoi le Conseil se préoccuperait de nous, confia Ambre, et nous avons des ennemis dont nous ne connaissons même pas l'identité. Par exemple, Opale a subi une intervention télépathique, malfaisante et très puissante aujourd'hui. Sauriez-vous qui pourrait en être l'auteur ?

— Seuls les membres du Conseil des Douze savent pratiquer la télépathie. Bien sûr, dans le Conte de Fées, de nombreux magiciens y parviennent aussi, mais la transmission n'aurait pas pu être établie de si loin.

— Alors, le Conseil des Douze est vraiment contre nous, constata Jade. J'ai du mal a le réaliser. On m'a toujours dit du bien du Conseil. Mon père lui-même a été élu pour s'occuper d'un territoire et a été nommé duc par le Conseil. Il obéissait aux lois et aux ordres de ces douze vieillards. »

Devant l'air étonné de Jean Losserand, Jade expliqua :

« Je suis Jade de Divulyon. Je ne devrais pas vous le dire, mais j'ai confiance en vous. On m'a chassé de mon palais et je ne suis pas vraiment la fille du duc. »

Le libraire commençait à comprendre. Ainsi, les rumeurs qui couraient déjà dix ans auparavant dans le Conte de Fées étaient fondées. Et ses doutes concernant Ambre s'étaient mués en certitude. Il l'avait reconnue ; elle était bien celle qu'il pensait. Il avait scruté chaque trait de son visage, tout confirmait ses soupçons. Jean Losserand sentit alors une joie intense l'envahir. *Elle* était vivante ! Un rayon de soleil perça son cœur et une vague d'émotion le submergea. L'espoir lui revenait d'un coup et, avec lui, un amour sans bornes pour la vie. Il se répéta cette phrase magique : *Elle était vivante !* Il voulut prononcer ce qui lui brûlait les lèvres, mais il savait qu'il devait se retenir. Il s'abstint avec peine.

Pendant ce temps-là, Jade cherchait dans son sac le papier où elle avait dessiné le symbole. Lorsqu'elle le trouva enfin, elle le tendit à Jean Losserand qui le prit avec curiosité.

« Qu'est-ce que c'est ? demanda-t-elle avec empressement. Vous pouvez le déchiffrer ? »

Le libraire considéra le dessin un court instant et répondit :

« C'est un symbole écrit dans une ancienne langue du Conte de Fées.

– Ah bon ! s'étonna Ambre. Et quelle est la signification de ce symbole ?

– C'est assez complexe. Il est question de la sagesse et du pouvoir de lire ce que les cœurs renferment... En même temps, on peut lire ce symbole comme un nom propre : Oonagh.

– Oonagh ? » répéta Ambre, immédiatement séduite par la sonorité chantante de ce nom.

Jean Losserand expliqua :

« Oonagh est une personne qui vit au Conte de Fées et dont le peuple a été en grande partie décimé par le Conseil des Douze. Oonagh est une créature magique qui possède une sagesse de grande renommée et qui a le don de lire dans les cœurs. On en parle avec beaucoup de respect.

– Oonagh habite dans le Conte de Fées ! répéta Ambre, son imagination en éveil.

– Oui, dans une grotte remplie de cristaux.

– Je crois qu'il va falloir qu'on aille voir cet Oonagh, remarqua Jade. Mais parlez-nous un peu du Conte de Fées. Ce n'est pas une légende ?

– Pas du tout, assura Jean Losserand. J'y suis réellement allé.

– Et alors ? Comment c'est, ce pays ? s'enquit Jade.

– Je vous dirai tout ce que je sais. Mais d'abord, il vous faut croire sans limite à l'impossible pour pouvoir franchir le champ magnétique qui entoure le Conte de Fées. Vous n'êtes plus des enfants naïves et confiantes dans l'irréel. Cela vous sera peut-être difficile.

« — J'y arriverai », dit Jade fièrement, car elle ne pouvait envisager qu'il puisse exister quelque chose au monde qu'elle était incapable de faire.

« Qui vit au Conte de Fées ? questionna Ambre. Des princesses en détresse, des chevaliers et des magiciens ?

— Pas seulement. Il y a très longtemps, lorsque le Conseil des Douze n'avait pas encore sa puissance actuelle, des centaines de peuples aux pouvoirs magiques vivaient librement dans le monde ; les humains n'étaient qu'une espèce évoluée parmi d'autres, et chacun respectait la différence qui était alors coutumière. Mais, malgré leurs intentions bienveillantes, le Conseil des Douze redoutait les immenses pouvoirs de toutes ces créatures. En prenant de l'importance, il sema la haine dans le cœur des hommes contre les autres races. Peu à peu, en abusant de la confiance aveugle de ces peuples si différents de nous, il parvint à les détruire. Ce fut une période sauvage, un temps de grande honte aussi. »

Dans le doux regard d'Ambre passa une lueur d'effroi et elle demanda, d'une voix un peu étranglée :

« Que s'est-il passé ensuite ? Pourquoi personne ne s'est-il révolté pour les sauver ?

— Personne n'a vraiment compris ce qui se passait. Chacun avait confiance en son voisin et était habitué à la paix. Tout s'est déroulé de façon confuse et dissimulée. Finalement, les créatures magiques, d'un naturel placide, ont décidé d'éviter les effusions de sang.

Leurs survivants se sont retirés dans un territoire reculé et encore vierge de civilisation, mais à la terre riche et fertile. Là-bas, ils ont conjugué leurs pouvoirs et créé des champs magnétiques pour se protéger du mal. Ainsi est né le Conte de Fées, qui est maintenant devenu un pays prospère, à la beauté féerique, où les hommes et les peuples dotés de pouvoirs surnaturels se côtoient avec la même tolérance qu'autrefois. Malheureusement, le mal y sévit aussi. Là où il y a la vie, il ne peut pas y avoir que le bien. Mais, au moins, le Conseil des Douze ne peut y faire régner sa loi. C'est un endroit libre.

— Cette histoire est si belle, murmura Ambre, émue.

— Oui, fit Jade, sans états d'âme. Est-ce que le Conte de Fées est loin d'ici ?

— Non, même très près, répondit Jean Losserand. Nathyrnn marque la limite du duché de Divulyon. A moins d'un quart d'heure d'ici, c'est la frontière du duché, très surveillée. Ceux qui la franchissent sont extrêmement rares. Et juste après s'élèvent les champs magnétiques qui entourent le Conte de Fées.

— Si près ? s'étonna Jade. Ce sera vraiment facile, alors.

— Ne croyez pas cela, contredit le libraire. Déjà, pour quitter Nathyrnn, il faut une autorisation de sortie. Ensuite, le plus dur, reste à faire : passer la frontière.

— Pour sortir de Nathyrnn, pas de problèmes : Opale a trouvé un mensonge très plausible », remarqua Jade avec une certaine froideur, toujours vexée de ne pas avoir pu convaincre elle-même le chevalier de l'Ordre par son stratagème.

« Oui, appuya Ambre avec enthousiasme, raconte-lui, Opale ! »

A contrecœur, Opale expliqua d'une voix neutre : « Un instinct m'a poussée à dire que je travaillais pour le Conseil des Douze. J'étais persuadée, tout à coup, que le message télépathique venait d'eux. Je savais, je sentais que nous étions leurs ennemies. »

A ces mots, Jean Losserand frémit.

« Lors de messages télépathiques, les esprits qui communiquent sont reliés, bien sûr, mais on ne peut pas lire dans les pensées de l'autre ! dit-il. Sauf... sauf si le but de cette communication est d'infliger la peur ou la douleur. »

Un silence succéda à ces paroles.

« La voix a aussi parlé d'une prophétie, d'un livre volumineux couvert de sang, raconta Ambre, faiblement, au libraire. Vous savez de quoi il s'agit ? »

Jean Losserand pesa ses mots avec soin, craignant de révéler ce qu'il ne fallait surtout pas dire. Il considéra Ambre un moment, ses traits doux et son regard chaleureux, avant de répondre : « *La Prophétie* a été écrite par un philosophe nommé Néophileus il y a des siècles. Il faisait partie d'un peuple féerique au caractère fort et indomptable, qu'on appelait les Clohryuns. Néophileus avait le don de connaître le futur et il pressentit la destruction partielle de ses descendants, quelques siècles plus tard, par le Conseil des Douze. Malheureusement, on ne le crut pas, tant la paix semblait à tous acquise. »

Les regards des trois filles étaient fixés sur Jean Losserand ; celui de Jade brillait de curiosité, celui d'Ambre exprimait la compréhension et l'intérêt, et celui d'Opale restait indéchiffrable.

« Néophileus sentit aussi qu'un jour viendrait où les temps changeraient et où le monde se transformerait. Il lut un trouble profond dans l'avenir et, pour la première fois, il ne put déchiffrer clairement le futur.

— Je ne comprends pas, dit Ambre.

— Cela signifie qu'à un certain endroit de la courbe du temps, le futur parut indécis à Néophileus. Il vit qu'au lieu de suivre une seule voie, nette, l'avenir se divisait en ce point en plusieurs chemins. Parmi tous, un seul serait emprunté et l'humanité entière suivrait ce cours qui changerait le monde tel que nous le connaissons. Alors, Néophileus écrivit *La Prophétie*. »

Jean Losserand s'arrêta. Il en avait assez dit.

« Il faut absolument qu'on aille dans le Conte de Fées voir Oonagh, dit Ambre. Comment peut-on passer la frontière de Divulyon ?

— Je ne saurais vous conseiller, répondit le libraire. Lorsque je suis allé au Conte de Fées, la frontière n'existait encore qu'en théorie. Maintenant, c'est autre chose.

— On s'en sortira, déclara Jade sans hésiter.

— Comment ? intervint Ambre.

— Je ne peux pas vous aider, répondit Jean Losserand, mais allez voir un jeune homme nommé Adrien de Rivebel. Il n'a que seize ans et, pourtant, il a déjà passé trois années dans les geôles de Nathyrnn. On vient de le libérer.

— Mais pourquoi ? s'écria Ambre.

— Ce jeune homme vivait au Conte de Fées, où il est né. C'est le fils d'une noble famille de chevaliers. A l'âge de treize ans, cet Adrien a voulu découvrir le monde du dehors. Il s'est échappé de chez lui. Les chevaliers de l'Ordre l'ont saisi à la frontière de Divulyon et l'ont jeté en prison.

— C'est injuste ! s'exclama Ambre.

— Bien sûr, approuva Jean Losserand. Mais des bruits courent. On dit qu'il n'est pas comme les autres anciens détenus ; il n'a pas été brisé par son emprisonnement. On raconte qu'il est indomptable et que les barreaux, loin d'avoir détruit son caractère, l'ont endurci. Il est condamné à passer sa vie ici, dans cette ville terne et sans espoir ; pourtant, tout le monde murmure qu'il cherche à soulever une révolte pour libérer les habitants de Nathyrnn.

— J'aime les révoltes ! exulta Jade. C'est une bonne idée.

— C'est malheureusement impossible, répliqua le libraire.

— L'impossible n'existe pas quand on y croit », rétorqua Ambre.

Jean Losserand eut un triste sourire. Il n'avait plus la force de rêver l'impossible.

« Allez voir Adrien de Rivebel, soupira-t-il, peut-être pourra-t-il vous aider. »

Jade rejeta une de ses mèches noires en arrière et dit :

« Nous n'avons pas besoin d'aide, mais nous irons voir Adrien de Rivebel. Il faut délivrer Nathyrnn.

— Je le répète, c'est impossible, gémit le libraire.

— Votre mère vous attend, monsieur Losserand, rétorqua Jade, et j'ai promis de lui donner de vos nouvelles. Le mieux serait que vous alliez vous-même lui en apporter, non ? » D'un air de défi, elle ajouta : « Et rien n'est impossible ! »

10

Ambre s'attendait à voir un prince charmant tout droit sorti d'un conte, galant et poétique, mais Adrien ressemblait davantage à un chevalier aux traits fermes, nets et coupants. Il avait un air pensif et posé, et seuls ses yeux sombres trahissaient le courage et la passion qui bouillonnaient en lui. Ses cheveux châtain foncé, en bataille, accentuaient son côté ténébreux. Adrien savait feindre l'indifférence et refouler ses sentiments au plus profond de lui-même. Cela lui avait permis de résister à ces trois années de prison. Il était innocent de toute accusation et la certitude de n'avoir rien à se reprocher l'avait aidé, au lieu d'attiser sa colère. La fureur ne lui aurait servi à rien, il en avait conscience, aussi l'avait-il ignorée, même si, dans son cœur, il réclamait justice. Maintenant qu'il était sorti de prison, il avait laissé sa vraie nature le dominer de nouveau. Il avait minutieusement conçu le projet de la révolte de Nathyrnn. Il fallait libérer la ville pour se libérer lui-même. Il cherchait des alliés pour se joindre à sa cause. Il pensait avoir trouvé un stratagème mais il n'avait rencontré encore personne qui puisse l'aider à le réaliser. Presque tous les habitants de Nathyrnn avaient été « brisés », soit par la prison, soit, tout simplement, par l'habitude et la résignation. Rares étaient ceux qui gardaient vivants leurs espoirs et leurs rêves. Ceux-là approuvaient la révolte d'Adrien de Rivebel, mais sans oser le rejoindre. Pas encore. Ils n'étaient pas convaincus, mais pouvaient l'être.

Adrien attendait donc de l'aide, sans désespérer. Elle se présenta à lui de façon inattendue lorsqu'il rencontra Jade, Opale et Ambre. Il ne fut nullement surpris de les voir faire irruption dans la minuscule chambre de l'auberge où il logeait et il les accueillit cordialement. Elles avaient pris place sur des chaises branlantes. Adrien de Rivebel était instruit et intelligent ; l'identité de ses visiteuses lui avait sauté aux yeux. Nombreuses étaient les histoires, dans le Conte de Fées, qui parlaient d'elles. Lui-même avait consulté Oonagh le jour de ses dix ans pour connaître la voie qu'il devrait suivre. La créature magique lui avait répondu :

« Tu n'es pas l'Elu. Mais tu ne pourras pas rester dans l'ombre. Ton cœur est fier et brûlant ; trouve l'eau pour éteindre cette chaleur dévastatrice, et non le bois pour l'attiser.

— Mais pourquoi ? avait demandé Adrien, troublé.

— Tu peux susciter un grand danger. Il faudra que tu te montres d'une attention extrême ou d'autres vies seront mises en péril. N'écoute pas ton cœur. Il est trop passionné. Ouvre les yeux et laisse ta raison te guider.

— C'est confus, avait murmuré Adrien.

— Un jour tu croiseras celles que tous attendent, et tu comprendras. »

Maintenant que les trois pierres de *La Prophétie* se tenaient en face de lui, il n'était pas tout à fait certain de connaître la route à suivre, mais il sentait clairement qu'ensemble ils allaient pouvoir faire un pas dans la bonne direction. Il ne leur dit évidemment pas ce qu'il avait deviné.

Au début, aucune des trois filles ne parla. Elles l'observaient attentivement. Jade comprit aussitôt qu'elle avait trouvé un allié, quelqu'un qui lui ressemblait. Elle lisait dans ses yeux la révolte de Nathyrnn qu'elle pourrait organiser avec lui. Elle ne prêtait pas attention à l'intensité du regard qu'Adrien posait sur elle, mais cela n'échappa ni à Ambre ni à Opale.

Ambre était étonnée par le jeune homme. Elle le devinait fier et déterminé, à l'image de Jade, mais capable de beaucoup plus de retenue. « Un problème s'annonce ! se dit-elle. Deux personnes si semblables, aussi ardentes l'une que l'autre, ne peuvent pas... ne doivent pas... s'attirer ou, pire, s'aimer ! »

Une pensée différente animait Opale. A l'instant même où elle avait posé les yeux sur Adrien, un changement majeur s'était opéré en elle. Une émotion profonde avait bouleversé son cœur. Une chaleur diffuse l'avait subitement envahie. Elle ne pouvait pas lutter contre ce qu'elle découvrait et, au fond, elle ne le souhaitait pas. Confusément, elle se demanda ce qui lui arrivait. Elle dévisageait ouvertement Adrien. Un agréable malaise prenait possession d'elle. Et une intuition traversa son esprit : elle comprit, elle sut, qu'elle était faite pour aimer ces yeux gris-vert. Elle eut la certitude qu'Adrien et elle devaient être ensemble, qu'il ne pouvait pas en être autrement. Elle, si froide, étouffait de chaleur. Mais le regard d'Adrien était fixé sur Jade. Opale le vit. Etrangement, elle n'en ressentit aucune jalousie, aucun dépit. Elle se dit calmement : « C'est une erreur. Adrien ne peut pas regarder Jade ainsi. Et s'il éprouve pour elle ce que j'éprouve pour lui... alors, il devra changer d'avis. »

Pendant ce temps, Jade, enthousiasmée de fomenter une révolte, de braver la loi et de prouver son audace, s'était lancée dans une conversation animée sur le soulèvement de la ville.

« Un ami nous a dit que tu préparais le soulèvement de Nathyrnn ! » dit-elle à l'intention d'Adrien en lui décochant un sourire entendu.

Elle le tutoyait sans gêne. Il n'avait que deux ans de plus qu'elle et elle ne se souciait guère de la politesse.

« Je ne veux pas passer ma vie entre les murs de cette ville horriblement triste, répondit Adrien. J'ai pensé à un plan d'évasion, pour retourner dans le Conte de Fées. Mais je veux que tous les habitants de Nathyrnn soient libérés. Je connais une solution pour y parvenir.

– Laquelle ? questionna Jade, les yeux scintillants d'intérêt.

– C'est très compliqué. Il faudrait que nous ayons recours à la magie mais je n'ai trouvé personne dans cette ville capable d'accomplir ce à quoi je pense.

– Et de quoi s'agit-il ? s'impatienta Jade.

– Quelqu'un doit lancer un sortilège et endormir profondément tous ceux qui se trouvent en dehors du cercle d'incantation.

– Le cercle d'incantation ? Qu'est-ce que c'est ?

– C'est un petit cercle de protection qui se forme autour du magicien lorsqu'il prononce les mots magiques, et qui l'immunise contre les effets de son propre sort. Le cercle l'aide à rester éveillé. Une fois le cercle formé et l'incantation achevée, le magicien peut en sortir ; la magie ne le touche plus.

– Je vois le problème, dit Jade. Les chevaliers de l'Ordre s'endormiraient, mais les habitants de Nathyrnn aussi !

– Exactement. Et seul un magicien confirmé parviendrait à réaliser un vaste cercle d'incantation. Il faudrait qu'il soit immense pour contenir tous les habitants de Nathyrnn.

– Dans ce cas, tout le monde pourrait s'échapper sans risques, ajouta Jade.

– Pas tout à fait. Le sortilège ne durerait pas plus de dix minutes, ce qui nous laisserait à peine le temps d'ouvrir les portes de Nathyrnn et d'en sortir. Mais, pour atteindre la frontière du duché de Divulyon, il faudrait renouveler le sortilège plusieurs fois. Et c'est un problème inextricable : utiliser une magie aussi puissante est déjà très éprouvant, lancer le même sort à courts intervalles est presque impossible.

— Presque, souligna Jade. Toute la différence est là. »

Soudain, Opale sortit de son silence.

« Adrien, dit-elle, as-tu trouvé le magicien capable de réaliser ton plan ?

— Non, confessa le jeune homme.

— Nous le pourrions, enfin, je crois, dit-elle.

— Nous ? Comment ça ? s'étonna Ambre.

— Les pierres ! répondit Opale. Puisqu'il s'agit de trouver une source de grande magie... »

Adrien ne prit pas la peine de feindre l'étonnement. Il attendait ce moment de la conversation.

« Imaginons que cela soit possible, dit-il. Il y a un deuxième problème. Il faut aussi prévenir la population de Nathyrnn de l'heure exacte de l'évasion, pour qu'elle se tienne prête. »

Adrien savait que la révolte ne pourrait avoir lieu sans que le sang coule, mais il ne voulait pas effrayer davantage ses nouvelles alliées.

« Quand aurait lieu l'évasion ? s'enquit Ambre.

— Disons d'ici un mois », proposa Adrien.

Il guetta la réaction de Jade. Ce fut celle qu'il espérait.

« Non ! s'insurgea-t-elle. Je n'attendrai pas un mois. Je veux arriver au Conte de Fées le plus vite possible.

— Qu'entends-tu par le plus vite possible ? demanda Ambre, vaguement alarmée.

— Cette nuit.

— Cette nuit ?! s'exclamèrent Ambre et Adrien à l'unisson.

— Cela doit être possible, dit Jade. Nos ennemis ont contacté Opale en usant de télépathie. Utilisons ce même biais pour prévenir les habitants !

— Pour parvenir à toucher chaque esprit de cette ville, commença Adrien, il faudrait que vous...

— Il faudrait que nous essayions ! l'interrompit Jade. A trop douter, nous risquons surtout de finir nos jours dans cette ville, et ça, il n'en est pas question !

— Ce n'est pas si simple, avertit Adrien. L'effort que cela va vous demander est... Oh, et puis, tu as raison. Si vous êtes parvenues jusqu'ici, vous arriverez à nous en faire sortir ! » conclut-il, porté par l'enthousiasme de Jade.

Ambre prit une profonde inspiration. Elle n'était pas du tout convaincue mais Jade et Opale avaient déjà sorti leurs pierres de leurs bourses de velours noir. Elle hésita. Après tout, elle venait à peine de rencontrer Adrien ; la confiance que les deux autres plaçaient en lui n'était-elle pas prématurée ? Mais elle sortit sa pierre. Au fond, la perspective de se retrouver enfermée à Nathyrnn ne l'enchantait pas plus que Jade.

« Ne pensez qu'à votre but : prévenir les habitants de l'évasion, dit alors Adrien. Si votre message est suffisamment clair et votre volonté assez puissante, les gens seront convaincus. Concentrez toute votre force sur cela. »

Opale hocha la tête en signe d'assentiment, mais Ambre se raidit sans savoir pourquoi. Les trois filles, serrant leur pierre, fixaient toutes leurs pensées sur la libération de Nathyrnn. Leurs joues se colorèrent car, sans s'en rendre compte, elles fournissaient un immense effort. Il se passa alors quelque chose de tout à fait imprévu. Les filles fermèrent simultanément les yeux. Et, sous le regard ébahi d'Adrien, une sphère translucide se matérialisa autour d'elles, issue de nulle part. Le globe commença alors à s'élever dans l'air, contenant les trois filles qui flottaient à l'intérieur avec légèreté. La sphère paraissait aussi fragile qu'une bulle prête à éclater, mais était en réalité plus solide qu'une armure de métal. Elles ne s'étaient aperçues de rien. Une image s'imposait à elles, celle d'une foule franchissant les portes de la ville. Elles murmuraient des mots qu'elles ne connaissaient pas, projetaient des images dont le sens leur était inconnu. Quelque chose s'était emparé d'elles, et pourtant, ce quelque chose semblait provenir du plus profond de leur âme. Sans le savoir, elles transmettaient ces pensées à l'ensemble de la population de Nathyrnn.

Adrien, impressionné, observait la scène qui se déroulait devant lui. Il percevait les paroles que Jade, Opale et Ambre émettaient par télépathie. Leurs voix se répercutaient dans son esprit, persuasives.

Au bout d'un quart d'heure, la sphère qui contenait les trois filles redescendit lentement et se posa à terre. La bulle disparut aussi soudainement qu'elle était apparue.

Jade et Opale ne semblaient pas du tout affectées par le prodige qu'elles venaient de réaliser. Elles regagnèrent tranquillement leurs chaises respectives. Jade souriait, remplie d'orgueil. Mais les yeux d'Ambre étaient perdus dans le vide. Elle s'assit à même le sol et se mit à pleurer :

« Jamais... je ne la reverrai plus... Je n'aurais jamais dû... et sans un mot d'excuse... Je ne survivrai pas... » Puis, brusquement, son intonation changea. Elle brandit son poing, menaçante. Sa voix se fit violente : « Je ne veux pas ! Non ! Laissez-moi ! Je veux être libre ! Arrêtez !

— Ambre ! s'écria Jade. Que se passe-t-il ? »

Adrien soupira et dit :

« C'est ce que je redoutais. En entrant en contact avec tous les habitants, Ambre a absorbé leurs pensées. Elle va devoir ressentir les émotions de chacune de ces personnes pour s'en libérer. Cela va durer plusieurs heures.

— Pourquoi Opale et moi ne sommes-nous pas touchées comme elle ? demanda Jade.

— Cela signifie juste qu'Ambre est d'une grande sensibilité, expliqua Adrien. Mais ne vous inquiétez pas. Cela va lui passer et ne lui laissera qu'un mauvais souvenir.

— Tu en es sûr ? demanda Jade.

— Tout à fait. Le plus important, c'est que vous ayez réussi ! C'est un exploit et cela veut dire que nous avons une chance. Bravo !

— Merci, répondit Jade sans modestie. Ce n'était pas si difficile.

— Tant mieux. Ce qui nous attend le sera.

— On verra bien », fit Jade. Puis, d'une voix un peu hautaine, elle conclut :

« Je n'ai pas peur. »

Paris, 2002

Je me réveillai. Pour la première fois depuis longtemps j'entendais mon cœur battre, je me sentais
vivante et heureuse de l'être. Je distinguais, à peine
visible, une lueur au bout de ce gouffre noir de douleur, cette obscurité quotidienne, sans espoir. Je ne
pouvais pas ignorer que la mort me guettait, et qu'elle
s'emparerait de moi sans pitié. J'avais peur. J'avais
froid. Ma vie n'avait pas de sens; j'étais déjà morte
sans l'être. Les jours se ressemblaient tous, désespérés, inutiles et remplis de souffrance. Ma maladie me
rongeait. Je n'en pouvais plus. J'avais épuisé mes
larmes, mon courage. Il ne me restait plus rien. Tout
s'était révélé vain. Au fond, mon existence était
réduite au néant; je n'avais même plus la force de ressentir le désespoir comme une injustice.

Une nuit de plus, pareille à celles qui l'avaient pré-
cédée et à celles qui la suivraient. Du moins, je l'avais
cru en sombrant dans le sommeil. D'habitude, je ne
rêvais jamais. Je dormais peu et mal. Mais cette fois, il

s'était passé quelque chose de rare. J'avais fait un rêve merveilleux et d'une incroyable réalité. J'avais l'impression que, quelque part dans un monde lointain, il se poursuivait. Comment savoir si les rêves n'étaient pas des messages d'une existence réelle et si ma vie à moi, insensée, le reflet imaginaire de ce monde inconnu ? Je fus prise d'une quinte de toux. Le rêve... Je m'y accrochai de toute la force de mes pensées. Jade, Opale et Ambre... Etrange ! Les initiales de leurs prénoms formaient mon diminutif, Joa. Avant, on m'avait toujours appelée ainsi, bien que mon véritable prénom soit Joanna. J'essayai d'avaler la boule qui obstruait ma gorge. Je croyais avoir dépassé la période où les larmes de nostalgie me montaient aux yeux sans prévenir. Joa. Cela appartenait au passé. Une époque révolue. Désormais, je n'avais plus de nom, car personne ne prenait la peine de me parler. Je n'étais rien, juste un corps presque inerte, sur un lit dans une chambre. Rien.

Je fermai mes paupières brûlantes. L'espoir ne menait à rien. J'aurais quand même voulu que mon rêve continue.

11

Jade avait préparé avec Adrien le plan détaillé de l'évasion. Ils ne semblaient pas douter de la réussite de leur entreprise. Le jeune homme avait longuement cherché la formule dans les quelques livres de magie cachés dans la ville. Enfin, il avait brandi une feuille jaunie et racornie par le temps. Jade l'avait examinée. Ils avaient établi l'ordre des opérations qu'ils devraient effectuer. L'heure était maintenant venue d'accomplir le sortilège.

« Il est trop tard pour reculer », songea Opale. Elle devait aller jusqu'au bout. Pourtant, quelque chose en elle tentait de la convaincre du contraire.

Ambre était sortie de sa torpeur mais se sentait encore faible. Jade et Adrien étaient impatients de commencer.

Jade s'empara de la formule. Opale s'approcha. Ambre, les jambes en coton et l'esprit encore embrumé, les rejoignit.

« Bien, dit Adrien, le cœur battant, allez-y. Il suffit de réciter la formule inlassablement, sans s'interrompre. Le cercle d'incantation est invisible. La magie puisera dans vos forces. »

Les trois filles sortirent leurs pierres.

« Normalement, poursuivit Adrien, fébrile, les habitants de Nathyrnn doivent être en train de se rassembler devant la sortie de la ville. Je vais aller les retrouver. Pendant ce temps-là, vous récitez l'incantation. J'ouvre la porte de la cité. Vous me rejoignez. Et tout le monde est libéré.

— On sait, répondit Jade. C'est simple.

— Vous aurez du mal à vous déplacer, les prévint Adrien. Vous serez sûrement très affaiblies à cause de la force du sort. Espérons que la fatigue vous prendra après la sortie de Nathyrnn.

— Pas de problème, coupa Jade fermement.

— Concentrez-vous, reprit tout de même Adrien.

— Oui, oui, tu nous as déjà tout expliqué », maugréa Jade, impatiente.

La discussion s'arrêta là. Adrien partit rejoindre les habitants de Nathyrnn. Les trois filles serrèrent leurs pierres et commencèrent à réciter la formule magique. Il ne se passait rien. Les mots n'avaient aucun sens. Elles lurent plusieurs fois la formule. La lassitude les envahit. Au bout de quelques minutes, elles s'arrêtèrent simultanément, elles avaient compris que le sortilège était lancé. Elles n'étaient nullement fatiguées, elles n'avaient plus la capacité de réfléchir ou de s'exprimer. Elles n'étaient plus que des corps sans pensées. Cependant, elles savaient ce qu'elles devaient faire comme si une volonté inconnue les contrôlait. Elles s'élancèrent vers la sortie de Nathyrnn où elles retrouvèrent Adrien devant la porte ouverte. Les gens étaient tout émerveillés et excités. La liberté leur était miraculeusement rendue.

« Vous voilà ! s'exclama Adrien en voyant les trois filles. Tout a l'air de bien se passer. Il faut faire évacuer tout le monde. Certains continueront leur route vers le Conte de Fées avec nous, d'autres rentreront vers leurs maisons natales. »

Jean Losserand comptait parmi ces derniers. Il allait enfin retrouver sa vieille mère, son foyer. Dans la foule de gens qui se pressaient pour sortir, il fit un signe à Jade, Opale et Ambre, des larmes de bonheur et d'incrédulité aux yeux. Mais les trois filles ne le virent pas. Elles ne pouvaient plus le reconnaître.

Adrien poursuivit : « Vous allez devoir avancer sans moi. Il faut que je libère les prisonniers de leurs cellules. Je sais où trouver les clés mais il faut faire très vite. Vous continuerez d'avancer pendant dix minutes vers le Conte de Fées, puis vous ferez une halte pour reprendre des forces et m'attendre. »

Les trois filles restèrent silencieuses. Elles sortirent, l'esprit vide, en suivant la foule, sans manifester aucun étonnement devant la situation pourtant incroyable : la population entière se pressait aux portes de la ville, et les chevaliers de l'Ordre étaient profondément endormis...

Les trois filles et une partie des habitants de Nathyrnn avancèrent dans la nuit, le cœur rempli d'allégresse. Au bout de dix minutes, selon les instructions d'Adrien, tout le monde s'arrêta. Quelques instants plus tard, le sortilège prit fin. Jade, Opale et Ambre s'effondrèrent alors sur la terre sèche. La magie s'était nourrie de toute leur énergie. Tant que le sort était actif, les filles ne s'étaient rendu compte de rien, mais, maintenant, elles se retrouvaient vidées de toutes leurs forces. Tous les efforts pour les faire sortir de leur torpeur se révélèrent vains.

Une dizaine de minutes plus tard, Adrien arriva à la tête de plus de cent cinquante prisonniers.

« Pour l'instant, tout se passe extraordinairement bien », déclara-t-il.

Un des anciens habitants de Nathyrnn désigna les filles étendues sur le sol. Adrien savait que leur état n'était pas grave mais, en voyant Jade immobile et sans connaissance, il éprouva une sensation de froid. Il se reprit :

« Nous allons continuer notre route. Je vais prendre une des trois filles et deux d'entre vous porteront les autres. Elles devraient revenir à elles avant qu'on arrive à la frontière. Ce sont elles qui ont lancé le sort, c'est grâce à elles que nous sommes parvenus jusqu'ici. »

Un murmure étonné se fit entendre. D'un geste sec, Adrien l'interrompit.

« Elles n'auront pas assez de forces pour lancer un deuxième sortilège et endormir les chevaliers de l'Ordre qui gardent la frontière. Nous n'avons pas le choix : il nous faudra prouver que nos rêves valent la peine d'exister, que notre courage n'est pas une illusion. Nous nous battrons. »

Une clameur d'effroi s'éleva. Adrien ne se troubla pas : « Chaque prisonnier a pris l'épée d'un chevalier de Nathyrnn. Comme certains sont encore des enfants ou n'ont pas la force de combattre, les armes vont être redistribuées aux plus vaillants d'entre nous. Nous ne nous sommes pas évadés pour rien ! Nous avons un but et il est proche. Que ceux qui ont le courage de se battre fassent un pas en avant. Rien ne résiste à l'espoir ! »

La frontière du duché de Divulyon était très bien gardée, mais devant l'ardeur d'Adrien, sa volonté inébranlable, chaque homme vigoureux fit un pas en avant. Adrien se chargea de répartir les armes.

« Rien ne résiste à l'espoir », murmura-t-il une seconde fois pour se convaincre lui-même.

Les habitants de Nathyrnn se remirent en marche. Deux hommes avaient soulevé Jade et Ambre. Adrien se retrouva à porter Opale. Le jeune homme constata qu'il émanait d'elle une certaine noblesse. Il se laissa gagner par la chaleur de son corps qu'il serrait contre lui. Il évalua la troupe qu'il menait. Dans chaque regard luisait une détermination insensée. Les femmes, les vieillards, les enfants, tous avançaient avec courage. La nuit était sombre, mais le chemin caillouteux et difficile qu'ils empruntaient était celui de la liberté. Les gens ne parlaient pas, savourant la tranquillité éphémère qui les entourait.

Bientôt, les trois filles revinrent à elles. Elles étaient exténuées, accablées de maux de tête, les membres endoloris, mais lucides. Comprenant la situation, elles voulurent lancer un nouveau sort, mais elles en étaient incapables. Ceux qui les portaient les posèrent à terre. Elles avaient du mal à se tenir debout et à avancer. On dut les soutenir encore assez longtemps.

Au bout d'un quart d'heure environ, la troupe arriva à la frontière du duché de Divulyon. L'obscurité qui les enveloppait les protégeait des regards de leurs ennemis. Devant eux, se dressaient par centaines les chevaliers de l'Ordre. Et derrière ceux-ci, le champ magnétique, formant une demi-sphère qui englobait le Conte de Fées, dégageait une clarté éblouissante malgré son opacité.

« Battez-vous vaillamment, dit Adrien à ses hommes armés. Faites diversion pour que les plus faibles passent en premier et ne vous repliez qu'en dernier. Semez le trouble. »

Sur ces mots, il s'élança, brandissant son épée, les hommes en état de combattre sur les talons. Certains, faute d'armes, se mêlèrent à la bataille à mains nues, en hurlant.

Au début, l'effet de surprise fut total. Les mères et leurs enfants coururent en débandade jusqu'au champ magnétique. Les chevaliers de l'Ordre, occupés à se défendre contre les assaillants, n'en arrêtèrent que peu. Les enfants pénétrèrent sans difficulté dans le Conte de Fées. Leurs mères parvinrent à les suivre.

Mais, du côté de la bataille, tout vira rapidement à la débâcle. Les chevaliers de l'Ordre triomphaient sans peine de leurs adversaires; seule une dizaine d'hommes, parmi lesquels Adrien, arrivait vraiment à les déstabiliser. Beaucoup des anciens habitants de Nathyrnn gisaient, gravement blessés ou agonisants. Drapés dans l'ombre, il ne restait plus qu'une poignée d'hommes frêles, des vieillards apeurés, de nombreuses femmes d'âge mûr, Jade, Ambre et Opale.

« Si on attend, on ne passera pas, déclara soudainement Jade. Il faut tenter notre chance maintenant et profiter de la surprise que le combat a suscitée. Courez! Sauvez-vous! Ne vous arrêtez pas, faufilez-vous entre tous ces chevaliers. Il y a encore un peu d'espoir, saisissez-le! »

Rassemblant le peu de forces qu'elle avait récupérées, Jade courut vers la bataille, sans peur, et saisit l'épée d'un homme couvert de sang, étendu au sol. Elle avait été éduquée d'une manière très complète; elle savait lire les langues anciennes, mais aussi se battre. Elle souleva l'épée. A cet instant, le bruit des armes s'entrechoquant diminua, puis s'estompa complètement. Les chevaliers de l'Ordre comme les fugitifs ne purent s'empêcher d'être frappés par la vision de cette jeune fille d'environ quatorze ans, aux cheveux noirs et au regard fier. Son image semblait déplacée dans ce lieu où le sang était versé en abondance. Les chevaliers de l'Ordre hésitèrent sur le comportement à adopter. Ce fut une erreur. Jade, rapide et agile, attaqua l'un d'eux. Ambre, Opale et les fugitifs incapables de combattre en profitèrent pour traverser le champ de bataille. Ambre passa le champ magnétique avec aisance. Quelques autres personnes, après s'être mûrement concertées, la suivirent avec plus de difficultés. Mais la plupart, dont Opale, ne purent franchir la frontière qui les séparait du Conte de Fées. Tout à coup, Adrien, qui combattait avec fougue, cria aux derniers hommes restants et à Jade : « On doit se replier ! Si on continue, on ne survivra pas ! »

Mais Jade ne l'écouta pas. Avec une technique exemplaire, elle triomphait des chevaliers de l'Ordre les plus expérimentés.

« Jade ! Viens ! On est en minorité, on ne peut pas vaincre ! »

Jade, presque à regret, recula en direction du champ magnétique avec Adrien et les autres hommes. Serrant hâtivement sa pierre, elle tenta de traverser la protection du Conte de Fées. « J'y crois, se dit-elle, je dois aller voir Oonagh. Le Conte de Fées existe. L'impossible aussi. » Elle ressentit une immense douleur en se heurtant au champ magnétique. Son corps entier était violemment repoussé. Un vent glacial l'envahit. Elle essaya d'avancer, mais n'y parvint pas. Elle ferma les yeux, serra les poings. Quand elle les rouvrit, elle comprit qu'elle était passée dans le Conte de Fées.

De l'autre côté du champ magnétique, les choses allaient très mal. Les rares combattants à avoir survécu avaient franchi, à la suite de Jade, la frontière. Il ne restait plus qu'Adrien et ceux qui n'arrivaient pas à croire à l'impossible, dont Opale faisait partie. Les chevaliers de l'Ordre, constatant que tout le monde s'enfuyait, désertant la bataille, se dirigèrent vers les derniers combattants. Adrien ne pouvait se résoudre à les abandonner. Certains pleuraient, désespérés, d'autres hurlaient de peur.

« Il suffit d'y croire, leur dit alors Adrien. Faites un effort, rappelez-vous un rêve d'enfant, n'importe lequel. Vous allez y arriver. » Mais il savait qu'il était trop tard et que ses paroles étaient fausses. Soudain, contre toute attente, Opale s'avança vers les ennemis. Arrivée à leur hauteur, elle dit d'une voix forte et sans trembler :

« Chevaliers ! Je ne vous demande pas de m'épargner. Mais ayez assez de cœur pour juger avec équité ces gens qui m'accompagnent. Leur seul crime a été de chercher la liberté. Méritent-ils la mort ? »

Adrien contempla Opale, admiratif. Elle, qui gardait d'ordinaire les yeux baissés, fixait les chevaliers de son regard impassible. Elle se tenait droite et donnait à cet instant l'impression d'être invulnérable. Elle paraissait si majestueuse, si belle... Adrien comprit alors qu'il avait été aveugle. Il aimait Opale. Il courut vers elle, pour la protéger, lui dire ce qu'il ressentait. Mais un chevalier de l'Ordre fut plus prompt que lui. Les paroles d'Opale l'avaient fait ricaner. Elles n'avaient aucun sens pour lui, formé à supprimer les vies et non à les préserver. Il dégaina son épée à la lame coupante et, sans pitié, l'enfonça dans le cœur d'Opale. Il le transperça, un sourire brutal aux lèvres.

Le corps inerte d'Opale tomba dans les bras d'Adrien. Son sang, écarlate, se répandait sur ses vêtements. Elle n'avait jamais été aussi belle, sereine jusque dans la mort. Les yeux d'Adrien se remplirent de larmes. Il posa ses lèvres contre celles, encore douces et tièdes, d'Opale.

« Je l'aimais », dit-il simplement.

Les chevaliers de l'Ordre se regardèrent. Ils étaient habitués aux lamentations, aux pleurs et aux accusations, cela ne les touchait plus. Qu'on en finisse. Mais Adrien continua, la voix triste et sûre : « Ce n'est pas votre faute. »

Les chevaliers redressèrent la tête, surpris.

« On vous a formés à vous battre, on vous a appris à tuer. C'est votre métier et vous le faites bien. Vous êtes des hommes, vous savez manier les armes mieux que personne. »

Les chevaliers étaient de plus en plus étonnés.

Adrien sortit discrètement la pierre de la bourse de velours noir et, comme le faisait Opale auparavant, la serra. Puis il poursuivit :

« Pourtant, vous avez oublié l'essentiel. Vous avez tous un cœur, vous pouvez ressentir l'amour. Et c'est cela qui fait de vous de véritables hommes. »

L'assistance hocha très lentement la tête. Etrangement, plus personne n'osa penser à continuer la bataille.

« Vous avez tué celle que j'aimais, dit Adrien. Je ne vous le reproche pas. »

Sont-ce les paroles d'Adrien qui émurent les chevaliers, ou la vision du jeune homme portant le corps inerte d'Opale ? Ou encore la pierre qui avait libéré une sorte de magie ? Personne ne le sut jamais. Mais Adrien dit alors simplement :

« Si vous êtes des hommes, vous savez ce qu'il vous reste à faire. »

Et, à cet instant, un premier chevalier de l'Ordre, hésitant, rengaina son épée dans son fourreau. Les autres suivirent son exemple. Ils ne savaient pas s'ils avaient fait le bon choix, mais quelque chose au fond d'eux les y avait contraints.

Alors, leur tournant le dos, Adrien se dirigea vers le champ magnétique. Il serrait la pierre avec force, refoulant ses larmes. Il ne formait plus qu'un avec Opale. Elle l'avait aimé. Il l'aimait.

Il passa facilement le champ magnétique du Conte de Fées. L'amour, à défaut de l'espoir, avait su vaincre l'impossible.

12

Sa blessure était profonde : une entaille sanglante à l'avant-bras gauche. Il avait dû combattre les Bumblinks la veille. Ces créatures malfaisantes sévissaient dans la forêt septentrionale du Conte de Fées. Il avait voulu la traverser, au lieu de perdre de longues et éprouvantes journées à la contourner, mais son choix s'était révélé irréfléchi. La forêt était peuplée d'esprits maléfiques qui ne toléraient pas la présence d'humains. Il avait déjà livré deux batailles en seulement trois jours, et son cheval avait succombé à l'une d'entre elles. Heureusement, la nuit était en train de tomber et, avec elle, les habitants de la forêt s'endormaient.

Il s'était arrêté dans l'une des rares clairières. Il n'avait plus de forces. Soudain, il entendit un bruissement. De sa main valide, il dégaina rapidement son épée à la lame étincelante. Une silhouette fit son apparition. Le jeune homme, méfiant, attendit. L'inconnu s'avança. Petit, trapu, il était habillé d'une ample tunique vert foncé, et portait une épée au fourreau. Impossible de lui donner un âge exact : malgré les quelques rides qui striaient son visage, son expression demeurait juvénile. Des cheveux d'un blond très pâle tombaient en broussaille sur son front bombé. Il avait un minuscule nez aplati, des lèvres blêmes mais charnues. Ses sourcils, comme ses cheveux, étaient très fins, presque blancs. Ils surplombaient deux grands yeux noirs au regard insouciant et pourtant plein d'expérience. Un large sourire s'épanouissait sur son visage, apparemment bienveillant. Pourtant, on décelait en l'observant qu'il pouvait devenir redoutable si la situation l'exigeait. Etait-ce un être humain ? On aurait pu le croire, à première vue. Son aspect ne différait quasiment pas de celui des hommes. Cependant, si on le regardait avec attention, on constatait que sa peau avait une légère nuance d'argent.

« Range ton épée, étranger ! dit la créature. Mes intentions sont pacifiques. »

Le jeune homme au bras blessé n'en était pas convaincu et il n'obéit pas à ces injonctions. Puis, après un moment de réflexion, il finit par obtempérer.

« Je suis venu de loin pour te trouver, poursuivit la créature. Je me nomme Elfohrys et je me présente à toi pour te demander de l'aide, non pour me battre. »

Elfohrys avança de quelques pas. Il observa le jeune homme qui se tenait devant lui. Il devait avoir aux alentours de dix-huit ans. Ses cheveux étaient d'un brun sombre et son regard bleu foncé, aux légères nuances émeraude, avait une intensité où l'on lisait sans peine une certaine mélancolie. Son visage était grave.

Elfohrys en eut le souffle coupé. « Enfin », se dit-il intérieurement.

« Dis-moi, n'es-tu pas un hovalyn ou un chevalier errant, comme le disent les gens du peuple ?

— Je le suis, confirma le jeune homme.

— Et quel est ton nom ? demanda Elfohrys, le cœur battant. Décline-le sans crainte.

— Je n'ai pas de nom, confessa le jeune hovalyn. Ou, du moins, je ne le connais pas. Il y a deux ans de cela, je me suis réveillé dans un champ. Mon passé s'était effacé de ma mémoire. Depuis, j'ai décidé de devenir hovalyn et de partir à la recherche de mon nom.

— L'Innomé ! s'exclama Elfohrys avec une admiration et un enthousiasme sincères. Ta réputation a fait son chemin dans tout le Conte de Fées ! Partout, on parle d'un preux hovalyn à la recherche de son nom. Es-tu bien l'Innomé ?

— Oui, malheureusement. Ma quête semble ne mener nulle part.

— Il est en mon pouvoir de t'aider. Je peux t'aider à traverser la forêt et t'accompagner plus loin encore.

— Mais pourquoi voudriez-vous m'aider ?

— J'ai moi aussi une quête à poursuivre, mais je ne peux te révéler son motif et son but. »

« Je cherche l'Elu. Et je crois l'avoir trouvé », ajouta en lui-même Elfohrys.

L'Innomé ne posa pas de questions. Après tout, un compagnon de route, même mystérieux, était le bienvenu. Le jeune homme garda le silence. Ses pensées le dirigèrent, comme toujours, vers son rêve : avoir une identité. Il avait parcouru la majeure partie du Conte de Fées en demandant à chaque personne si elle savait quelque chose sur lui. Ses recherches n'avaient porté aucun fruit. Certes, il avait combattu maintes fois des monstres qui terrorisaient la population et avait obtenu beaucoup de récompenses... Mais ce qu'il voulait n'était pas la gloire. Le soir, après avoir affronté mille péripéties, il ne s'endormait jamais sans se demander quels pouvaient être son nom et son origine... Il s'était inventé des centaines de passés, en fonction de ses humeurs. Cela ne suffisait pas à étancher son désir et la frustration le dévorait alors qu'il poursuivait son errance.

Il se faisait tard et la faim commençait à se faire sentir. L'Innomé sortit de sa lourde besace du pain, une gourde d'eau, de la dinde fumée et un fruit à l'aspect étrange. Il voulut les partager avec Elfohrys, qui refusa poliment et prit dans son propre sac un menu peu ordinaire. Il mangea avec voracité une masse violette, visqueuse et gluante, et rapidement rassasié, attendit patiemment que son compagnon ait dévoré ses propres victuailles. Puis le silence s'installa. L'Innomé fit un feu aux flammes dansantes. Ensuite, il s'assit et se tut. La situation était surprenante, songea-t-il. D'un instant à un autre, il s'était retrouvé en compagnie d'un étranger dont il ne savait absolument rien, ou presque. Pouvait-il lui accorder sa confiance?

Visiblement, Elfohrys s'était allongé et dormait déjà profondément.

L'Innomé n'arrivait pas à trouver le sommeil et restait allongé, les yeux ouverts, regardant les étoiles scintillantes. Il essayait de reconnaître les différentes constellations et de citer leurs noms. Une nostalgie indéfinissable emplissait son cœur. Qu'était-il? Qui était-il? Aucun souvenir, rien qui fasse de lui un être humain, rien qu'un corps, une âme qui souffrait. Il était un étranger à lui-même. L'Innomé sortit son épée de son fourreau, scruta sa longue lame glacée, uniforme et tranchante. Il s'imagina cette lame pénétrant dans son cœur. Eprouverait-il une sensation de froid? Peut-être pas, l'hiver vivait déjà en lui, un hiver éternel de questions sans réponses. A quoi servait-il dans ce monde?

Les étoiles brillaient plus que d'habitude. Il se leva, l'épée toujours à la main et se mit à marcher, sans savoir où il allait, sans penser qu'il risquait de se perdre. Quelle importance? Il prit un sentier sinueux et s'enfonça dans les profondeurs de la nuit. Il marcha longtemps, sans souci de ce qui l'entourait, sans s'arrêter. Finalement, il arriva dans une clairière que la lune illuminait de sa pâleur nocturne. L'Innomé distingua un lac. Il s'assit au bord et contempla son visage qui se reflétait dans l'eau claire. Ce visage qui était le sien, que représentait-il s'il n'avait pas de nom ? Il médita longtemps, son épée posée près de lui. Soudain, son reflet se troubla, et une créature ayant l'aspect d'une sirène sortit du lac. Belle, son corps de femme pourvu de deux queues, de tailles égales et recouvertes d'écailles d'or, elle appartenait sans doute possible au monde féerique ; sa peau était d'une blancheur, d'une pureté, presque trop parfaites, aux traits ciselés, et ses yeux bleus mêlés d'or. Ses cheveux noirs tombaient sur ses épaules en boucles lourdes et soyeuses, qui ne semblaient pas mouillées par l'eau d'où elle venait de surgir. Dans ses mains aux doigts fins, elle tenait un écrin d'or incrusté de perles rondes. Elle s'adressa à lui sans crainte :

« Toi, mortel, tu as osé t'aventurer au bord du lac des Tourments ! Seules les âmes souffrantes peuvent y contempler leur reflet ; les autres s'y noient pour avoir voulu y trouver une consolation qu'elles ne méritent pas. Mes sœurs et moi sommes les gardiennes et les maîtresses du lac. Nous nous montrons rarement, et seulement à ceux qui en sont dignes. Je suis remontée à la surface pour te parler, mortel, car je dois te remettre ce qui t'appartient.

— Vous faites erreur. Je n'ai que mon corps, mon âme... Je ne suis rien, je n'ai même pas de nom. On m'appelle l'Innomé.

— Je connais ton identité, ton passé, et même une partie de ton futur. Nombreux sont ceux qui en savent autant sans te connaître. Mais, même si tu le désirais, je ne te révélerais pas le nom qui t'a été attribué à ta naissance, car telle n'est pas ma mission. La seule chose que j'aie le droit de te donner est cet écrin. Il nous a été confié, à mes sœurs et à moi, il y a des années de cela. Nous avons alors promis de le remettre à une personne particulière, destinée à se rendre un jour au bord de ce lac. Cette personne, c'est toi, mortel. Prends soin de ce que contient cet écrin. Telle était la volonté de ceux qui nous en ont confié la garde. »

L'Innomé saisit l'objet. La sirène aux boucles brunes replongea aussitôt dans les profondeurs du lac sans un mot, sans un bruit. Ne sachant qu'en penser mais poussé par la curiosité, il l'ouvrit avec précaution, le souffle coupé par l'émotion, le cœur battant la chamade. L'écrin était vide.

*

Le Treizième membre se mettait rarement en colère. Cependant, cette fois-ci, il était dans un état de fureur indescriptible et tremblait de rage ; ses traits en étaient déformés ; il hurlait, sa voix se répercutant dans les salles du palais du Conseil des Douze.

« Quoi ? rugit-il. Vous me dites que toute la ville de Nathyrnn s'est échappée ? Vous me prenez pour un imbécile ? »

L'image d'un chevalier de l'Ordre à l'expression apeurée apparaissait sur une large plaque dorée, peu épaisse, flottant en l'air.

« Euh... oui, tout le monde s'est échappé, confessa l'homme d'une voix quasi inaudible.

— Et comment l'expliquez-vous ? rugit le Treizième membre du Conseil. Vous allez peut-être me dire que vous dormiez ?

— Eh bien, en fait... oui, balbutia le chevalier de l'Ordre, confus et honteux.

— Vous osez me mentir ? Vous ne connaissez donc pas le sort qui vous attend ? La mort ! Sur la place publique, et dans le déshonneur !

— Mais... je vous assure, je ne mens pas.

— Passez-moi la frontière du duché de Divulyon ! Immédiatement ! »

Aussitôt, l'image se brouilla, puis laissa place au visage d'un autre chevalier de l'Ordre.

« Commandant en chef des chevaliers de l'Ordre protégeant la frontière de Divulyon, à votre service ! aboya-t-il.

— Commandant, dit le Treizième membre, excédé, avez-vous arrêté un important groupe de fugitifs il y a quelques heures ?

— C'est-à-dire que..., répondit le commandant d'un ton soudain plus humble et hésitant.

— Que s'est-il passé ? cria son interlocuteur. Ne mentez pas !

— Nous avons en effet intercepté un certain nombre de gens. Nous en avons neutralisé la plus grande partie. Nous nous sommes battus vaillamment. Nos troupes ont été durement éprouvées. Nous...

« — Je veux savoir si quelqu'un est passé dans le Conte de Fées !

— Oui, avoua le chevalier de l'Ordre en baissant les yeux.

— Mais c'est impossible ! hurla le Treizième membre. Qui dirigeait cette révolte ?

— Apparemment, un jeune homme que nous n'avons pas su identifier.

— Y avait-il trois filles d'à peu près quatorze ans ?

— Je crois que oui. L'une d'elle particulièrement savait bien se battre.

— Ne me dites pas qu'elle est morte ou c'est vous qui mourrez !

— Non, pas elle. Une autre.

— Une autre ? Décrivez-la.

— Blonde, yeux pâles, peau laiteuse, vêtements modestes...

— Quoi ? Vous venez de signer votre mort, chevalier ! » vociféra le Treizième membre du Conseil.

Puis il fit un vague geste de la main et l'image disparut. Il serra les poings, furieux. Son plan avait échoué. Non seulement Opale était allée à Nathyrnn, mais sa mort était intervenue trop tôt. Et les deux autres pierres devaient désormais être dans le Conte de Fées, hors d'atteinte. Ensemble, les trois pierres représentaient une menace ; elles étaient puissantes. Mais si Opale était morte... Tant pis. Il serait sans pitié pour les deux autres.

Tout à coup, une idée s'empara de lui. Un rictus de joie terrifiant déforma alors son visage.

13

Le paysage était plongé dans l'obscurité. Un devinait des plaines d'herbes sauvages et drues, des collines boisées.

Les anciens habitants de Nathyrnn débordaient d'allégresse. Chacun étreignait son voisin, le visage transfiguré de bonheur. Comment ne pas croire en l'impossible après avoir vu les impitoyables chevaliers de l'Ordre rengainer leurs épées ?

Seuls Adrien, Jade et Ambre ne partageaient pas l'euphorie générale. Ils gardaient le silence, de sombres pensées habitant leurs esprits. La mort d'Opale les avait surpris, puis bouleversés. Elle n'était plus parmi eux ; elle ne reviendrait jamais. Elle était partie d'une manière si soudaine qu'ils n'arrivaient pas encore à l'accepter. Et pourtant, son corps inanimé gisait dans les bras d'Adrien. Ses boucles blondes virevoltaient dans le vide, ses lèvres pâles étaient figées en un mince sourire, le sang avait quitté son visage blême. Malgré tout, et par-delà la mort elle-même, elle restait belle et semblait encore plus inaccessible.

Adrien, le cœur ravagé de regrets, contenait bravement ses larmes et sa tristesse. Le visage fermé malgré son désarroi, il conduisit Jade et Ambre au manoir d'un de ses amis, Owen d'Yrdahl. La demeure était élégante, bien que sans extravagance. Adrien entra et se dirigea vers une chambre d'amis dans laquelle il avait souvent dormi. La porte d'entrée du manoir était ouverte, car personne ne prenait jamais la peine de la fermer. Ainsi, il n'eut à expliquer la raison de sa venue à personne. Dans les sombres couloirs, il croisa quelques fêtards, encore debout à cette heure avancée de la nuit, qui le dévisagèrent, mais il n'y prêta pas attention.

Arrivé dans la chambre, il déposa soigneusement Opale sur le lit aux draps blancs et frais, s'agenouilla devant elle, prit sa main encore tiède dans la sienne et la regarda en silence.

Derrière lui, légèrement en retrait, se tenaient Jade et Ambre. Elles ne savaient plus ce qui se passait, où elles étaient, ce qu'elles faisaient... Elles ne voulaient plus réfléchir, encore moins bouger. Opale était morte. Et cela, elles n'arrivaient pas à le concevoir.

Ambre ne pouvait s'empêcher de pleurer. Aveuglée par ses larmes, elle se demandait pourquoi la vie était si incompréhensible et ne laissait aucun répit à ceux qu'elle avait décidé d'anéantir. Elle avait cru qu'Opale ne pouvait être atteinte par rien, qu'elle était en quelque sorte immortelle. Pourquoi avait-il fallu qu'elle disparaisse de manière si prématurée, et si cruelle?

Jade se sentait mal. Elle n'arrivait pas à être sincèrement peinée par la disparition d'Opale. Quelques larmes avaient roulé sur ses joues, mais elles étaient plutôt dues à l'horreur que lui inspirait la mort elle-même, à l'angoisse de se retrouver un jour plongée dans un néant sans fond ni fin, de ne plus penser, de ne plus rêver, d'être effacée du monde, oubliée... Jade se l'avouait un peu honteusement : elle avait absolument détesté Opale. Même morte, elle ne pouvait lui accorder de l'affection, seulement un soupçon de compassion. Pourtant, elle avait conscience qu'Ambre, Opale et elle-même avaient formé un ensemble, un tout indéfini, qui n'aurait pas dû être désuni. Opale ne devait pas mourir, elle en avait la certitude. Ses sentiments se heurtaient avec force. D'un côté, elle ne regrettait pas la mort d'Opale, de l'autre, elle se sentait coupable de son insensibilité. Elle se rappelait la froideur et le mépris de cette fille à son égard mais une voix, lui murmurant qu'Opale était indispensable, lui reprochait de s'être montrée dure et arrogante.

A ce moment-là, un homme entra dans la chambre. Large d'épaules, bien bâti, un franc sourire illuminant son visage honnête et gai, il devait avoir une vingtaine d'années. Il était vêtu avec simplicité et paraissait transporté de joie. Du pas de la porte, il s'écria :

« Adrien! Te voilà revenu! Je me suis levé en grande hâte quand j'ai appris que tu étais là! Dis-moi,

qui sont ces charmantes demoiselles ? » A l'intention
de Jade et Ambre, il s'exclama :

« Quant à moi, je suis Owen d'Yrdahl, un ami de
longue date d'Adrien, et je suis ravi de faire votre
connaissance ! Bienvenue dans ma demeure ! »

Adrien se leva, laissant entrevoir le corps d'Opale.
Il prit la parole d'une voix peu assurée :

« Regarde, Owen ! Elle est morte ! Morte ! Par ma
faute. Un chevalier de l'Ordre l'a assassinée, mais je
pouvais l'en empêcher ! Je n'ai rien fait ! »

Le sourire d'Owen s'effaça sur-le-champ. Il se précipita au chevet d'Opale, lui saisit le poignet et regarda
le sang qui coulait inexorablement de sa plaie. Puis,
sans explication, il sortit en trombe de la pièce. Jade et
Ambre se regardèrent, étonnées. Au bout de quelques
minutes, Owen d'Yrdahl revint en compagnie d'un
homme trapu, d'âge moyen, qui examina Opale en
silence.

« Lloghin, que voilà, déclara Owen, est un de nos
guérisseurs les plus expérimentés. Bien sûr, dans le cas
de ton amie, Adrien, ce n'est pas vraiment la peine,
mais il faut éviter qu'elle perde trop de sang.

— Owen, arrête de te moquer de moi ! répondit
Adrien sur un ton las. Opale est morte et je ne vois
pas ce qu'un guérisseur peut y changer ! Ce n'est vraiment pas drôle.

— Drôle ? »

Owen se frappa le front et s'écria :

« C'est vrai, tu n'es pas au courant !

— Au courant de quoi ? s'enquit Adrien, en sentant un espoir insensé s'infiltrer dans son cœur.

— De la grève de la Mort, ça fait deux siècles qu'elle n'en a pas fait une. C'est très embêtant. Ton amie est vivante.

— Très embêtant ? répéta Ambre. Je ne vois pas ce qu'un miracle a de très embêtant. C'est quoi, cette grève de la Mort ?

— Tout le monde sait que la Mort est une créature qui habite dans le Conte de Fées. Evidemment, elle occupe des territoires où nul ne peut accéder. Et, depuis quelques heures à peine, elle a décidé de ne plus travailler. Donc, personne ne peut plus mourir. »

Jade et Ambre étaient stupéfaites. Adrien, habitué au Conte de Fées, ne put que laisser couler des larmes de bonheur.

« La Mort est déprimée, poursuivit Owen. Elle prétend que personne ne l'aime — ce qui est vrai, bien sûr. Mais elle voudrait être appréciée à sa juste valeur. On dit qu'elle veut se tuer. Comme c'est impossible, elle déprime encore plus. Ses conseillers sont désespérés.

— Opale est donc *vivante* ! s'enthousiasma Ambre.

— Oui, mais elle mettra du temps pour guérir complètement. C'est pourquoi elle ne doit pas perdre trop de sang. »

Lloghin, le guérisseur, appliquait des baumes et des compresses à Opale, tout en psalmodiant des paroles étranges.

« La dernière grève de la Mort a eu des conséquences terribles, reprit Owen d'Yrdahl, elle a duré une dizaine d'années. Tous ceux qui se blessaient ou tombaient malades pendant la grève guérissaient rapidement, mais ceux qui l'étaient avant continuaient à agoniser sans pouvoir être délivrés par la Mort. Finalement, ses conseillers ont su la ramener à la raison. Mais, cette fois, j'ai l'impression que c'est plus sérieux.

– Quelle histoire! s'exclama Ambre, impressionnée.

– Maintenant que vos inquiétudes concernant votre amie – Opale, si j'ai bien compris – sont passées, peut-être pourrions-nous faire enfin connaissance? proposa Owen à Jade et Ambre.

– Eh bien, nous connaissons Adrien depuis moins d'un jour, mais nous avons quand même libéré une ville avec lui, et nous sommes venues pour rencontrer Oonagh, qui lit dans les cœurs ou quelque chose comme ça, déclara Jade en bâillant de fatigue. Au fait, moi, c'est Jade, mais c'est tout ce que je sais sur moi-même. J'ai été chassée de mon palais par mon propre père, j'ai des ennemis partout, ce qui n'était pas mon idée d'une vie heureuse, mais que voulez-vous...

– Moi, c'est Ambre, dit simplement celle-ci.

– Jade, Opale, Ambre... », murmura Owen, comme frappé par une constatation évidente.

Jade bâilla à nouveau. Elle était épuisée, la tête lui tournait, elle ne savait plus trop ce qu'elle disait.

« Dormir... », murmura-t-elle, en sentant ses paupières devenir de plus en plus pesantes.

« Euh... oui, bien sûr, je vais vous conduire à une chambre », dit Owen, ajoutant pour Adrien : « Attends-moi quelques minutes, je reviens. »

De retour auprès du jeune homme, Owen s'exclama, surexcité :

« Les pierres de *La Prophétie* ! Tu m'amènes celles dont tout le Conte de Fées parle ! Tu me dois des explications !

— Ce sont des filles incroyables, déclara Adrien, et n'en veux pas à Jade si elle tombait de sommeil. Ces dernières heures, elle a combattu les chevaliers de l'Ordre.

— Mais elle est si imprudente de dévoiler son nom et toute son histoire... Elle ne se rend donc pas compte du risque qu'elle court ?

— Non, je ne crois pas, répondit Adrien. Elle n'a pas l'air de vraiment connaître *La Prophétie*.

— Alors, il ne nous appartient pas de lui ouvrir les yeux. Raconte-moi donc comment est le Dehors !

— C'est si différent d'ici, soupira Adrien. On n'imagine pas à quel point ; ce sont deux mondes presque opposés. Le Dehors est beau, vaste, comme on le murmure de notre côté, mais il est aussi dur, violent et primitif. La vie y est rude et archaïque. Les gens ne connaissent pas la liberté, leur société est hiérarchisée et injuste.

— Tu n'exagères pas ?

— Peut-être... je ne crois pas. Mais toi, de ton côté, dis-moi : qu'est-ce qui a changé ici ? »

Le visage d'Owen s'assombrit.

« On commence à désespérer, confia-t-il à voix basse.

— Non... ne me dis pas que... l'Elu...

— Si. On ne l'a toujours pas trouvé.

— Ça devient inquiétant ! D'après *La Prophétie,* la date de la bataille est si proche... Et si l'Elu ne donne pas signe de vie... comment lutterons-nous ? L'armée va bientôt commencer à se rassembler, mais, sans lui, ça ne mènera à rien.

— Tout le monde rumine les mêmes pensées que toi, dit Owen, dépité. On perd le moral. Oonagh attend, mais il ne se passe rien. L'Elu ne s'est toujours pas manifesté.

— Et s'il ne venait pas ?

— Cela signifierait que Néophileus s'est trompé, que la Prophétie est fausse et que nos espoirs sont vains, acheva Owen en soupirant. Mais ça ne peut pas être possible !

— Si l'Elu n'existe pas, alors peut-être les pierres n'ont-elles pas le pouvoir qu'on leur prête.

— Et tout serait perdu », laissa lourdement tomber Owen.

14

L'Innomé retrouva difficilement le chemin du retour. Mais l'aube le surprit dans la clairière au côté d'Elfohrys. La lumière du jour, claire et puissante malgré le champ magnétique entourant le Conte de Fées, inondait la forêt. Un souffle de vent chaud faisait bruisser les feuilles des arbres. On percevait les mélodies de quelques oiseaux matinaux. La forêt s'éveillait et, avec elle, l'Innomé et Elfohrys ouvrirent les paupières. Encore habités par la fatigue, les membres douloureux, ils étaient néanmoins déterminés à partir.

Au loin, des cris stridents résonnaient. Les créatures qui peuplaient les bois se réveillaient aussi. Elles appartenaient à la race des Bumblinks ou des Ghibduls.

Elfohrys, lui, appartenait à une race de créatures magiques peu répandue, mais respectée, les Clohryuns, dont Néophileus lui-même était issu. Ceux-ci n'avaient pas de véritables pouvoirs magiques, mais Elfohrys savait se défendre et ne craignait pas de combattre un adversaire plus agile que lui. Il connaissait un chemin pour sortir de la forêt, même s'il ne l'avait jamais emprunté. Il le tenait d'un ami de confiance. Bien sûr, le risque de se retrouver confronté à des Bumblinks ou des Ghibduls existait toujours. Une vigilance constante s'imposait.

Les deux compagnons prirent la route d'un pas vif. Elfohrys emprunta avec sûreté des sentiers sinueux bordés de ronces et d'arbustes chétifs. L'Innomé n'avait pas peur. Il accordait si peu d'importance à sa vie qu'il ne redoutait pas de la perdre. Au bout de quelques heures monotones, Elfohrys quitta les sentiers pour s'aventurer dans les bois.

« On ne peut pas faire autrement », expliqua-t-il brièvement à l'Innomé, qui se contenta d'acquiescer en hochant la tête.

Désormais, la forêt semblait encore plus menaçante. Les arbres décharnés s'élevaient vers le ciel que n'entachait aucun nuage.

« Plus on s'approche du cœur de la forêt, expliqua alors Elfohrys, plus la présence des créatures maléfiques se fait sentir. Je m'étonne que nous soyons arrivés jusqu'ici sans encombre. »

A mesure que le temps s'écoulait, que le soleil se levait, l'atmosphère devenait lourde, malgré l'ombre que procuraient les arbres. L'Innomé se sentait étrangement fatigué, il avait envie de s'arrêter, de s'étendre sous un arbre, de se laisser gagner par le sommeil. Il avançait de plus en plus lentement, le regard perdu dans le vague. Au fur et à mesure qu'il progressait, il percevait les sons avec moins de précision, les images de manière indistincte. Il étouffait. Finalement, le vide s'imposa à lui : autour de lui, tout était devenu obscur. Il tomba mollement par terre. Une voix nasillarde résonna : « Rien, rien, rien, tu n'es rien, rien, rien... » Puis ce fut la voix suppliante d'Elfohrys qui le forçait à l'écouter par télépathie : « Ne te laisse pas faire, Innomé ! C'est une attaque mentale des Ghibduls ! Réveille-toi, il suffit d'un peu de volonté. Ne te laisse pas abattre. »

Mais l'Innomé était indisposé par cette voix, il voulait la chasser de son esprit, l'empêcher de le déranger davantage. Sa bouche était pâteuse. Il tenta avec peine d'intimer à Elfohrys de se taire. Et, tout à coup, sans l'avoir vraiment voulu, il articula distinctement : « L'écrin, dans ma besace ! », comme si quelqu'un lui avait dicté ces mots dépourvus de sens. Puis il sombra dans un état d'inconscience où il aurait voulu demeurer à jamais.

Cependant, au bout de quelques instants, il sentit qu'Elfohrys lui mettait dans les mains l'écrin incrusté de perles. Poussé par un instinct puissant, il l'ouvrit. Il fut aussitôt submergé par une sensation de fraîcheur, de bien-être. Il se redressa d'un bond.

« Innomé ! Tu es revenu à toi ! s'exclama Elfohrys. J'ai cru que tu étais perdu ; la force de persuasion mentale des Ghibduls est très forte. Je t'ai secoué, j'ai crié, j'ai même utilisé la télépathie pour t'aider. Mais tu es resté plongé dans ta torpeur.

— Merci, dit l'Innomé, si vous n'aviez pas été là, je n'aurais pas survécu.

— Si, mais les Ghibduls seraient venus te capturer et t'auraient emmené dans leur demeure maléfique où ils t'auraient torturé.

— Merci, répéta l'hovalyn, ne sachant quoi ajouter.

— Heureusement que tu as parlé de cet écrin ! Je l'ai trouvé dans ta besace, mais j'ai eu beau essayer de l'ouvrir, je n'y suis pas parvenu... Dis-moi, est-il enchanté ? obéit-il à toi seul ?

— Je ne sais pas trop, je l'ai trouvé sur mon chemin... »

Elfohrys n'insista pas. Pourquoi l'Innomé avait-il demandé, du plus fond de sa torpeur, à avoir cet écrin ? Et comment ce dernier avait-il réussi à le sauver ?

« Innomé, dit tout à coup Elfohrys, quand nous serons sortis de la forêt, où comptes-tu te rendre ?

— Nous ne sommes pas encore sortis, répondit le jeune homme, éludant la question.

— Les Ghibduls ne lâcheront pas facilement prise. Tu leur as échappé ; ils vont tout faire pour prendre leur revanche.

— Ce sont des ennemis redoutables », renchérit l'Innomé, soulagé de voir que la conversation s'orientait vers un autre sujet.

Mais Elfohrys insistait :

« Cela mis à part, tu ne m'as toujours pas révélé ta prochaine destination.

— Je... je comptais me diriger vers la ville de Thaar, répondit l'Innomé, manifestement gêné.

« — La ville de Thaar ? répéta Elfohrys, incrédule. La cité des Origines ? Quel intérêt peut-elle avoir à tes yeux, toi, un hovalyn ? C'est une ville très dangereuse, on y entre difficilement et elle ne présente aucun attrait pour ta quête !

— Je ne sais pas où aller, avoua alors l'Innomé, et Thaar est un des seuls endroits où je ne me sois pas encore rendu. C'est aussi simple que cela.

— Es-tu déjà allé voir Oonagh ? demanda Elfohrys, espérant deviner la réponse.

— Non, jamais. Que voulez-vous que cette créature me dise ? Je ne sais que trop bien ce que mon cœur renferme, des questions, des tourments, mais rien sur mon passé.

— Détrompe-toi. Moi-même, il y a bien longtemps, je me suis rendu chez Oonagh. J'ai appris des choses que je ne soupçonnais pas, et qui, pourtant, étaient inscrites dans mon cœur.

— Je suis presque sûr que ses paroles ne m'aideront en rien, s'obstina l'Innomé. Et puis, Oonagh habite si loin, dans cette grotte perdue dans une montagne escarpée... Si peu de gens entreprennent le voyage.

— Fais-moi confiance. Suis mes conseils, rends-toi chez Oonagh. Si tu n'apprends rien sur ton identité là-bas, nous irons à Thaar.

— Pourquoi pas. Si tu y tiens tant que cela, j'irai voir Oonagh », concéda l'hovalyn.

Loin, au centre même de la forêt, se dressait, effrayant et lugubre, le repaire des Ghibduls. Personne n'arrivait à cerner leur caractère étrange. Entre eux, les Ghibduls avaient un comportement supérieur à celui des hommes. Ils ne se faisaient jamais la guerre, toléraient les défauts de leurs semblables et ne connaissaient pas la colère au sein de leurs foyers. On croyait leurs mœurs peu évoluées, leur société primitive. On se trompait. Les Ghibduls vivaient sans conflits et, comme les autres créatures, peut-être même davantage, ils ressentaient l'amour et la pitié. Ils vivaient libres et heureux ; la forêt était leur demeure, leur loisir, leur seule limite, car jamais ils ne la quittaient. Leur apparence était plutôt repoussante, ce qui avait engendré sur leur compte quantité de légendes relatives à leur cruauté. En vérité, ils étaient d'un naturel affectueux et loyal. Mais c'étaient de féroces combattants. Ils se savaient plus forts que la plupart des autres espèces et, de crainte que les intrus sur leur territoire ne veuillent s'approprier la forêt, ils les tuaient. Ces étrangers à l'aspect inhabituel étaient à leurs yeux des animaux sauvages et cruels, des proies excitantes vouées à une mort violente. Oui, les Ghibduls aimaient sentir le sang chaud couler sur leurs mains, son odeur lourde et suave imprégner leurs narines... Dans leur esprit, mourir par leurs mains était une bénédiction pour ce gibier inférieur, incapable de penser, d'aimer (ce que, d'ailleurs, le gibier en question pensait de ses adversaires).

Or, ces derniers jours, les Ghibduls venaient de subir un affront des plus cuisants de mémoire de Ghibdul. Dans la forêt, il y avait un homme, et cet homme les avait vaincus. Ils l'avaient attaqué après la défaite qu'il avait infligée à leurs amis, les Bumblinks. Il s'était vaillamment défendu, avait réussi à blesser la plupart d'entre eux. Il maniait avec dextérité une épée apparemment enchantée et, surtout, il ne redoutait pas la mort. Les Ghibduls n'avaient rencontré jusque-là que des hommes attachés à la vie, s'y cramponnant avec désespoir. Cet hovalyn était différent, ils avaient dû l'admettre et se replier honteusement. Blessés dans leur orgueil, ils jurèrent de se venger mais, au fond, ils ne pouvaient lutter contre un sentiment d'admiration, à la mesure de la haine qu'ils vouaient désormais à l'hovalyn. Ils avaient tenté de le déstabiliser mentalement, ce qu'ils ne s'abaissaient à faire que pour leurs plus valeureux adversaires, mais l'humain avait encore triomphé.

Mortifiés, les guerriers ghibduls allèrent trouver les penseurs : c'étaient leurs stratèges et leurs conseillers en charge des affaires de la plus haute importance. Les penseurs eux-mêmes furent désarçonnés par le récit des guerriers, mais l'un d'eux, à l'esprit plus alerte, finit par trouver une solution qui étonna tout le monde. On s'y opposa violemment au début, mais on dut finir par s'y résoudre. Les Ghibduls n'étaient pas ceux qu'on croyait, et cet homme qui les avait vaincus n'était pas au bout de ses surprises, ils pouvaient en faire la promesse...

Paris, 2002

Le silence impénétrable, inaltérable, me faisait peur... Je n'entendais que le bruit continu des appareils auxquels j'étais reliée, auxquels ma vie, tremblante, était reliée. J'avais toujours eu peur du noir. Pourquoi dire le contraire ? Et pour moi, la mort, c'était cela : l'obscurité totale, éternelle et insondable. Je m'imaginais tombant dans un gouffre sans pouvoir me retenir à rien. Je me voyais saisie par le néant, engloutie à jamais dans un monde dépourvu de sentiments, de pensées, de couleurs, dépourvu de tout. Je n'aurais plus mal... J'allais me perdre dans ce vide, tout oublier, tout effacer, jusqu'à la trace de mon existence. Au fond, si c'était ça la mort, la vie m'avait peut-être déjà quittée. Mais non, j'étais toujours là, étendue, immobile, le visage blafard, secouée de tremblements convulsifs, attendant la fin... J'avais peur, si peur, que je croyais que ce serait la peur qui aurait le dessus, qui me tuerait avant la maladie. J'avais plus ou moins accepté la douleur, compris qu'elle resterait à me dévorer sournoisement jusqu'à la fin. Mais je n'avais jamais oublié la peur qui, toujours tapie en moi, me consumait, me hantait, me submergeait, sans répit. J'avais peur du silence, du noir, du temps, de l'oubli, de l'éternité. De la mort. Je désirais arrêter le temps, lui ordonner d'interrompre sa course. Je lui criais de revenir en arrière, de me rendre ma vie, mon avenir. Je n'avais plus rien auprès de moi qui puisse m'aider, me réconforter. Seule subsistait l'angoisse, toujours croissante.

Puis le rêve était arrivé. Il avait perturbé mon attente, il m'avait changée, projetée hors du temps, hors de la vie que je menais ou de l'absence de vie qui constituait mon univers. Je voulais que le rêve ne s'achève jamais, qu'il me fasse oublier tout le reste, qu'il l'efface du monde... Je croyais pouvoir vivre dans mon rêve, faire de lui ma réalité, et de ma triste réalité un rêve lointain et invraisemblable. A mon insu, j'avais repris un peu d'espoir. Mais ce n'était qu'un rêve. Cette constatation revint en force briser mes illusions.

Alors, j'ai pris une profonde inspiration. Et j'ai regardé la vérité en face, celle que je lisais dans le regard fuyant des infirmières, celle qui se nichait, craintive, au fond de moi. Je ne pouvais pas continuer de croire que ma vie redeviendrait comme avant, je n'en avais pas le droit, pas la force. Joa, la fille gâtée de ses parents, adulée, comblée d'amis et de réussite, Joa n'existait plus.

J'ai retenu ma peur, j'ai brisé la carapace irréelle dont j'essayais de m'entourer grâce à ce rêve. Et j'ai dit à voix haute, pour mieux entendre ce que je fuyais : « J'ai quatorze ans. Et je vais mourir. »

Point. A la ligne.

15

A son réveil, Ambre, désorientée, eut un moment de panique. Où se trouvait-elle ? Que s'était-il passé ? Puis, rapidement, la journée de la veille, si chargée d'émotions, lui revint en mémoire.

Elle se leva avec paresse, s'habilla, prit un bain brûlant dans une petite salle intime attenante à sa chambre. Elle huma les parfums délicats posés sur une étagère, s'en aspergea un peu. Elle se coiffa puis, une fois prête, elle quitta sa chambre. Dans le couloir sur lequel donnait celle-ci, elle avança sans savoir où elle se rendait, passa devant plusieurs portes de bois sculptées sans oser entrer. Finalement, après avoir traversé une multitude de couloirs identiques, elle s'aperçut qu'elle tournait en rond. A son grand soulagement, elle croisa enfin quelqu'un, une femme d'une cinquantaine d'années. Ambre lui exposa son problème et la femme, riant de son désarroi, s'exclama :

« Ma petite, ce manoir n'est pas si grand pour s'y perdre ainsi ! Viens donc, suis-moi, je vais te montrer la salle principale où tu pourras prendre un petit déjeuner...

— En fait, se risqua à avancer Ambre, je voudrais retrouver Jade, Adrien et Opale. Nous sommes arrivés hier dans la nuit... »

Le visage de la dame prit soudain une expression grave.

« C'est donc toi, dit-elle pensivement.

— Pardon ?

— Non, non, ce n'est rien. Viens, je vais te conduire auprès de tes amis. »

Ambre lui emboîta le pas. Elle remarqua alors que la femme ne marchait pas : son corps flottait et glissait à un ou deux centimètres du sol.

« Vous... vous faites de la magie ? demanda-t-elle maladroitement.

— De la magie ? C'était mon rêve d'enfant, oui, mais je n'en avais pas la capacité. Il faut être doué.

— Mais votre manière de marcher sans marcher..., dit Ambre, confuse.

— Ça ? Mais ma petite, je suis une Dohnlusyenne. Comment veux-tu que j'avance autrement ?

— Ah, excusez-moi », répondit Ambre, embarrassée.

Le sens de ces propos lui avait échappé. Au bout de quelques mètres, la Dohnlusyenne ouvrit une des portes et laissa passer Ambre. Adrien était là, au chevet d'Opale, entouré de Jade et d'Owen d'Yrdahl.

« Ambre ! s'écria Owen. Te voilà enfin ! Que dirais-tu d'une promenade avec nous pour découvrir un peu le Conte de Fées ?

— Avec plaisir ! répondit-elle, réellement enchantée.

— Je reste ici, décréta Adrien. Si Opale se réveille, il faut qu'elle me trouve à ses côtés. »

Jade, Ambre et Owen sortirent du manoir. Dans la cour étaient attachés trois chevaux. Quand elles s'en approchèrent, les deux filles constatèrent les minimes différences qui les démarquaient de l'espèce qu'elles connaissaient : ces bêtes étaient recouvertes d'une sorte de pelage brun paraissant doux et assez épais, leur crinière dorée, flamboyante, semblait se consumer de flammes, et leur regard bleu brillait d'intelligence.

« Voilà les chevaux que nous allons prendre pour notre promenade, déclara Owen. Ce sont de vrais pur-sang ; on ne peut pas trouver plus magiques.

— Magiques ? demanda Ambre, déconcertée. Est-ce qu'ils volent, expulsent des flammes par les narines ou je ne sais quoi...

— Bien sûr que non, répondit Owen, étonné. Je n'ai pas dit qu'un magicien les avait ensorcelés.

— Alors, en quoi sont-ils magiques ? questionna Ambre.

— Tu es déçue ? Si tu veux, je peux te donner une monture plus ordinaire, répliqua Owen non sans malice.

— Non, non... »

Ambre n'insista plus. Chacun enfourcha un cheval et se mit en route, Owen en tête. Les deux filles furent vite désappointées. Le paysage du Conte de Fées n'offrait rien de surprenant. Un ciel d'un bleu immaculé s'étendait à perte de vue, à peine dissimulé par quelques pics lointains, coiffés de neiges éternelles. Ambre regardait ces sommets enguirlandés de blanc et les collines qui s'offraient à sa vue... Owen dit brusquement :

« C'est là-bas, vers ces montagnes, qu'habite Oonagh... C'est difficile d'y accéder. Si vous n'aviez pas vraiment besoin d'y aller, je vous le déconseillerais, mais bon... Sinon, n'allez jamais dans la ville de Thaar. N'essayez même pas, ce serait la dernière chose à faire.

— Pourquoi ? s'enquit Jade, surprise par ces recommandations.

— C'est plus que dangereux, répondit Owen, c'est tout simplement mortel. Cette ville est maudite. On l'a baptisée, rebaptisée, mais rien n'y fait ; elle ne changera pas, ne pourra jamais changer.

— Mais pourquoi ? répéta Jade.

— Sans importance », coupa sèchement Owen, soudain nerveux.

Ambre, elle, ne suivait que distraitement la conversation. Elle caressait le pelage de son cheval. Elle s'attendait à le sentir doux, mais il était rêche.

Pourtant à peine eut-elle formulé cette pensée que la texture, sous ses doigts, changea. Elle devint lisse, soyeuse, infiniment agréable au toucher, exactement comme elle l'avait imaginée. Intriguée, elle plongea son regard dans la fourrure de l'animal. « Qu'elle aurait été belle, blanche », se dit-elle... Aussitôt, son souhait fut exaucé. Elle vit le pelage du cheval s'éclaircir graduellement jusqu'à atteindre la teinte qu'elle avait rêvée, un blanc pur, uniforme, éclatant.

« Owen, s'écria Ambre, je comprends ! Le cheval devine les désirs de son cavalier, et il les suit pour le satisfaire ! C'est magique...

— Comment veux-tu que cela soit ? s'enquit Owen, taquin. Cela ne te convient pas ? Pourtant, ces chevaux m'ont toujours paru d'excellentes montures...

— Evidemment, s'enthousiasma Ambre. Mais je n'arrive pas à y croire ! »

Les trois jeunes gens cheminaient sur une route sans charme, bordée de maisons ordinaires, de prairies sans intérêt. Ambre proposa à ses deux compagnons de faire la course, ce qu'ils acceptèrent aussitôt. Elle pensa alors de toutes ses forces qu'elle désirait que le cheval galope jusqu'à la limite de ses capacités, et elle sentit l'air lui fouetter le visage, la vitesse l'enivrer ; le sol lui semblait se dérober sous sa monture... Elle n'avait jamais connu pareille sensation. Après quelques minutes délicieuses, elle se retourna. Jade et Owen étaient loin derrière, haletants. Elle ordonna mentalement à son cheval de s'arrêter et attendit ses compagnons.

« Je n'ai jamais vu ça ! s'exclama Owen. D'habitude, il faut un certain temps pour que les chevaux s'habituent à leurs cavaliers ; ils n'adoptent leurs désirs qu'après de longs mois d'entraînement et encore faut-il être expérimenté. Moi-même j'ai dû préparer durement le cheval que tu montes avant qu'il ne me comprenne aussi bien qu'il le fait avec toi !

— Est-ce qu'il a un nom ?

— Comment veux-tu que je le sache ? Evidemment, il doit en avoir un, mais un cheval ne parle jamais à un homme, même s'il en est capable, bien sûr.

— Et tu ne lui as pas donné de nom ? s'enquit Ambre.

— Non, il se serait vexé, c'est contraire à leurs coutumes.

— Ah ! » se contenta de dire Ambre, qui n'avait plus assez de mots pour exprimer son étonnement.

Comme la promenade devenait lassante, Owen proposa de faire demi-tour, ce que les filles s'empressèrent d'accepter. Jade interrogea son hôte sur le mode de vie des habitants du Conte de Fées, mais il répondit simplement :

« On est libres. On a des responsabilités, bien sûr, mais chacun décide de ses actes. On travaille, on se distrait, on vit...

— Mais les créatures féeriques ? insista Jade.

— Elles vivent parmi nous.

— Mais alors, qu'est-ce que l'existence ici a de si magique ? s'énerva Jade.

— Ce n'est qu'un nom, le Conte de Fées, une notion, pas une vie. Ce sont des mots, qui n'illustrent pas la réalité, qui ne cherchent pas à la représenter. L'irréel finit par devenir notre quotidien ; on s'y habitue. Et notre existence n'est pas un conte, nous avons tous des chagrins, des problèmes, même si nous vivons parmi d'autres créatures magiques... » Owen s'interrompit. « Là où il y a la vie, murmura-t-il, là où il y a les hommes, il y a aussi le mal. »

Le manoir fut bientôt visible. Les trois compagnons ramenèrent les chevaux dans une petite écurie. Ambre regarda avec une certaine affection l'étalon qu'elle avait monté. Il avait fière allure ; sa crinière d'or contrastait avec le blanc crémeux qu'avait adopté sa fourrure, ses yeux vifs, azur, observaient sa cavalière sans ciller. Ambre l'abandonna à regret pour suivre Owen et Jade.

A l'intérieur du manoir régnait une vive agitation. A peine les trois jeunes gens furent-ils entrés qu'un homme se précipita vers Owen. Jade et Ambre le reconnurent ; c'était Lloghin, le guérisseur de la veille.

« Il y a une grave problème, dit-il, visiblement affolé.

— Calme-toi, Lloghin. Que s'est-il passé ?

— Je ne peux pas... Un messager est arrivé après ton départ.

— Un messager ? La nouvelle devait être importante !

— Oh oui, soupira Lloghin d'un ton gémissant. Owen, le pire est arrivé.

— Mais quoi ? Vas-tu te résoudre à le dire ?

— La ville de Thaar est tombée.

— Quoi ? cria Owen d'Yrdahl, bouleversé.

— Le messager est dans la salle principale, dit Llog-hin, je lui ai conseillé d'attendre ton retour. »

Silencieux, le regard trouble, Owen s'éloigna avec le guérisseur. Les deux filles retrouvèrent sans peine la chambre où Adrien veillait sur Opale, mais n'entrèrent pas tout de suite.

« Thaar..., murmura Ambre, songeuse. Quel danger représente cette ville ? Aux mains de qui est-elle tombée ?

— C'est vraiment étrange, répondit Jade, Owen et le guérisseur paraissaient affolés. En plus, j'ai cru comprendre que la guerre n'existait pas au Conte de Fées.

— J'ai l'impression de vivre un rêve, répondit Ambre. Tant de choses me paraissent irréelles.

— Et moi, j'en ai assez ! Je veux savoir ce que sont les pierres, ce que je suis, pourquoi on m'a chassée de chez moi, déclara Jade. Je veux qu'on m'explique ce que le Conseil des Douze peut bien avoir contre nous ; je veux vivre dans un monde défini, où je ne serai pas entourée de mystères, de rêves invraisemblables ! Dès qu'Opale se réveille, on file voir Oonagh. »

Sur ces mots, elles pénétrèrent dans la pièce. Adrien n'était plus au chevet d'Opale, il avait quitté la chambre. Quant à Opale, elle tremblait violemment. Les deux filles accoururent auprès d'elle. Elle était encore inconsciente mais, depuis son coma, elle articulait de vagues sons. Aucun mot cohérent n'était discernable dans l'enchevêtrement de monosyllabes qu'elle énonçait. Brusquement, elle se tut et resta immobile.

Jade, mécontente, s'écria :

« Où est Adrien ? Il s'en va comme ça, sans prévenir, et nous voilà coincées avec Opale délirante dans un manoir inconnu, dans ce maudit Conte de Fées !

— Adrien doit avoir une raison valable, déclara calmement Ambre. On peut aller chercher Lloghin.

— Où ? Je me sens perdue ici ! Je n'y suis pas à ma place, tout est trop magique pour moi !

— Le manoir n'a rien de magique, dit Ambre, et on peut quand même réussir à trouver la salle principale ! »

Adrien apparut alors. Il était vêtu d'une sorte d'uniforme bleu et or. Son expression était particulièrement déterminée, mais son visage était blême.

« Adrien ! s'écria Jade, indignée. Où étais-tu ?

— Thaar est tombée, déclara le jeune homme.

— Oui, on est au courant, répondit Ambre.

— Il y a donc une guerre ? demanda Jade.

— Oui et non », répondit Adrien gravement. Il s'assit sur une chaise de bois et continua : « Je vais tout vous expliquer ; vous devez savoir, pour expliquer à Opale pourquoi je l'ai abandonnée.

— Tu n'es parti que pendant notre promenade, dit Ambre, ce n'est pas tragique.

— Je ne parle pas de ça. Bientôt, je partirai. Définitivement.

— Mais..., coupa Jade.

— Ne m'interromps pas, écoutez-moi toutes les
deux. Thaar n'est pas une ville ordinaire. Certains la
disent hantée par le mal. Elle appartient au passé, elle
le reflète. C'est la seule ville qui soit restée intacte
depuis des millénaires, comme si elle était hors du
temps. On la surnomme la cité des Origines. Elle n'a
jamais vraiment fait partie du Conte de Fées et, étrangement, bien qu'elle soit recouverte par le champ
magnétique, il ne la protège pas. Depuis longtemps, le
Conseil des Douze peut y accéder par télépathie. C'est
l'une des raisons pour lesquelles cette ville est dangereuse. Ses habitants sont peu nombreux. Or voilà, ce
ne sont pas tous des gens honnêtes et certains, assoif-
fés de pouvoir, ont trahi le Conte de Fées, en aidant le
Conseil des Douze à dominer l'esprit de tous les habitants de Thaar. Certains ont réussi à résister, difficilement, mais la force ténébreuse du Conseil des Douze
a envahi la ville, l'a contrainte à sa domination. De là,
il peut progresser à l'intérieur du Conte de Fées. Les
membres du Conseil des Douze ou même des chevaliers de l'Ordre peuvent à présent se matérialiser par
téléportation en la ville, grâce à un sortilège d'une
grande complexité qui n'a été réalisé qu'une dizaine de
fois dans l'histoire. Mais il est peu probable qu'ils le
feront. Leur stratégie est presque certaine : à travers
leurs fidèles à Thaar, ils s'infiltreront mentalement

dans l'esprit des gens et les asserviront, les détruiront ou les soumettront à leur volonté. Ils y parviendront. A Thaar, tout le monde a finalement cessé de combattre. On ignore quelle est leur situation, mais, heureusement, l'un des habitants est arrivé à s'échapper. Des messagers ont été envoyés dans tout le Conte de Fées.

— Comment va-t-on combattre ? interrogea Ambre, frémissante.

— C'est simple, des régiments de volontaires vont aller encercler la ville. Si le Conseil des Douze essaye d'étendre sa domination, les soldats lutteront... mentalement. De toute manière, l'armée tentera de pénétrer dans l'esprit des habitants, de les aider, ce qui est quasiment impossible face à la force du Conseil des Douze. On tentera aussi de pénétrer dans la ville, de combattre, de repousser l'attaque mentale.

— Attend une minute, dit Jade, pourquoi dis-tu " on " ?

— Je viens de m'inscrire dans l'armée, assena Adrien d'une voix chargée d'émotion. Je pars demain.

— Tu risques ta vie ?! s'exclama Jade.

— Je veux être utile, ne pas me cacher honteusement en attendant la suite des événements, répliqua le jeune homme. On a besoin de volontaires. Ma vie ou celle d'un autre, quelle importance ?

— Mais tu reviendras, non ? demanda Ambre.

— Peut-être, dit Adrien sur un ton évasif. Quand tout sera fini. Mais peut-être pas. Dans ce cas, j'aurai au moins lutté.

– Adrien, ne deviens pas pathétique, s'écria Jade vivement. Tu parles vraiment comme si c'était la fin du monde ! »

Le jeune homme esquissa un faible sourire.

« Je n'ai pas fini... Ne me posez surtout pas de questions. Croyez-moi, ce que je vais vous dire n'est pas des mots en l'air. Je devrais me taire, mais...

– Bon, abrège, fit Jade tout à coup.

– Il faut que vous alliez voir Oonagh. Maintenant, sans attendre. Le temps est désormais compté.

– Mais Opale ? demanda Ambre.

– Lloghin, le guérisseur, m'a confié une fiole de sa fabrication qui lui permettra de revenir à elle quelques brefs instants pour que je lui dise adieu. Puis elle sombrera de nouveau dans l'inconscience. Il faudra s'arranger pour la transporter d'une manière ou d'une autre. Elle guérira par elle-même.

– Mais comment trouverons-nous notre chemin ? s'indigna Ambre, effarée.

– Vous réussirez... C'est important. A présent, laissez-moi seul quelques instants avec Opale. Ensuite, vous partirez. Owen met à votre disposition les chevaux magiques que vous avez montés tout à l'heure. »

Les filles se retirèrent dans le couloir, devant la porte close. Jade était survoltée.

« Tout le monde nous ordonne de fuir ! On est constamment chassées !

Ambre ne répondit pas. Jade avait raison ; elle aussi en avait assez.

Dans la chambre, Adrien regardait Opale d'un air empreint de nostalgie. « Désolé », murmura-t-il à voix basse. Puis, il sortit de la poche de sa tunique une fiole habilement ciselée dans laquelle un liquide bleuâtre semblait bouillonner. Adrien l'ouvrit. Une odeur de sang, de mort, s'en échappa, pesante, évoquant une chair putréfiée. Le jeune homme retint une grimace de dégoût et mit la répugnante mixture sous le nez d'Opale, qui entrouvrit les lèvres. Alors, il versa le liquide miraculeux dans la bouche de la jeune fille. Elle l'avala docilement. Peu à peu, elle revint à elle. Ses narines frémirent, puis ses lèvres s'épanouirent en un sourire et elle murmura, les yeux encore clos : « Comme j'ai bien dormi... » Elle bâilla et ouvrit les paupières.

« Opale ! » s'écria Adrien, la gorge nouée par l'émotion.

La vision de la jeune fille était encore vague et incertaine. Elle mit quelques secondes à rassembler ses esprits. Son regard clair presque transparent, s'illumina et, interdite, elle laissa échapper dans un souffle :

« Adrien ! Tu es là... Que s'est-il passé ? »

Le jeune homme sentait les larmes lui monter aux yeux, mais il les contint. Le cœur serré, il se dit qu'il voyait Opale peut-être pour la dernière fois.

« Je t'aime, avoua-t-il d'une voix tremblante. Je penserai toujours à toi, jusqu'à ce que je te revoie... Je serai près de toi chaque fois que tu songeras à moi. »

Il ne réussit pas à poursuivre. Opale, ses immenses yeux posés sur Adrien, paraissait affligée et heureuse à la fois ; elle se redressa, se blottit contre le jeune homme et murmura :

« Ne me quitte pas... Ne pars pas, reste auprès de moi... C'est dangereux, tu risques ta vie... Et je t'aime. »

Elle voulut ajouter quelque chose mais, subitement, son regard se ternit et elle s'affaissa sur l'oreiller, de nouveau inconsciente.

Adrien ne comprit jamais comment elle avait deviné qu'il partait combattre. Mais savoir qu'Opale l'aimait aussi était ce qui comptait le plus pour lui. Désormais, il pouvait partir affronter sans peur le Conseil des Douze ; comme bouclier, il avait l'amour.

16

Jade et Ambre, taciturnes, chevauchaient en direction des pics enneigés. Jade soutenait Opale, inanimée, tout en se demandant où elle dormirait le soir venu et vers quelle nouvelle aventure insensée elle allait.

Ambre observait autour d'elle. Les maisons se succédaient, modestes ou imposantes. Des champs, des cultures bordaient le chemin. Ambre n'avait remarqué que quelques travailleurs qui, au lieu de labourer la terre, chantaient et riaient avec bonne humeur. Ils lui parurent humains, mais elle crut distinguer que leurs longs cheveux étaient de couleur argentée. Malgré ses efforts pour se montrer calme, observer les alentours et canaliser ses pensées, elle ne pouvait s'empêcher de céder à une certaine colère. Elle se sentait impuissante, avait l'impression de ne plus maîtriser sa vie, de progresser dans l'obscurité la plus complète. Qu'est-ce qui l'attendait? Allait-on enfin se décider à le lui apprendre?

Jade aussi maugréait intérieurement. Au fond, pourquoi ne pas revenir sur ses pas, retourner dans son palais ? Elle savait qu'elle ne le pouvait pas, qu'elle ne le devait pas, mais l'envie de ne plus suivre aveuglément les conseils des autres la tenaillait, bien qu'elle désirât ardemment découvrir ce qu'on lui cachait.

Tout à coup, elle dit :

« Ne te moque pas de moi, mais j'ai l'impression que tout le monde sait ce qu'on doit faire, sauf nous. On nous connaît mieux que nous-mêmes ! Ambre, tu sais à quoi je pense ?

— Non, répondit Ambre, rêveuse.

— Si le Conseil des Douze a quelque chose contre les créatures magiques, c'est parce qu'il les craint.

— Oui, ça paraît évident.

— Si le Conseil des Douze a quelque chose contre ceux qui connaissent le Conte de Fées, c'est parce qu'il les craint aussi. Imagine que tout le monde ait connaissance de cet endroit... Il y aurait des rébellions ! Les gens voudraient tous y aller. Maintenant, réfléchis trois secondes... Si les révoltes sont rares contre le Conseil des Douze, c'est parce que personne n'a assez de courage, mais aussi parce que toute tentative serait vaine : les chevaliers de l'Ordre sont partout. La vérité, c'est surtout que la plupart des gens ne se rendent compte de rien ! Tu comprends ?

— Oui, approuva Ambre. Les gens sont privés de liberté, de rêves, d'ambitions... Dès leur naissance, on leur assigne un futur sans surprises ; mes parents étaient des paysans, j'étais destinée à l'être aussi et je n'avais pas le choix. Le Conseil des Douze prétexte une société stable pour priver les gens de leur liberté, mais personne ne s'en rend compte. On y est habitués dès la naissance et on suit les règles sans rien demander.

— Moi, avant de m'en aller de chez moi, je voyais le monde comme on m'avait appris à le voir. Toi, tu avais deviné depuis longtemps ?

— Depuis toujours. J'ai grandi librement, sauvagement, en me réfugiant dans les livres interdits et en apprenant la vie à travers eux. Regarde le monde sous le Conseil des Douze : les infirmes, les malades sont jugés faibles et inutiles, on les méprise, on ne s'adresse à eux que pour les railler.

— C'est vrai, les gens ne font que ce qu'on leur ordonne, ils ne se posent jamais de questions, oublient l'amitié, l'affection.

— C'est ridicule, avança Ambre, mais... Non, rien. »

Malgré l'insistance de Jade, elle ne révéla pas la pensée qui l'avait effleurée.

« Ce que je voulais dire, reprit Jade, c'est que si le Conseil des Douze a quelque chose contre nous, c'est aussi parce qu'il nous craint, aussi improbable que cela paraisse. Depuis notre naissance, il a eu tout le temps de nous détruire, d'envoyer des chevaliers de l'Ordre à notre poursuite... Si le Conseil des Douze nous craint, il doit y avoir une excellente raison, mais je n'arrive pas à voir laquelle.

– C'est juste ! A mon avis, on doit pouvoir faire quelque chose contre lui. Peut-être qu'on arriverait à le déstabiliser ou... oui ! A montrer aux gens ce qu'on voit.

– Hum..., fit Jade, dubitative. Comment veux-tu ouvrir les yeux à des millions de gens ? Quoique, attends... Qui sait si les pierres ne peuvent pas nous y aider ? »

Ce fut au tour d'Ambre d'esquisser une moue d'hésitation.

« Ça me paraît quand même impossible. Personne ne nous suivra, à part ceux qui sont déjà convaincus.

– Et pourquoi serait-ce à nous de le faire ? Mais, d'un autre côté, si personne ne fait rien...

– Oui, mais... on n'est peut-être pas vraiment capables de changer quoi que ce soit... »

Les deux filles se perdirent dans leurs pensées.

L'après-midi était peu avancé et elles n'avaient rien mangé au manoir, aussi décidèrent-elles de faire une halte. Avant qu'elles ne partent, Owen d'Yrdahl leur avait fourni des vivres en abondance. Le ravitaillement n'allait donc pas poser problème de tout le voyage.

Jade et Ambre s'arrêtèrent d'un commun accord et s'assirent à l'ombre fraîche d'un chêne. Elles prirent soin d'étendre Opale près d'elles. La jeune fille était toujours inconsciente et demeurait inerte. Lloghin avait partiellement soigné sa plaie, et le sang avait cessé de couler.

Jade et Ambre déballèrent leurs victuailles. Elles entamèrent avec appétit le pain frais, la viande séchée, le fromage onctueux, en laissant de côté d'autres aliments à l'aspect inconnu et peu appétissant.

« Tu sais, Jade..., dit Ambre, au fond, je ne regrette pas d'être ici. Quel était mon avenir ? Je n'en avais pas... J'allais sortir de l'enfance et voir ce que m'offrait le futur : rien.

— Mouais, fit Jade, mais moi, ce n'était pas pareil. Il y a quelques jours encore, je t'aurais crié haut et fort que j'étais la fille du duc de Divulyon ; je t'aurais raconté à quel point mon palais était somptueux. Je croyais, contrairement à toi, que l'avenir m'offrait tout, la richesse, la renommée, tout ce dont je rêvais... Maintenant, je me sens un peu coupable de n'avoir pas su aller au-delà des apparences. »

Jade se tut, les joues empourprées. Elle n'avait jamais cru qu'un jour elle parlerait avec quelqu'un de ses sentiments... Pourtant, le duc de Divulyon lui avait assuré qu'elle trouverait en Opale et Ambre des ennemies, ce qui s'était révélé vrai pour la première, mais faux pour la seconde. Pourquoi avait-il dit cela ? Jade avait l'impression désagréable qu'elle avait changé depuis qu'elle avait quitté le palais. Et Ambre semblait dangereusement représenter sa première *amie* — un terme qui lui avait toujours paru obscur et attirant à la fois.

Non, cela ne pouvait pas être possible ! Elle, Jade, la fille du duc de Divulyon, penser de telles choses !

Quelle étrange impression, alors qu'elle n'était partie que depuis quelques jours ! Elle aurait juré que des années s'étaient écoulées, peut-être parce qu'elle sentait que son passé était définitivement révolu.

« J'ai une idée, dit tout à coup Ambre. Pourquoi ne pas essayer de réanimer Opale avec nos pierres ?

— Si tu veux. »

Ambre sortit de la poche d'Opale sa bourse de velours noir. Elle glissa la pierre entre les doigts fermés de la jeune fille. Puis elle prit dans sa propre main l'ambre qu'elle possédait et le serra vigoureusement. Jade, l'air absent, fit de même avec sa pierre. Elles attendirent un moment. Ambre accentua son étreinte. Les deux filles sentirent que les pierres tentaient d'entrer en contact avec Opale, au moyen de leur énergie, mais rien n'y fit. Comme elle était inconsciente, il était impossible d'établir la communication habituelle.

Déçues, elles reprirent bientôt leur route. Ambre installa Opale sur son cheval, tout en s'excusant mentalement de ce poids supplémentaire. Elle était certaine que sa monture la comprenait, même si elle ne lui répondait pas.

« J'aimerais bien te donner un nom, lui murmura Ambre par télépathie, bien qu'Owen prétende que ça ne te plairait pas. »

A cet instant, le cheval se mit à s'agiter, puis Ambre ressentit une légère douleur la gagner. Elle devinait qu'elle provenait de sa monture, qui, par télépathie, la dissuadait de s'opposer à sa volonté.

« Bon, d'accord, pas la peine de s'énerver ! Je ne te donnerai aucun nom. Mais je ne savais pas que tu pouvais me communiquer des sentiments, des sensations. C'est surprenant ! »

Le cheval s'arrêta. Ambre comprit qu'il était contrarié, blessé dans son orgueil.

« Excuse-moi ! C'est juste que je ne suis pas habituée au Conte de Fées. De là où je viens, ce n'est pas vraiment parcil. »

Le cheval reprit sa marche, rasséréné. Ambre avait l'impression qu'il s'adressait à elle, car des images, des impressions s'imposaient à son esprit. Peut-être étaient-elles issues de son imagination, mais elle en doutait.

Les deux filles chevauchèrent longtemps sans interruption. Elles ne savaient pas si elles suivaient le bon chemin ; elles allaient vers les montagnes. Elles étaient encore loin, si loin d'Oonagh...

Le soir tomba, drapant le Conte de Fées d'un voile de pénombre, puis la nuit le remplaça. Elles ne ressentaient pas la fatigue, mais les formes devenaient menaçantes, les contours du paysage s'effaçaient et les deux filles craignaient de se perdre ou de se faire attaquer par un ennemi inconnu... Elles décidèrent de faire halte. Adrien leur avait déconseillé de demander l'hospitalité, craignant qu'elles ne fassent de mauvaises rencontres. Elles le savaient, leurs ennemis pouvaient être partout. Elles s'étaient senties en sécurité au Conte de Fées, mais à présent, dans l'obscurité, elles ne savaient plus que croire. Elles s'assirent en bordure du chemin, sous un arbre. Après avoir mangé, elles s'allongèrent sur l'herbe rêche, étendant le corps d'Opale à leurs côtés.

« J'ai réfléchi, dit Ambre.

— Moi aussi.

— Les habitants du Conte de Fées croient. Ils croient en l'impossible, à leurs rêves. Ils sont libres. Pas forcément heureux, comme l'a dit Owen, mais libres de choisir leur vie. Je ne crois pas que la guerre puisse exister ici... C'est une contrée si paisible. Dans le reste du monde, là où le Conseil des Douze règne, les gens ne croient plus, ils ne rêvent plus, n'espèrent plus rien. Ils ne savent pas s'ils sont heureux ou malheureux. Ils ne veulent même pas le savoir. Là-bas non plus, il n'y a pas de guerre... mais il y a tant d'interdictions...

— Tu te trompes, coupa Jade. Ici aussi, il y a le mal, Owen l'a dit. Il y a forcément eu des guerres, de la violence. On ne peut pas toujours vivre en paix. Et là-bas, dans le Dehors... la guerre existe depuis longtemps, et aujourd'hui encore. Le Conseil des Douze lutte contre la liberté, contre le bonheur. Il n'arrivera jamais à les vaincre complètement. Là où il y a le mal, il y a forcément aussi le bien. Il y a donc la guerre. Ici et là-bas. »

Jade se tut. Ambre, impressionnée, répondit :

« Tu dois avoir raison... Le bien et le mal, l'éternel combat. »

Elles rirent toutes les deux.

« Dans le Dehors, reprit Ambre, la plupart des gens pensent si rarement aux autres... Ils oublient de regarder autour d'eux, ils oublient les sentiments. Et ils ne s'en rendent pas compte! Qui se révolterait, là-bas? Qui oserait être différent des autres? Et qui entraînerait ces autres à changer?

— C'est pourquoi c'est au Conte de Fées d'aider le Dehors, décida Jade. Ici, les gens peuvent comprendre ce qui se passe là-bas. Ils sont capables de les aider. Quant à nous, on n'a pas le droit de faire comme s'il ne se passait rien! »

Entraînée dans son discours fervent, Jade était sur le point d'ajouter quelque chose, quand une voix faible l'interrompit :

« Que se passe-t-il? Où sommes-nous? »

Elles sursautèrent. Opale venait de se réveiller.

« Je me sens mal », articula-t-elle d'une voix faible.

Ambre s'accroupit à côté d'elle et la rassura :

« On est dans le Conte de Fées. Tu as été blessée, mais rien de grave. »

Opale porta la main à sa plaie, réprimant un cri d'effroi. Lloghin l'avait soignée, mais elle restait encore douloureuse.

« Sortons nos pierres », proposa Jade.

Opale et Ambre obéirent machinalement. Elles se concentrèrent. Une douce chaleur les envahit. Elles ne pensèrent à rien, durant un instant. Elles se sentaient détendues, leurs problèmes s'effaçaient. Puis, peu à peu, la communication s'éteignit. Jade et Ambre avaient l'impression d'avoir laissé à Opale une partie de leurs forces. Une vague de fatigue les submergea.

« Je me sens mieux, murmura Opale. Ma blessure ne me fait presque plus souffrir. Mais il faudrait que je me repose encore un peu avant qu'on ne reparte. On va où, au fait ?

— Chez Oonagh, bien sûr, dit Jade sèchement.

— Mais rien ne presse, déclara Ambre. Cette nuit, on dort. Demain, on te racontera tout. »

Et les trois filles fermèrent les yeux, oubliant leurs angoisses.

17

L'Innomé et Elfohrys s'étaient arrêtés pour la nuit dans une clairière minuscule. Depuis l'attaque mentale des Ghibduls, aucun incident n'avait perturbé leur route. Une fois, Elfohrys, désorienté, s'était cru perdu, mais au bout d'une heure, les deux compagnons avaient réussi à retrouver leur chemin.

Avant de s'étendre pour dormir, l'Innomé avait demandé dans combien de temps ils sortiraient de la forêt.

« Hélas ! avait répondu Elfohrys, cela ne dépend pas de moi. Si nous ne rencontrons aucun obstacle, peut-être quitterons-nous la forêt d'ici deux jours, mais cela peut aussi durer des semaines... »

Puis, après avoir mangé et brièvement discuté, les deux compagnons s'étaient allongés. L'Innomé, qui ne s'était presque pas reposé la nuit précédente, sombra dans un sommeil profond. Toute la journée, à son insu, les Ghibduls avaient scruté son esprit. Lorsqu'ils le sentirent endormi, ils s'infiltrèrent insidieusement en lui et l'anesthésièrent pour quelques heures. Ils firent de même pour Elfohrys. La fin du monde pouvait arriver, les deux compagnons ne se réveilleraient pas...

Satisfaits, les penseurs ghibduls frottèrent leurs mains aux doigts recourbés. Dans un ricanement sonore, ils ordonnèrent à une dizaine de guerriers de trouver l'Innomé et Elfohrys et de les emmener dans leur repaire.

Les créatures magiques traversèrent en trombe la forêt, en voletant à basse altitude. Elles pouvaient voler ainsi sur de courtes distances, à moins de trois mètres du sol. Enfin, elles arrivèrent auprès de leurs victimes.

Brutalement, les Ghibduls les attachèrent avec des lianes solides et contemplèrent leur gibier en ricanant. Comment avaient-ils pu imaginer que ces pauvres proies représentaient une véritable menace ?

Deux des guerriers ghibduls soulevèrent sans délicatesse l'Innomé et Elfohrys et les emportèrent comme de vulgaires paquets. Puis les créatures magiques se dirigèrent joyeusement vers leur cité.

Les contours de la pièce étaient flous. Où était-il ? Que se passait-il ? L'Innomé n'en avait aucune idée. Il s'efforça de se rappeler les derniers événements, mais son esprit restait embrumé. Il s'obligea à garder les yeux ouverts. Il n'avait pas le souvenir d'avoir perdu connaissance. Il se rendit compte que ses poignets et ses jambes étaient entravés par des liens et qu'il était ligoté à une sorte de chaise recouverte d'une mousse verdâtre comme du lichen. Encore somnolent, il ne tenta même pas de se libérer. Il se trouvait dans une pièce inconnue, aux murs d'un blanc sale, en compagnie d'Elfohrys, inconscient et prisonnier des mêmes lianes sombres. Peu à peu, il reprit complètement connaissance. Cette situation lui rappelait son réveil brutal dans un champ, deux années auparavant. Mais cette fois, heureusement, il avait gardé en mémoire tous les événements qui précédaient le moment où il s'était endormi dans la clairière. Il observa la pièce avec plus d'attention. La lumière y était ténue. L'endroit ne contenait aucun meuble et ne laissait rien deviner sur les propriétaires des lieux. L'Innomé essaya de s'agiter, de briser les liens qui le retenaient, en vain. Au contraire, les lianes l'enserrèrent davantage sur l'étrange chaise.

Elfohrys s'éveilla. Il était tout aussi déboussolé que l'hovalyn.

« Où sommes-nous ? demanda-t-il d'une voix traînante.

— Je ne sais pas. Vous non plus, vous ne vous rappelez rien ?

— Tout s'est effacé de ma mémoire. »

L'hovalyn poussa un soupir de soulagement. Ainsi, il n'était pas le seul à ne garder aucun souvenir de ce qui les avait amenés ici ; sa perte de mémoire et celle d'Elfohrys devaient pouvoir s'expliquer.

La créature magique jetait des regards de plus en plus intrigués sur la pièce.

« C'est étrange, déclara Elfohrys, nous étions dans la clairière, et nous voilà attachés dans cet endroit, prisonniers d'un ennemi inconnu. »

A peine eut-il prononcé ces mots que la porte s'ouvrit avec fracas. Un Ghibdul entra dignement. Il était de petite taille, ce qui ne rendait pas son aspect plus rassurant. Son corps était recouvert d'une carapace d'un vert foncé, dont ne dépassaient que ses mains repoussantes et ses pieds aux griffes acérées, son cou et sa tête violacés. Cette carapace lui procurait une armure naturelle. Il se tenait courbé. Son visage était particulièrement effrayant. Ses yeux, deux minces fentes plissées, avaient une couleur boueuse, malpropre ; ils scintillaient d'un éclat intelligent mais dur. Sa bouche, du même vert que sa carapace, était tordue, translucide, presque invisible ; son nez avait trois fentes. Son visage était comme froissé, chiffonné. Il portait une sorte de casque rouillé dont surgissaient des cheveux indisciplinés, semblables aux lianes qui enserraient l'Innomé et Elfohrys. Dans le dos du Ghibdul, on distinguait deux ailes noirâtres, chétives et repliées.

Il était effrayant.

Il s'avança d'un pas lourd et pesant.

« Un Ghibdul, constata Elfohrys à voix haute.

— Cela te pose un problème, prisonnier ? répliqua la créature d'un ton bourru.

– Où sommes-nous ? demanda l'Innomé. Que voulez-vous de nous ?

– Taisez-vous, vermine. Il est indigne pour moi de parler aux animaux que vous êtes. Personne, aucun gibier, n'en a jamais eu l'honneur.

– Je m'en serais passé, bougonna Elfohrys.

– Allez-vous vous taire ! Je parle, vous m'écoutez. Si vous ne m'obéissez pas, je vous tranche la tête sur-le-champ et vous attendrez que la grève de la Mort prenne fin pour que je vous tue définitivement ! »

La perspective d'attendre, la tête coupée, d'être achevés dans un futur indéterminé par la répugnante créature contraignit Elfohrys et l'Innomé à garder le silence.

« Bien, reprit le Ghibdul de sa voix caverneuse, je vais vous expliquer la situation. Vous êtes nos prisonniers et vous n'avez aucune chance de vous en sortir. D'abord, vous vous trouvez dans notre cité, ce qui, j'en suis sûr, ne peut qu'ébahir des animaux inférieurs comme vous, inaccoutumés à la civilisation raffinée qui est la nôtre. D'ici quelques heures, vous serez nourris. Puis on vous emmènera en un lieu qui ravira vos esprits incultes...

– Quel endroit ? laissa échapper Elfohrys, oubliant de se taire.

– Silence ! hurla le Ghibdul de sa voix de stentor. Comment oses-tu t'opposer à moi, être inférieur ?

– Ce n'était pas mon intention, répondit Elfohrys sans peur.

— Misérable moins que rien ! Si tu savais l'envie qui me dévore de t'écarteler à l'instant... »

Le Ghibdul s'approcha d'Elfohrys et, du bout de la main, lui effleura le visage. Ses griffes recourbées lui lacérèrent la figure. Du sang couleur d'or tacha la peau argentée d'Elfohrys. Il ne laissa échapper aucun gémissement.

L'Innomé dit cependant à l'adresse du Ghibdul :

« Vous le regretterez, je peux vous l'assurer.

— Toi, tu me menaces ? »

Etrangement, la créature avait un air presque pensif, un peu intrigué.

« Ce n'est pas une menace en l'air, continua l'Innomé. Je n'aime pas prendre les gens au dépourvu.

— Je vais te montrer sur-le-champ de quoi je suis capable, déclara le Ghibdul.

— Je ne demande pas mieux, dit l'hovalyn d'un ton ferme.

— Nous allons nous battre à mains nues, mais je vais t'épargner la vie, pour ne pas aller contre les ordres qu'on m'a donnés.

— Très bien », répliqua l'Innomé, nullement troublé.

Elfohrys lui jeta un regard peu rassuré. Le Ghibdul prononça quelques syllabes inintelligibles et les lianes qui retenaient l'hovalyn se délièrent.

L'Innomé savait qu'en quelques coups de griffes son adversaire pouvait facilement le vaincre. Pourtant, serein, il s'avança d'un pas presque nonchalant.

Quelque chose d'ignoble s'étira sur le visage du Ghibdul, une moue qu'on pouvait interpréter comme un sourire malveillant. Sans prévenir, il s'élança vers l'hovalyn qui, en comparaison, semblait frêle et inoffensif. Ses mains fendirent rageusement l'air à maintes reprises. Chaque fois qu'il croyait l'atteindre, l'Innomé, agile, se dérobait à ses attaques. Peu à peu, le Ghibdul s'essouffla, mais, n'osant pas avouer sa défaite, il cherchait toujours à blesser l'hovalyn.

Elfohrys regardait l'Innomé avec admiration. Il se mouvait avec souplesse et dextérité, parant les coups sans faillir.

Finalement, le Ghibdul, haletant, marmonna quelques mots incompréhensibles et l'hovalyn fut aussitôt propulsé jusqu'à sa chaise par une force invisible. Les lianes l'enserrèrent de nouveau.

« Homme », déclara la créature magique d'une voix sèche qui laissait transparaître une nuance d'admiration, « si, à mains nues, tu as su éviter mes attaques, cela ne te rend nullement supérieur à moi.

— Je n'ai jamais prétendu cela, répondit l'Innomé d'un ton égal, mais vous n'avez aucune raison non plus de me croire inférieur à vous.

— Attends de voir de quoi nous, les Ghibduls, sommes capables ! Notre force télépathique est inégalable et, armés, nous sommes redoutables !

— Très intéressant », commenta l'hovalyn.

La créature magique, profondément vexée, s'en alla sans rien ajouter. L'Innomé et Elfohrys restèrent de nouveau seuls.

« Pourquoi as-tu bravé le Ghibdul? reprocha le Clohryun à l'hovalyn.

– Je n'allais pas le laisser vous agresser sans rien dire.

– Quelle imprudence pour quelques gouttes de mon sang! Ma plaie cicatrisera vite, je ne garderai aucune entaille. Mes défenses naturelles sont fortes. Mais, toi, Innomé, tu viens de gagner la rancune de ce Ghibdul, qui, crois-moi, ne s'effacera pas de sitôt!

– De toute manière, il n'avait pas l'air particulièrement bien disposé à notre égard depuis le début », répondit l'hovalyn, insouciant.

Rageant contre les liens qui les emprisonnaient, l'Innomé et Elfohrys virent le temps passer sans trouver un moyen de se libérer. Ils ne pouvaient s'empêcher d'éprouver de l'anxiété en se demandant quel sort leur réservaient leurs ravisseurs.

Finalement, la porte s'ouvrit. Ce fut une femme qui entra. Elle était humaine! Elfohrys et l'Innomé la regardèrent, les yeux écarquillés d'étonnement. Vêtue d'un enchevêtrement imparfait de tissus végétaux fabriqués à partir des plantes de la forêt, la femme s'avança. Elle était sale; ses pieds, nus, étaient comme ses mains couverts de cicatrices. Son visage, peu amène, montrait tout de même clairement qu'elle était humaine. Ses pommettes, hautes, étaient saillantes. Dans ses yeux noirs, bridés, se reflétait une lueur agressive; ses lèvres étaient minces, sa peau, mate. Son nez épaté dévorait son visage morose. Ses cheveux bruns, agglutinés par la boue et la saleté, tombaient sur ses épaules carrées.

Apportant un plateau de bois chargé de quelques fruits, elle s'approcha, posa les vivres au sol. Maugréant, elle défit les liens d'Elfohrys et de l'Innomé.

« Mangez, dit-elle d'une voix rocailleuse, mais n'croyez pas qu'vous pourrez vous échapper ! Vous pouvez faire c'que vous voulez, les liens d'vos pieds, y vous lâcheront pas !

— Vous êtes humaine ? s'enquit poliment l'Innomé.

— Ben oui, mais les Ghibduls ont besoin de servantes comme moi. Les femmes perdues dans la forêt, ils les prennent à leur service. Ils sont pas cruels avec moi, au contraire.

— Quel est votre nom ? demanda l'Innomé, espérant engager une conversation avec la femme et gagner sa confiance.

— Naïlde. Mangez, posez pas de questions ! J'ai pas à vous parler. Je suis bien ici, et j'aide pas les prisonniers. Vous croyez que je veux m'enfuir, peut-être ? Eh bien, désolée, non.

— Vous laissez mourir des gens comme vous ? Vous n'avez pas de remords en les entendant crier sous la torture ? demanda Elfohrys.

— Les Ghibduls me traitent mieux que les humains, alors, moi, je les sers comme y faut, c'est tout. »

Sur ce, Naïlde jura et cracha avec mépris aux pieds de l'Innomé. Puis, un filet de salive encore aux lèvres, l'expression sûre et fière, elle tourna les talons et s'en alla en claquant bruyamment la porte.

« Incroyable, déclara Elfohrys. Cette femme, à force de vivre avec les Ghibduls, est allée jusqu'à adopter leurs mœurs !

– Qui sait quelle a été sa vie parmi les hommes ? répliqua l'Innomé avec indulgence. Avant de devenir une femme inhumaine, ce devait être une femme simple, peut-être incomprise. Elle a sans doute beaucoup souffert... On ne peut pas savoir quel réconfort lui ont apporté les Ghibduls. D'après ce qu'elle dit, sa vie, ici, la satisfait... »

Elfohrys regarda l'hovalyn avec surprise. Il compatissait au sort d'une femme qui venait de lui refuser sa liberté ! « Décidément, conclut le Clohryun, la nature des hommes est encore plus incompréhensible qu'on ne le disait... »

L'Innomé mangeait tranquillement les fruits apportés par Naïlde. Une fois rassasié, il tendit le plateau à Elfohrys qui ingurgita tout ce qui restait. Avec ses mains libres, l'hovalyn essaya de se libérer des liens qui entravaient ses jambes. Il n'y parvint pas.

« Ah ! Vous, les humains..., soupira Elfohrys, presque résigné. Toujours remplis d'espoir... A mon avis, c'est ce qui vous permet de survivre. On a beau vous dire qu'il n'y a rien à faire, vous vous acharnez quand même. »

Naïlde revint dans la pièce pour ramasser le plateau. L'Innomé retint son souffle, espérant que la servante avait changé d'avis, que la pitié avait eu le dessus. Elfohrys surprit son regard brillant. « Toujours aussi naïf, confiant dans les autres, se dit-il avec un soupir. Les hommes sont persuadés qu'ils sont habités par le bien, alors qu'ils s'ingénient à se détruire entre eux... Etrange. »

Naïlde déversa une nouvelle bordée d'injures à l'égard de l'Innomé, elle avait l'air de tirer une satisfaction personnelle à l'humilier. Visiblement, elle n'avait pas du tout changé d'avis.

L'Innomé comprit, désappointé, qu'il avait échoué à convaincre Naïlde de le libérer.

La servante quitta la pièce en grommelant.

Elfohrys et l'Innomé sentaient naître en eux une certaine appréhension. Presque immédiatement, le départ de Naïlde fut suivi par l'intrusion de quatre Ghibduls imposants. L'un d'eux murmura quelques mots, et les deux prisonniers furent libérés de leurs lianes.

« Suivez-nous », ordonna un Ghibdul abruptement.

Ils furent menés à travers des pièces sombres avant d'atteindre la sortie. Les deux compagnons purent observer l'édifice où ils avaient été retenus prisonniers. Il était lugubre, à l'architecture étrange, donnant une impression d'abandon, d'obscurité. Pourtant, l'intérieur fourmillait de Ghibduls.

Traversant sous la conduite de leurs geôliers des rues étroites, sinueuses, l'Innomé et Elfohrys découvrirent ce que personne ne soupçonnait : la cité des Ghibduls, active et organisée. Cette petite ville était entourée d'immenses arbres, remparts naturels. Le choix de son emplacement n'était pas anodin.

Un immense bâtiment se dressa peu à peu devant leurs yeux. Il ressemblait à un théâtre, avec des ornements surgissant des pierres peintes en noir. Les Ghibduls, en l'apercevant, ébauchèrent des sourires de fierté. Ils entrèrent dans le hall qui recelait des sculptures et des peintures révélant la maîtrise d'un art raffiné et original dont on ignorait les Ghibduls capables.

Une foule de ces créatures magiques s'agglutinait dans l'entrée. Les geôliers se frayèrent un passage, entraînant leurs prisonniers avec eux. Ils montèrent des escaliers interminables, jusqu'à une porte de cuivre, derrière laquelle ils jetèrent Elfohrys et l'Innomé. Puis ils refermèrent la porte et s'en allèrent.

Les deux compagnons tombèrent dans le vide, sans comprendre ce qui leur arrivait, avant de traverser une sorte de bulle spongieuse et de se retrouver par terre, nullement blessés. Ils entendirent une nuée d'applaudissements.

Ebahis, ils se frottèrent les yeux. Une vision incroyable leur était offerte : ils se trouvaient dans un gigantesque théâtre, très élégant et bien éclairé, où des milliers de Ghibduls étaient confortablement installés dans des fauteuils tapissés de velours sombre. Il en arrivait des nouveaux de partout. Le théâtre était de forme elliptique ; d'innombrables rangées de spectateurs s'élevaient, jusqu'au plafond qui représentait la forêt sous un ciel d'azur. La scène, spacieuse, était située au centre de la construction, sur une courte et large colonne de marbre. Elle était entourée de vitres transparentes. Les spectateurs pouvaient ainsi la voir de toutes parts.

Le seul problème était qu'Elfohrys et l'Innomé se trouvaient justement sur la scène. Levant les yeux, ils distinguèrent la trappe, presque imperceptible, dans le plafond, par laquelle ils avaient été propulsés au cœur de ce théâtre.

« Où sommes-nous ? demanda l'Innomé.

– Je n'en ai aucune idée. Mais cela ne me dit rien qui vaille.

– Mais c'est très surprenant ! s'exclama l'hovalyn. On dit que les Ghibduls sont des créatures barbares, et nous voilà au milieu d'un endroit inimaginable...

– Vois-tu, Innomé, c'est bien dommage, mais je crois qu'on n'aura jamais l'occasion d'en témoigner. »

Des Ghibduls se déplaçaient dans la salle en voletant pour offrir des collations aux spectateurs. La notion d'argent n'existait pas. Vendre, acheter, tout cela leur était inconnu. La nature fournissait tout.

L'Innomé remarqua qu'une petite partie du théâtre était réservée à quelques dizaines de femmes débraillées, humaines ou d'autres espèces, qui se tenaient debout. Malgré la distance, il reconnut parmi elles Naïlde, qui vociférait, brandissant son poing, peut-être à son intention.

Soudain, les lumières s'éteignirent. Une voix puissante retentit dans la salle.

« Mes chers amis Ghibduls, bienvenue ! Aujourd'hui, j'ai l'honneur de vous présenter un authentique

Clohryun et un homme, je dirais même un hovalyn ! Qui sera le vainqueur ? Combien de temps résisteront-ils ? Les paris sont ouverts. Comme de coutume, ils subiront les épreuves que nous avons préparées pour votre plus grand plaisir. Je vous souhaite donc un agréable après-midi... et j'espère que ce spectacle vous réjouira ! »

Les Ghibduls applaudirent, enthousiastes.

Elfohrys et l'Innomé échangèrent un regard inquiet. Avant qu'ils aient eu le temps d'émettre un seul son, alors que le public n'avait pas fini d'applaudir leur entrée, ils sentirent une vive douleur les poignarder dans le bras gauche. L'Innomé avait déjà une blessure infligée par les Bumblinks lors d'un combat. Il vit l'entaille s'ouvrir davantage, son sang se mettre à couler. Il réprima un cri. Presque simultanée, survint une autre attaque qui, cette fois, meurtrit son corps tout entier. Cela ne provoqua aucune plaie, mais l'hovalyn eut un mal considérable à ne pas se laisser tomber à terre pour se tordre de souffrance.

Les spectateurs riaient, commentaient la scène avec amusement.

Le visage d'Elfohrys, convulsé, exprimait une douleur atroce. A la troisième décharge, qui visait la jambe gauche des deux compagnons, le Clohryun s'affala, inconscient, sur le sol.

Les Ghibduls le huèrent avec mépris.

L'Innomé, lui, vacillait. Sa jambe était profondément blessée. L'odeur insupportable de son sang lui montait à la gorge, l'étreignait, l'emprisonnait peu à peu. Ses yeux étaient révulsés de colère. Pourquoi ces Ghibduls s'abreuvaient-ils sauvagement de sa souffrance ? Il resta dignement debout pendant que son bras gauche fut lacéré par une puissance invisible. Dans la foule, des murmures étonnés se mirent à circuler.

A nouveau, une décharge de douleur générale fut envoyée à l'hovalyn, qui s'effondra sur le sol. Des clameurs de déception s'élevèrent.

Pourtant, sitôt tombé, l'Innomé rassembla sa volonté et son courage et se releva. Ses yeux étincelaient d'une telle détermination que la foule des spectateurs en fut ébranlée.

Lorsqu'il sentit un poignard invisible transpercer son ventre, l'hovalyn ne cilla pas. Après tout, il ne risquait rien, la Mort était en grève... Tout ce qui lui restait à faire était de résister aux attaques. Mais il n'en pouvait plus. Lorsqu'une nouvelle douleur s'infiltra dans son corps, il dut s'appuyer contre la vitre qui entourait la scène. Dans un ultime effort, il voulut se redresser, crier une menace, une phrase digne et pertinente, quelque chose qui lui rendrait un peu de sa fierté... Mais tout se brouillait autour de lui, les images, les sons, les odeurs, toutes ses perceptions s'atténuaient, disparaissaient, il ne restait que la souffrance...

Il résista encore quand soudain, une voix se répercuta dans la salle, celle-là même qui s'était imprimée au début : « Le moment du choix est arrivé. »

Un frémissement d'excitation parcourut le public. L'Innomé fit un effort surhumain pour rester debout. Tout lui paraissait si lointain...

« Hovalyn! reprit la voix. Agenouille-toi, renie ce que tu es, renonce au combat. Tu ne pourras jamais nous vaincre. Si tu t'inclines, ta torture cessera, tu seras un des nôtres. Nous connaissons ton identité que tu cherches si désespérément. Nous te la révélerons. Tu auras une place parmi nous. Mais si tu t'obstines et que tu refuses cette proposition, la douleur t'accablera jusqu'à ce que tu deviennes fou. Lorsque la grève de la Mort cessera, nous te tuerons. Alors, t'avoues-tu vaincu? Acceptes-tu de nous servir?

— Jamais! » dit l'Innomé dans un souffle.

Aussitôt, une nouvelle vague de douleur s'abattit sur lui.

Une voix lointaine, grave, dure, mais admirative, résonna alors dans la salle :

« C'est lui... C'est lui! Arrêtez, c'est lui! »

L'Innomé sombra dans l'inconscience.

18

Les trois filles s'éveillèrent en même temps. Le soleil venait à peine de se lever. Elles prirent un petit déjeuner sommaire. Ambre se hasarda à goûter un fruit étrange qui s'avéra délicieux. Personne ne parla ; elles étaient encore trop fatiguées.

Opale fut la première à remarquer que deux jeunes filles venaient vers elles. Leurs visages frais et délicats étaient empreints d'insouciance. Cependant, Ambre ne put s'empêcher de noter leur mine orgueilleuse, presque méprisante.

Au début, elles restèrent silencieuses, se contentant d'examiner les voyageuses. Il était impossible de leur donner un âge. L'une avait des cheveux châtains, coupés court, savamment ébouriffés ; ses yeux étaient d'un bleu pervenche, à l'éclat malicieux. L'autre, brune, coiffée de la même manière, avait un regard marron, fluide. Elles se ressemblaient sur plusieurs points : le nez petit, fin, très légèrement retroussé, les lèvres charnues à la moue innocente... Leur attitude, leurs traits les rendaient angéliques et charmantes. Cependant, elles ne pouvaient pas cacher une certaine arrogance.

« Loorine ! s'écria la fille aux yeux bleus d'une voix enfantine. Tu crois que ce sont des humaines ? Des vraies de vraies ?

— Probable, répondit l'autre, sur un ton aussi haut perché. Quelle chance !

— J'existe, déclara Jade sèchement. Vous pourriez en tenir compte quand vous parlez de nous.

— Tu as raison, Mairénith, dit Loorine. Ce sont des humaines !

— Merci pour la constatation », répliqua Jade, énervée.

Ambre et Opale regardaient attentivement les deux étranges filles. Leur voix fielleuse leur inspirait plus d'agacement que de fascination.

« Comme je suis contente ! » s'exclama Mairénith en battant de ses cils noirs, longs et recourbés.

« Nous sommes ravies de vous rencontrer », déclara Loorine, dévoilant dans un sourire ses dents blanches, parfaitement alignées.

« Je vous trouve jolies, dit Mairénith gaiement. N'est-ce pas, Loorine, qu'elles sont jolies ?

— Oui, très.

— Merci, répondit Jade, mais vous ne voulez pas arrêter de vous moquer de nous ?

— Très jolies, répéta Loorine. On n'a jamais vu cela à ce point, non ?

– Non, fit Mairénith. Dis-moi, Jade, tu me trouves jolie ?

– Comment connais-tu mon prénom ?

– Comme ça. Je suis une Nalyss, et pas autre chose.

– Alors, tu nous trouves jolies ? » répéta-t-elle en modulant sa voix capricieuse.

Jade, Ambre et Opale se demandaient vraiment qui étaient ces visiteuses.

« Pourquoi cette question ? s'enquit Ambre.

– Je *veux* savoir, répondit Mairénith, d'un ton boudeur.

– Oui, vous êtes jolies, dit Jade, agacée. Mais vous êtes très étranges et, si j'étais vous, je ne serais pas aussi prétentieuse. »

Ambre et Opale eurent un sourire fugace en entendant Jade évoquer son propre défaut.

« Elle nous trouve jolies ! » s'enflamma Mairénith, ravie, comme si elle n'avait rien entendu d'autre.

« Bien sûr que nous le sommes ! » affirma Loorine.

C'est alors qu'une troisième fille apparut. Elle rivalisait de beauté avec les deux autres. Cependant, elle ne leur ressemblait pas et il était plus aisé de lui attribuer un âge : elle ne devait pas avoir plus de quinze ans. Elle paraissait délicate sans être fragile. Une longue chevelure, douce comme de la soie, glissait jusqu'à sa taille fine. Ses traits resplendissaient de pureté. Elle avait le teint frais, les lèvres vermeilles. Lorsqu'on croisait son regard innocent, on se sentait forcément troublé.

« Ah, Loorine ! cria Mairénith, affolée.

— Quelle laideur ! s'exclama sa comparse.

— Je ne peux pas supporter cela, gémit Mairénith, au bord des larmes.

— Pars vite, horrible créature, hurla Loorine. Va-t'en ! Ne t'approche pas d'elles ! »

Puis, comme habitées par une vision repoussante, Mairénith et Loorine s'enfuirent en courant.

« Elles sont vraiment très bizarres, dit Ambre, partagée entre l'envie d'éclater de rire et la surprise.

— Tu peux le dire ! confirma Jade

— Et d'ailleurs, pourquoi sont-elles parties en prenant leurs jambes à leur cou ? s'étonna Ambre. J'ai cru qu'elles avaient vu une créature immonde, et elles hurlaient à nous casser les oreilles ! Décidément, je n'y comprends rien ! »

Jade haussa les épaules. Restée à l'écart, la nouvelle venue leur dit dans un sourire :

« Je m'appelle Janëlle.

— Contente de l'apprendre, répliqua Jade d'un ton aigre.

— Les filles que vous venez de voir sont des Nalyss. Elles sont assez étranges, n'est-ce pas ? »

Janëlle s'assit à côté des trois filles et se mit à leur raconter l'histoire des Nalyss. Elles étaient assez nombreuses dans le Conte de Fées et toujours de sexe féminin. Leur vie ne durait pas plus d'une trentaine d'années. Ces créatures étaient très narcissiques, au point de se passionner pour leur beauté et d'y consacrer toute leur existence. Leur obsession était telle qu'elles devaient éviter de se regarder dans un miroir ou l'eau d'un lac, de peur de ne plus pouvoir se détacher de leur image.

Janëlle omit d'ajouter qu'elles ne pouvaient être vues que par peu de personnes. Les Nalyss avaient un don extrêmement rare, dont elles ne mesuraient pas la valeur : elles savaient juger la beauté intérieure des gens et la percevaient mieux que la beauté physique. Les personnes qui conjuguaient ces deux qualités étaient les seules à qui les Nalyss apparaissaient. Les autres leur répugnaient.

Toute leur vie, les Nalyss cherchaient à rencontrer le plus de personnes qui leur confirmeraient leur propre beauté. Superficielles, elles étaient dénuées d'intelligence. Elles s'amusaient à envoûter les hommes qu'elles jugeaient dignes d'elles pour les rendre fous d'amour et, quelquefois, porter des enfants, qui naissaient toujours nalyss.

A la fin de leur existence, rares étaient celles qui se rendaient compte qu'elles avaient couru en vain après un idéal dépourvu de sens, que leur beauté ne leur avait servi à rien, et qu'elles avaient oublié de vivre, tout simplement.

Janëlle se tut, laissant un long silence marquer la fin de son récit.

« Et toi, qui es-tu ? demanda Jade, rompant le charme.

— Je m'appelle Janëlle et je guide les gens vers leur destination en échange de nourriture et d'un peu de considération.

— Dans ce cas, va-t'en, répondit Jade méchamment, sans savoir pourquoi elle réagissait aussi violemment.

— Non, au contraire! s'indigna Ambre. Janëlle, tu pourrais nous emmener chez Oonagh? Nous ne connaissons absolument rien du Conte de Fées et nous sommes un peu perdues...

— Bien sûr », répondit Janëlle, rayonnante.

Opale, en silence, considéra avec attention la fille qui lui souriait. Sans la souhaiter, elle n'était pas non plus hostile à sa venue.

Elles se remirent en route. Ambre et Opale montaient un cheval, Jade et Janëlle l'autre.

Les trois filles ne tardèrent pas à se trouver indisposées par la nouvelle recrue. Ne sachant pas si elles pouvaient lui faire confiance, elles s'appliquaient à se taire, de peur de dévoiler quelque chose d'important. Pourtant, Janëlle paraissait vraiment inoffensive. Ambre s'évertua à engager une discussion avec elle. Jade et Opale n'ouvrirent pas la bouche.

Bien vite, cependant, Janëlle se révéla une fille normale et sympathique. Elle expliqua à Ambre qu'elle avait elle aussi quatorze ans et qu'elle était très pauvre. Au lieu de languir dans son village, elle avait préféré découvrir le Conte de Fées en devenant un guide.

« A ton âge? s'étonna Ambre. Je ne savais pas non plus que la misère pouvait exister ici!

— Malheureusement, si. Là où il y a de la vie, on ne peut pas trouver que du bonheur. »

Malgré les regards meurtriers que Jade lui décocha, Ambre, touchée par la gentillesse de Janëlle, se mit à narrer sa propre histoire depuis le début. Lorsque arriva le moment où elle avait découvert sa pierre, Jade l'interrompit violemment :

« Tais-toi, Ambre ! Tu n'as pas à parler de ça ! »

Le regard chaleureux d'Ambre refroidit instantanément. Elle se redressa irritée.

« Jade, tu n'as pas à m'ordonner ce que je dois faire ou pas. Je suis assez forte pour me contrôler. Si tu n'arrives pas à accorder ta confiance à quelqu'un, c'est triste, mais c'est ton problème. Pas le mien. Je respecte tes points de vue, alors ne crois pas que tu as le droit de juger les miens. Occupe-toi de toi, de tes prétentions de princesse, et laisse les autres se débrouiller seuls. »

Jade leva un regard blessé vers Ambre qui le soutint, tout étonnée par les mots qui avaient passé ses lèvres.

« C'est drôle de voir à quel point on se trompe, déclara Jade d'un ton lourd, glacial. On prend le risque d'estimer une personne, bien qu'elle puisse être une ennemie, représenter un danger. On ignore ces affirmations, on croit construire une amitié encore fragile, une entente mutuelle. Et puis, on est forcé de voir ce qu'on avait cru pouvoir ignorer. Du jour au lendemain, on découvre une ennemie, là où la veille on aurait juré percevoir une amie. »

Surprise par la dispute enflammée de ses compagnes, Opale sortit de son indifférence. Elle tenta maladroitement de ramener la conversation sur un terrain plus sûr :

« Que s'est-il passé quand j'étais encore inconsciente ? Comment se fait-il que j'aie survécu ? Et est-ce qu'Adrien va bien ? Où est-il ? J'ai fait un rêve... il était dans une sorte d'uniforme, et je sentais qu'il allait partir.

— C'est exact, répondit Ambre. J'avais oublié que tu n'étais pas au courant. »

Et elle entreprit de raconter à Opale les événements qu'elle ignorait, avec, dans la voix, encore beaucoup d'énervement.

Jade gardait les yeux baissés. Elle sentait très confusément qu'elle n'était pas dans son état normal, mais se refusait à l'admettre. Janëlle l'indisposait de moins en moins. Elle commençait, non pas à accepter sa présence, mais à l'oublier tout simplement.

Les filles avaient traversé sans histoire quelques villages. Lorsque Ambre eut fini de mettre Opale au courant de ce qu'elle avait manqué, un silence pesant s'installa. Janëlle essaya de détendre l'atmosphère, sans y parvenir.

Au bout de quelques heures, le cheval d'Ambre, exténué, lui envoya une onde télépathique, faible, pour lui demander de se reposer.

« Il faut s'arrêter », dit-elle.

D'un commun accord, elles firent halte dans une prairie sauvage. Une certaine tension régnait toujours entre elles.

« Tu te crois intéressante à interpréter les pensées des chevaux ? demanda Jade, agressive, à Ambre.

– Au moins, je ne me prends pas pour le centre de l'univers.

– Calmez-vous ! intervint Opale, de plus en plus étonnée. Il se passe quelque chose d'inhabituel. Peut-être devrions-nous utiliser les pierres.

– C'est vrai que tu n'as pas assez de force pour t'assumer toi-même, répliqua Ambre. Il faut toujours que tu demandes de l'aide. »

Opale, interdite, la regarda. Que se passait-il ? Elle défit tout de même les cordons de sa bourse, saisit l'opale aux reflets nacrés, mais aussitôt la pierre lui brûla la main. Elle la lâcha dans un cri de douleur. Avec mille précautions, elle la ramassa dans l'herbe et la rangea dans la bourse noire. Sa main droite, dans laquelle elle avait pris l'opale, était rougie, cuisante.

Jade et Ambre ne lui accordèrent même pas un regard de compassion. Seule Janëlle s'enquit de son état.

Opale, qui avait fini par tolérer Jade et commencé à apprécier Ambre, reprit ses distances. Tout ce qu'elles avaient vécu ensemble aurait dû les rapprocher, mais l'arrivée de Janëlle avait tendu leurs rapports. Et maintenant, une colère brutale, non fondée, venait s'immiscer entre elles et détruire leur relation encore fragile.

« Tu crois que tu me blesses ? demanda Opale à Ambre. C'est dommage, tu te trompes. J'espère que tu ne vas pas te mettre à pleurer, parce que je n'oublie pas quelle fille sensible tu es, si touchante avec tout le monde, ce serait triste de voir couler tes larmes... Comment puis-je te dire de telles choses, à toi qui n'as aucun défaut ? Bien sûr, je passe sur le fait que tu es une pauvre paysanne ignorante et mièvre... »

Opale n'en revenait pas d'avoir déversé ce torrent de mots. Ils étaient sortis tout seuls, vifs, incontrôlables. A présent, elle ne regrettait pas de les avoir dits ; une haine injustifiée commençait à grandir en elle.

Les filles reprirent leur route. Janëlle n'osait pas intervenir. Elle essaya, de sa voix lisse, de lancer un sujet de conversation. En vain. Les trois autres s'invectivaient de plus en plus vigoureusement. La situation commença à dégénérer quand, au bout de deux heures, Ambre et Jade arrêtèrent les chevaux sous prétexte d'une nouvelle halte. A peine eurent-elles posé le pied par terre qu'elles se ruèrent l'une sur l'autre et se giflèrent. Opale se jeta dans la mêlée, administrant quelques coups vigoureux.

Janëlle ne réagit pas tout de suite. Elle descendit de son cheval et les héla avec force, mais cela n'eut aucun effet. Elle s'égosilla. Peine perdue. Elle s'interposa, recevant au passage une pluie de coups rageurs. Son corps mince parut ployer un instant. Puis, avec une force dont on ne l'aurait pas crue capable, elle sépara les trois filles.

Jade, sa chevelure de jais retombant sauvagement sur ses yeux, ses vêtements déchirés, semblait hors d'elle. Elle fulminait, le visage écarlate. Sa joue était légèrement entaillée et quelques gouttes de sang perlaient. Opale s'en était sortie avec quelques égratignures à peine et un regard encore plus insondable qu'à l'ordinaire. La douleur de sa blessure s'était un peu ravivée. Elle baissait la tête pour dissimuler ses sentiments. Ambre, pour sa part, luttait contre les larmes. Sa lèvre inférieure était fendue, meurtrie. Elle sentait le goût âpre, chaud, désagréable, du sang qui lui coulait dans la bouche.

Elles se lancèrent des regards hostiles.

La situation devenait insoutenable.

Paris, 2002

Je devenais de plus en plus frêle, chétive. Je touchais à peine à la nourriture que les infirmières m'apportaient. Je refusais de me voir dans un miroir depuis des mois. Je m'imaginais maigre, tremblante, les os saillants, les traits tirés. Je n'osais pas affronter mon regard désespéré. Je voulais garder l'image de Joa en moi, pas celle d'une malade recroquevillée de peur. Quand je fermais les yeux assez fort, je me revoyais comme j'étais avant. L'image se matérialisait lentement, de plus en plus confuse à mesure que les jours passaient. J'étais quelqu'un d'autre. Joa.

Evoquer ces souvenirs me blessait, et des larmes brûlantes me montaient aux yeux. J'avais essayé de tout oublier, de reléguer mon histoire au fond de ma mémoire, et j'avais cru réussir. Je voulais accepter mon destin.

Mais le rêve fit resurgir le passé, en même temps qu'il commença à esquisser l'avenir. Je me croyais assez forte, assez endurcie pour lui résister. Ce n'était pas le cas. Sans me l'avouer, je sentais l'espoir affluer lentement en moi. Pourtant, toute cette histoire n'était qu'un rêve, et depuis le début mon esprit tourmenté inventait ce conte qui me rendait la vie. J'avais presque peur d'y penser, comme si mes souvenirs, mes sentiments, mes pensées pouvaient altérer les couleurs chatoyantes du rêve, les estomper jusqu'à ce qu'elles disparaissent, deviennent lointaines et fades. Le rêve me semblait si important que je craignais de le sentir s'échapper de ma mémoire. Je voulais qu'il continue, éternellement. Inconsciemment, même si je ne voulais pas me l'avouer, je le croyais vrai, je le sentais vrai, je le voulais vrai.

Mais la maladie continuait de me détruire. J'avais mal, et le rêve, qui m'emmenait loin de la réalité, ravivait ma douleur quand je revenais dans mon lit d'hôpital. Plus j'avais envie de vivre, plus je souffrais de lutter contre la mort. De nouveau, je me mis à refuser cette fatalité et à croire à l'illusion qu'était l'espoir. Il m'arrivait de me maudire moi-même d'être si naïve, mais, au fond, j'étais plus heureuse comme ça.

19

Lorsque le soir tomba, marquant la fin d'une journée pénible et fatigante, les quatre filles s'arrêtèrent aux abords d'une prairie. Janëlle avait préféré la nature à un village inconnu, et les autres s'étaient pliées à ses injonctions. La tension était à son paroxysme. Jade, Opale et Ambre se taisaient, mais se contenaient avec une peine infinie. Elles gardaient le front baissé, mais leurs visages, leurs regards étaient remplis d'une haine destructrice, incompréhensible, qui attendait un signe pour se déchaîner. Les mains d'Ambre et de Jade étaient crispées nerveusement sur l'encolure de leurs chevaux. Même Opale, droite, raide, laissait émaner d'elle une colère terrible.

Les quatre filles s'assirent dans la prairie. Ambre défit lentement la besace contenant la nourriture. Jade et Opale suivaient du regard chacun de ses mouvements. Ambre et Jade portèrent la main sur un même fruit.

« Laisse-le, il est pour moi! hurla Jade.

« — Ah oui, et pourquoi ? répliqua Ambre. Tes envies ne passent pas toujours avant celles des autres.

— Tu me parles, toi, et tu crois que je vais t'écouter ? Tu n'as toujours pas compris que tu n'existes pas pour moi ? »

Jade se jeta sur Ambre, laissant enfin libre cours à sa rage. Leur lutte fut si violente, si furieuse que Janëlle et Opale n'osèrent s'interposer. Jade savait particulièrement bien se défendre, possédée par une force féline, mais Ambre se débattait avec une colère téméraire. Enfin leur bagarre cessa.

« Qu'est-ce que tu as à me regarder, hein ? » demanda Jade à Opale, en lui décochant un coup brutal, malgré sa fatigue. Opale mit à terre Jade, qui se releva difficilement, épuisée et ulcérée.

« Je ne vais pas rester avec des êtres aussi méprisables, glapit-elle. Je vous laisse entre personnes de la même espèce. »

Et elle partit d'un pas vif de l'autre côté du champ, décidée à y passer la nuit. Opale fit de même, mais du côté opposé.

Ambre resta seule avec Janëlle. Elle n'éprouvait aucune haine envers la jeune guide et sa présence, sans atténuer son irritation, ne l'attisait pas non plus.

« Je peux t'aider ? s'enquit Janëlle. Peut-être que si tu me parlais, cela t'apaiserait.

— Je ne crois pas, répondit Ambre sur un ton renfrogné.

— Bon, alors, si tu le veux bien, je peux te raconter quelques histoires. Comme ça, tu penseras à autre chose.

— Si tu en as envie... »

Janëlle commença à parler d'elle-même, décrivant en détail son enfance, sa vie, ses voyages. Elle n'arrivait pas à définir le Conte de Fées car, pour elle, cet univers était son quotidien ; elle y était habituée et ne voyait plus le fantastique qui y régnait comme quelque chose d'extraordinaire.

Janëlle raconta comment elle avait vécu dans une maison délabrée. Elle était l'aînée d'une famille nombreuse et misérable. Très tôt, elle avait rêvé de voyager, de s'échapper de cette existence précaire pour mener une vie différente. Malgré cela, elle aimait beaucoup les siens et avait promis de revenir un jour leur porter secours.

« Ton histoire ressemble assez à la mienne », dit Ambre d'une voix songeuse, lourde de souvenirs.

Janëlle sourit et reprit son récit. Depuis toujours, elle avait été dotée d'une imagination débridée qui lui avait permis de se s'évader de la pauvreté. A l'âge de dix ans, elle était partie de chez elle, désirant parcourir le Conte de Fées et le faire découvrir à d'autres. Pendant deux ans, elle avait traversé de vastes et pittoresques régions et admiré des lieux dont elle n'avait jamais soupçonné l'existence et la beauté. Puis elle était retournée chez elle pour revoir ses proches et devenir enfin un guide. Elle était arrivée dans son village avec une allégresse bien compréhensible. Mais elle avait trouvé sa maison dévastée par une épidémie qui avait décimé sa famille. Ses deux sœurs, les seules survivantes, lui avaient enjoint de fuir, pour ne jamais plus revenir. Elles les avaient à peine reconnues, tant leur visage était blafard, leur corps amaigri... Hantée par l'image de son village endeuillé, Janëlle était repartie le jour même, espérant que l'avenir parviendrait à effacer ce sombre passé.

« Toi non plus, tu n'as pas eu une vie très facile, compatit Ambre.

— C'est sûr. J'ai essayé de m'en tirer en racontant des contes, des histoires tirées de mon imagination, mais les gens ont déjà assez de leur vie. Bien sûr, j'ai continué à vouloir être guide ; malheureusement, on ne m'a pas souvent sollicitée... »

Au fur et à mesure de la discussion, Ambre s'identifiait à Janëlle et se sentait plus proche d'elle. La jeune fille avait narré quelques histoires amusantes ou poétiques, qu'elle avait inventées. Ambre l'écoutait avec attention, riant, applaudissant à chacune de ses fables.

« Tu est vraiment une bonne conteuse, s'exclamat-elle, captivée.

— Merci, répondit Janëlle. A ton tour maintenant. J'aimerais connaître ta propre histoire. »

Ambre y consentit. Comme Jade n'était plus là pour s'y opposer, elle relata tous les événements à Janëlle, qui l'écoutait obligeamment et paraissait vivre son récit à mesure qu'elle le racontait. Son regard s'enflammait, ses joues se coloraient; elle devenait vive, animée, fascinante.

Lorsqu'elle eut fini, Janëlle planta ses yeux dans ceux, ocre, d'Ambre.

« Tu es douée, dit-elle sobrement. Tout ce que tu dis, tu sais le tourner de manière à envoûter ceux qui t'écoutent. »

Ambre éclata d'un rire cristallin.

« Tu exagères, répondit-elle.

— Non, tu arrives à provoquer un véritable engouement, à faire voir et sentir ce que tu racontes. »

Ambre rit de nouveau, mais dans la pénombre, elle distingua une larme furtive sur la joue de Janëlle.

« Tu vas bien? questionna-t-elle doucement. Je peux t'aider?

— Non, non, bafouilla Janëlle visiblement désemparée.

— Dis-moi ce que tu as, insista Ambre.

— Rien. C'est juste que... enfin, je me souviens de mes parents, et... je ne peux pas m'empêcher... »

Ces derniers mots se noyèrent dans un bref sanglot. Elle se reprit aussitôt. Ambre, touchée, ne l'interrogea pas davantage. Elle-même raconta la mort de sa mère. Janëlle ne se répandit pas en condoléances; elle se montra compréhensive, sans être exubérante. Ambre apprécia sa réaction, et cela la rapprocha de sa compagne, comme si elles partageaient un secret, quelque chose de personnel. Parler de sa mère, c'était livrer une part d'elle-même. Elle se sentait de plus en plus à l'aise auprès de Janëlle ; elle avait l'impression qu'une véritable amitié était en train de se construire.

Pourtant, au fond d'elle, la haine bouillonnait toujours, indomptable, et croissait lentement. Ambre ne parvenait à la contenir, à la refouler, que parce que ni Jade ni Opale n'étaient à proximité.

« Tu sais, Ambre, dit timidement Janëlle, je sais que tu ne t'y intéresses pas vraiment, mais, depuis des années, j'ai vécu seule, du moins intérieurement. Je ne partageais la compagnie des gens que pendant de courts instants, et je ne nouais de liens avec personne. Je gardais tous mes sentiments, toutes mes opinions au fond de moi, sans rien laisser transparaître.

— Cela devait être dur, avança Ambre, croyant deviner la suite.

— Oui... »

Bien qu'elle parût sur le point d'ajouter quelque chose, Janëlle changea de sujet. Elles continuèrent à discuter avec entrain, se découvrant de nombreuses affinités.

« Et ces filles qui sont avec toi, que penses-tu d'elles ? » demanda Janëlle.

Aussitôt, Ambre sentit la colère affluer de nouveau.

« Jade est prétentieuse, déclara-t-elle en haussant le ton. C'est une égoïste, une fille complètement imbue d'elle-même. Elle est exécrable et ne rendrait jamais service à qui que ce soit. Elle se croit parfaite ! Je ne la supporte pas, avec ses airs de princesse orgueilleuse. Quant à Opale, c'est un bloc de glace. Elle est incapable d'éprouver l'ombre d'un sentiment. Elle ne sait pas sourire ; quand elle décide d'émettre un son, on peut appeler cela un miracle. Je la déteste. Je les hais toutes les deux ! »

Janëlle la considéra. Du sang avait recommencé à couler de sa lèvre fendue, son expression aimable et chaleureuse avait laissé place à un air terrifiant, empreint d'une rage infinie.

Janëlle réussit tant bien que mal à lui faire retrouver son calme. La nuit devenait d'un noir d'encre. Pourtant, les deux filles poursuivirent encore longtemps leur discussion. Janëlle irradiait de bonté. Ambre était ravie de l'avoir rencontrée.

Lorsque la fatigue se fit sentir, les deux amies décidèrent de se coucher, en se promettant de nouvelles histoires pour le lendemain. Après quelques éclats de rire, elles finirent par s'endormir. Ambre sombra dans un sommeil lourd, sans rêves.

Le ciel était parsemé d'étoiles. La lune brillait faiblement. Au milieu de la nuit, le silence qui régnait fut brisé par un cri étouffé. Ambre se réveilla brusquement, le souffle coupé. Elle sentait une brûlure se propager dans tout son corps. Elle se leva lentement, souffrante. Dans la pénombre, elle vit que Janëlle se tenait devant elle.

« Que se passe-t-il ? gémit-elle. Je me sens si mal... »

Janëlle ne répondit pas. Son expression avait changé, son visage avait pris un air malveillant, haineux. Ambre crut se tromper. Janëlle se baissa et voulut ramasser quelque chose dans l'herbe drue, puis elle poussa un cri strident et se releva. Impossible de le nier : son regard était devenu brillant, enragé.

« Janëlle..., murmura Ambre, intriguée.

— Laisse-moi, cria Janëlle d'une voix aiguë, hystérique.

— Qu'est-ce que tu as ?

— Tu ne vois donc pas ? Tu ne veux pas comprendre ? »

Janëlle tendit lentement son poing, serré, puis ouvrit les doigts. Sa paume était marquée de traces de brûlure. A cet instant, Ambre la vit comme les Nalyss l'avaient vue — comme chacun la verrait si son physique avait été le reflet de son âme. Grosse, les cheveux noirs négligés, une peau grasse, des yeux de charbon, enfoncés, luisants, des joues rebondies, un nez porcin, une silhouette disgracieuse, une carrure massive. Son regard était enflammé de méchanceté, chacun de ses traits était crispé par le désir de détruire. Elle était devenue la haine, elle l'incarnait.

« C'est ta faute ! hurla Janëlle, transformée.

— Mais... quoi ?

— Tout ! Tu ne veux pas ouvrir les yeux ? Je te hais... Je te hais ! »

Ambre se sentit vaciller. Des larmes emplirent ses yeux. Elle ne comprenait plus rien ; elle ne voulait plus rien comprendre.

« Tu as tout pour toi, tu es celle que j'aurais dû être! continua Janëlle. Tu m'as volé ma place! Tu as volé ma vie!

— C'est insensé, balbutia Ambre.

— Bien sûr, c'est facile pour toi de dire cela. Moi, je ne suis qu'une pauvre fille, misérable, je n'ai pas le droit d'avoir de l'importance! C'est ça que tu crois?

— Mais non, pas du tout!

— Tu ne comprends toujours pas? Alors je vais t'aider. Reprenons l'histoire depuis le début. Voilà que je croise trois filles sur mon chemin. Je m'arrête et, d'après ce que je les entends dire, je comprends qu'elles ont vu des Nalyss qui se sont enfuies à mon approche... Bien sûr, elles sont assez parfaites pour les apercevoir, mais pas moi!

— Je... je ne savais pas », glissa Ambre, sentant le monde s'écrouler autour d'elle.

La sensation de brûlure dans son corps s'intensifiait.

« Alors, reprit Janëlle, je décide de me lier d'amitié avec elles. Je veux leur montrer que, moi aussi, j'ai le droit d'exister, d'être appréciée.

— Je n'ai pas dit le contraire.

— Mais ces trois filles m'ignorent.

— C'est faux!

— Elles ont tout pour plaire. La vie leur a tout offert; à moi, elle n'a rien voulu donner. Alors, je sens la haine monter en moi, violente, mais bienfaitrice. Elle m'emplit, me possède, jusqu'à m'envahir complètement. Il faut que je l'évacue. Je me concentre, et, avec une facilité que je n'avais jamais encore rencontrée, je m'en libère. Elle se déverse, et l'âme d'une autre s'en abreuve à ma place.

— Jade ! s'exclama Ambre.

— Mais la haine continue de croître en moi ; pour tenir, je te la transmets, puis à l'autre fille, Opale, n'est-ce pas ? Peu à peu, la colère m'asservit, puis, vous asservit à votre tour.

— Pourquoi ? Nous n'avions rien fait ! protesta Ambre qui suffoquait.

— Ensuite, tu te confies à moi. J'invente une histoire de ma soi-disant vie ; tu me crois, tu as pitié de moi. Je déteste tes sentiments doucereux, ton air charitable. Je brûlais de te raconter la vérité, de te dire comment j'ai transmis la haine, et engendré des morts, des guerres. Lorsque tu m'as parlé de ta pierre, j'ai compris qui tu étais. Et là, j'ai cru que la rage allait avoir raison de moi. J'ai voulu te surpasser, t'humilier, te détruire.

— Non ! cria Ambre, blessée, refusant toujours la vérité.

— Cette nuit, j'ai essayé de subtiliser ta pierre, mais je n'ai pas pu. Elle m'a brûlé la main. Et toi, tu t'es réveillée, confiante, avec ton expression sage, parfaite, insupportable. »

Ambre ne put rien répondre.

« Que crois-tu ? Que je suis tourmentée ? Que je ne recours au mal que pour sortir de mes problèmes ?

Non. Le mal me nourrit, m'offre la puissance! Sans lui, je ne suis rien. Je le sers, mais il m'apporte le réconfort, il me transforme, il me rend invulnérable! J'ai besoin de lui. Quand je vois les autres souffrir, quand je sens le mal me posséder, je deviens forte! Plus besoin de me cacher derrière des sourires niais, plus besoin de me forcer à être une autre, à paraître gentille... Le mal me permet d'être moi-même.

— Pourquoi me dire tout ça?

— Parce que je sais que cela te fait mal. Mes mots t'atteignent, te blessent, font couler le sang de ton âme meurtrie... Et j'aime ça. Tu croyais être supérieure à moi? Tu ne l'es pas! Tu croyais que j'étais ton amie? J'étais le contraire, une de tes ennemies les plus ferventes! Tes larmes me procurent une joie immense. Tu me crois traître? Moi, je n'ai aucun regret; je suis mes envies, j'assume ma nature. Je ne fléchis pas devant le monde lisse qu'on m'impose; je crée le mal, et je vis de lui.»

Sur ces mots, elle sourit triomphalement, puis s'en fut, satisfaite. Ambre crut vaguement apercevoir un cavalier, au loin, qui observait la scène. Mais cette image ne pouvait être qu'une illusion, un mirage dans la nuit.

Elle ramassa dans l'herbe sa pierre, qui était redevenue tiède et réconfortante. Avec Janëlle, la haine, la brûlure disparurent de son cœur. Pourtant, ses larmes continuèrent à mouiller ses joues, perles de désarroi intense.

20

L'Innomé ouvrit les yeux. Il rassembla rapidement ses esprits. Ses blessures avaient disparu. Aucune douleur ne subsistait, aucune trace des entailles profondes qui avaient marqué sa chair. Il remarqua qu'il était encore dans la même pièce étroite, aux murs nus. Mais, s'il était toujours assis sur l'étrange chaise de mousse verte, ses membres n'étaient plus entravés par des liens. A son côté, Elfohrys, toujours retenu par les lianes, semblait lui aussi indemne.

« Ah ! Innomé ! s'exclama-t-il. Tu reviens enfin à toi !

— Mais... le théâtre, la douleur...

— Pardon ? Tu dois être encore sous le choc.

— Je n'ai pas rêvé, murmura l'Innomé, déconcerté.

— Il y a quelques heures, des Ghibduls sont venus, après le retour de Naïlde.

— Je sais.

— Ils t'ont entouré, ont commencé une incantation bizarre... Tu t'es évanoui. Ils sont restés près de toi sans rien dire. Tu t'agitais, tu balbutiais des sons incompréhensibles... Leur intervention a duré à peu près une demi-heure. Je commençais à vraiment m'inquiéter ! Après leur départ, tu es resté inconscient. J'ai crié, j'ai essayé de t'aider. Enfin, au bout de deux heures, tes lianes se sont dénouées d'elles-mêmes et ton sommeil est devenu plus régulier. »

L'Innomé, hagard, contempla ses membres intacts — à l'exception de sa vieille blessure au bras droit — sans comprendre. Il se prit la tête entre les mains. Sa mémoire commençait-elle à lui jouer des tours ? Après avoir effacé son passé, le trahissait-elle à nouveau, lui forgeant un présent imaginaire ?

Il n'eut pas le loisir de réfléchir à ses questions. Trois Ghibduls firent leur entrée dans la pièce. Leurs visages monstrueux avaient pris une expression affable, leurs lèvres tentaient vainement d'ébaucher un sourire. Arrivé près du jeune homme, un des Ghibduls lui tendit sans un mot un objet de forme allongée enveloppé dans un drap d'un blanc immaculé. L'Innomé tendit la main avec précaution, hésitant.

« Prenez-la », encouragea un Ghibdul, d'une voix rauque où perçaient humilité, respect et admiration.

L'Innomé s'empara de l'objet, défit le drap. Ébahi, il reconnut son épée enchantée.

« Si vous les acceptez, poursuivit le Ghibdul, nous vous présentons nos excuses, honorable hovalyn. »

Elfohrys s'esclaffa. Les Ghibduls lui jetèrent un regard torve.

« Peut-être que vous pourriez nous libérer, maintenant, avança Elfohrys gaiement. Nous sommes très touchés par votre soudain changement de comportement, mais...

— Tais-toi, misérable, ordonna celui qui avait rendu son épée à l'hovalyn et qui, manifestement, avait le plus d'autorité.

— Je vous interdis de traiter Elfohrys comme ça! s'indigna l'Innomé.

— Si tel est votre désir, marmonna le Ghibdul, contrarié.

— Je crois que vous pourriez nous donner quelques explications, reprit le jeune homme, encore éberlué mais décidé à tirer parti de la situation inattendue.

— Nous avons pénétré dans votre esprit et simulé une mise en scène à partir des images qui siégeaient déjà dans vos pensées, mais dont vous ignoriez l'existence. Nous y avons ajouté quelques éléments de notre choix.

— Tout ce que j'ai cru voir, ressentir, était donc faux?

— Depuis votre départ de cette pièce, compléta le Ghibdul. C'était une épreuve nécessaire et efficace. Nous sommes particulièrement doués pour ce genre de manipulation indolore. »

« Indolore..., se dit l'Innomé. A chacun sa perception du mot, mais moi, je ne vois pas leur intrusion dans mon esprit comme quelque chose d'agréable ou de sympathique! »

Le jeune homme respirait l'haleine fétide du Ghibdul, tant la créature se tenait près de lui. Il détourna la
tête quand celle-ci poursuivit :

« Nous avions des doutes à votre sujet. Ce que
nous devinions nous paraissait improbable mais nous
avons tenu à être fixés. Et cette intervention télépathique a confirmé nos soupçons, nos espoirs...

— Parce que vous êtes capables d'espérer ? ironisa
Elfohrys. On en apprend tous les jours.

— Hovalyn, vous êtes celui que nous attendons
depuis longtemps. Quel est votre nom ?

— Je n'en ai pas, répondit le chevalier. Je suis
l'Innomé. »

Les Ghibduls ne parurent pas troublés.

« Vous êtes le seul à avoir résisté aussi longtemps à
la... euh, torture mentale, que nous vous avons infligée. Désolé, d'ailleurs, de vous l'avoir fait subir.

— Il est vrai que ce n'était pas d'une grande délicatesse.

— Mais c'était nécessaire, plaida le Ghibdul. Vous
savez, même parmi nous, personne n'a supporté aussi
longtemps une telle épreuve. C'est surtout le choix
que vous avez fait qui est incroyable. Personne, auparavant, n'avait opté pour cette solution, personne n'a
eu assez de courage. Sauf vous.

— Vous vous amusez à vous torturer mentalement entre vous ? interrogea Elfohrys. Quelle occupa-
tion... distrayante !

— C'est un test que tout le monde passe.

— Et en quoi suis-je " celui que vous attendiez "? s'enquit l'Innomé.

— Des siècles durant, nous avons vécu en reclus. Nous avons créé une civilisation encore balbutiante. Mais, depuis le fond des âges, une tradition, une croyance, s'est transmise : qu'un jour un homme viendrait et que nous le reconnaîtrions. Il changerait notre mode d'existence, nous rapprocherait des autres créatures. Et nous le suivrions, lui obéirions, l'aiderions, quand il solliciterait notre aide. Cet homme, Innomé, c'est vous.

— Mais non, protesta l'hovalyn. Comment voulez-vous que je vous rapproche des autres créatures ? Et puis, je n'ai aucune intention de vous commander !

— Nous allons vous faire visiter notre village, ensuite vous vous en irez. Mais un jour prochain, vous ferez appel à nous, affirma placidement le Ghibdul. Il en est ainsi. »

Comme l'Innomé ne paraissait pas convaincu et arborait une mine sceptique, un autre Ghibdul expliqua :

« Tout cela est dans *La Prophétie,* hovalyn. Néophileus a écrit qu'au fond de la forêt vivait une civilisation cachée et qu'un jour, après une victoire, un homme la découvrirait. Il subirait une épreuve qui dévoilerait son identité aux créatures le retenant captif. Puis l'homme partirait. Quand les ténèbres seraient prêtes à engloutir la lumière, il reviendrait. Il demanderait de l'aide à ce peuple, il le ferait surgir de l'oubli. Hovalyn, ceci est votre histoire. Et la nôtre. »

Le Ghibdul fit une pause. Une des autres créatures le relaya :

« Nous savons qui vous êtes. Vous ne deviez pas le découvrir avant ce jour-là, car *La Prophétie* affirme que c'est nous qui vous le révélerions. »

Tremblant d'émotion, le cœur battant à tout rompre, la gorge, le ventre noués d'anxiété, l'Innomé attendit. Allait-il enfin découvrir qui il était vraiment ? Les Ghibduls le regardèrent gravement, d'un air solennel. Finalement, l'un d'eux annonça :

« Innomé, tu es celui que, de toute part, on attend. Tu es l'Elu. »

21

Ambre passa le reste de la nuit éveillée, les yeux embués de larmes. Elle n'arrivait pas à concevoir que Janëlle l'ait trahie. Elle l'avait crue son amie. Même si cette illusion n'avait pas duré longtemps, elle avait eu confiance en la jeune fille, elle s'était ouverte à elle...

A l'aube, Jade et Opale accoururent auprès d'elle. Toute haine s'était éteinte. Les deux filles avaient pressenti avec force qu'une chose terrible était arrivée à Ambre. Elles s'empressèrent de l'écouter et de la consoler. Une certaine gêne s'installa lorsqu'elles se remémorèrent la colère qu'elles avaient éprouvée la veille. La lèvre tuméfiée d'Ambre était la preuve de leur égarement.

Finalement, une fois de hâtives excuses murmurées, les trois filles se rendirent compte que, depuis la libération de Nathyrnn, elles s'étaient beaucoup rapprochées. Même l'hostilité qui avait régné entre Jade et Opale s'était considérablement adoucie.

Elles mangèrent en silence, puis reprirent la route.

Au loin, les montagnes, drapées d'un voile de brume et de neige, s'élançaient vers le ciel encore teinté des lueurs de l'aube.

Comme la veille, les trois filles chevauchèrent en direction de la grotte d'Oonagh. Elles étaient à une distance raisonnable de leur but. Jade estima le reste du trajet à moins d'une semaine, si elles se hâtaient. Elle en fit part à Ambre, qui commanda doucement à son cheval d'accélérer un peu l'allure.

« Au fait, intervint Ambre. Maintenant que je m'en souviens... Pendant la nuit, j'ai cru voir un cavalier. C'est tout à fait improbable, je sais, mais je voulais quand même vous le dire. »

Jade haussa les épaules, mais Opale, qui montait le même cheval qu'elle, dit :

« Moi aussi, j'ai aperçu une ombre, avant de m'endormir. »

Son ton était calme, comme si l'information était naturelle, sans intérêt.

« Qui peut nous épier ? interrogea Jade. Je ne supporte plus tous ces mystères. La dernière chose dont on avait besoin est bien un cavalier fantôme sur le dos ! Si vous le revoyez, dites-le-moi, que j'aille lui mettre ma botte là où je pense ! »

Ambre rit gaiement. Opale la regarda et lui adressa un sourire fugitif. Elle se rappelait le moment qu'elle avait passé avec Adrien avant de perdre à nouveau conscience, et cela l'emplissait d'une tendre chaleur, réconfortante, qui lui faisait porter sur le monde un regard indulgent. Elle avait du mal à réaliser qu'elle traversait un endroit peuplé de créatures différentes des humains, et, au lieu de l'intimider, cette perspective faisait naître en elle un intérêt pour tout ce qui l'entourait. Elle observait les paysages qui se succédaient comme s'ils étaient merveilleux. Son regard avait changé, il était neuf. Etaient-ce sa rencontre avec Jade, Ambre et Adrien, son inconscience, sa survie miraculeuse, qui la transformaient ? Toujours était-il que, durant son coma, elle avait ressenti des impressions étranges. Elle avait fait plusieurs rêves, dont elle n'arrivait pas à se souvenir. Elle savait juste qu'elle avait compris, dans sa torpeur, qu'Adrien allait partir, risquer sa vie. A cette pensée, son cœur se serra. Allait-elle le revoir bientôt ?

Ambre, encore maussade, essayait de se distraire en observant les alentours. De nouveau, elle remarqua qu'aucun paysan ne labourait les champs. Des hommes et des femmes, sans aucun outil de travail, arborant de longues chevelures argentées, se contentaient de rire et chanter au milieu des cultures. Curieuse, elle proposa aux deux filles de s'arrêter pour les interroger, ce qu'elles acceptèrent. Une fois descendues de cheval, elles s'avancèrent en se frayant un chemin à travers un champ de tournesols. Lorsque les paysans les aperçurent, ils affichèrent de larges et bienveillants sourires. Ambre les salua avec amabilité, et son regard chaleureux les conquit immédiatement. L'un d'eux, petit, râblé, s'exclama : « Vos yeux sont de l'or, du ciel, des fleurs ! »

Les autres acquiescèrent, le regard malicieux, rieur. Ambre ne sut quoi répondre à ce compliment inhabituel. Elle se ressaisit et demanda :

« Est-ce que vous travaillez la terre ? Je ne connais pas du tout le Conte de Fées, et je voudrais savoir, ici, comment vivent les paysans, si vous en êtes. »

L'assemblée rit sans méchanceté. Ces gens paraissaient simples, mais accueillants, leur regard pétillait de gaieté.

« Depuis la nuit des temps, nous comprenons la terre, expliqua l'une des femmes. Nos chants, nos rires la nourrissent, la rendent heureuse. Quand les plantes commencent à germer, hésitantes, c'est pour nous une récompense. Nous vivons en complicité avec elles et avec la terre qui les met au monde. Si cela signifie être " paysans ", comme vous le dites, alors nous le sommes.

— Vous êtes un peuple magique ? s'émerveilla Jade.

— Pas plus qu'un autre ou que vous-mêmes, répondit la femme. Chacun porte sa magie en soi. Aucun germe n'est pareil à un autre. »

Devant l'air interrogateur des trois filles, les travailleurs éclatèrent encore de rire. Puis, la femme qui leur avait parlé murmura : « Nous sommes contents de vous avoir rencontrées. »

Sentant que le moment de reprendre la route était venu, les trois filles quittèrent le peuple jovial, qui les acclama, mêlant rires et chants mélodieux.

Une fois qu'elles furent à cheval, Ambre déclara : « Au moment de partir, l'homme qui m'a dit quelque chose de bizarre sur mes yeux m'a susurré une phrase...

— Ah bon ? s'étonna Jade.

— Oui, c'était quelque chose comme : *La nature fait des miracles dont la magie ne peut que rêver.*

— Ces gens sont étranges, dit Opale.

— Mais sympathiques, objecta Ambre

— En tout cas, ils avaient l'air de bien t'aimer, trancha Jade.

— Moi ? répondit Ambre. C'est peut-être parce que je me sens proche d'eux, que j'ai l'impression de les comprendre... »

Les trois filles continuèrent à chevaucher, marquant de brèves haltes. Au bout de quelques heures, les contours d'une ville auréolée d'une brume noirâtre se dessinèrent à l'horizon. Jade, Opale et Ambre décidèrent de la traverser, malgré la méfiance qu'elles commençaient à éprouver pour l'inconnu. La contourner leur aurait fait perdre trop de temps.

Dans l'après-midi, elles firent enfin leur entrée dans la cité. Elles mirent pied à terre, prirent leurs chevaux par la bride, qui avançaient, confiants.

« Y a-t-il un danger ici ? » demanda Ambre à sa monture.

Le cheval ne répondit pas. Il parut humer l'air avant d'envoyer à sa cavalière une impression de désolation, de misère, mais pas de danger.

La ville, dont toutes les maisons étaient closes, était silencieuse. Opale énonça calmement :

« Quelques habitations ont brûlé récemment. »

En effet, au bout de la première rue, quelques maisons, qui avaient sans doute été de bois, n'étaient plus qu'un amas de cendres, d'objets détruits.

Ambre frissonna. Soudain, un homme sortit d'une maison, l'air désespéré. Il était corpulent, vêtu d'un élégant costume de soie qui s'apparentait à une toge. Pourtant, la terreur émanait de son visage livide. Il tremblait violemment. Dans ses yeux humides, se lisait un désarroi proche de la folie. Il se laissa tomber aux genoux des trois filles.

« Qui que vous soyez, supplia-t-il, aidez-nous ! Je vous en implore, ne nous laissez pas périr... »

Opale, certaine d'assister à une nouvelle ruse, voulut passer son chemin. Elle apprenait à se méfier de tout. Mais Ambre la retint par le bras, et Jade approuva ce geste d'un bref hochement de tête.

« Que s'est-il passé ? demanda Ambre.

— Vous ne savez donc pas ? gémit l'homme. Entrez dans ce qu'il reste de ma maison, et vous comprendrez. »

Les trois filles se concertèrent du regard. L'une par compassion, l'autre par curiosité, Ambre et Jade décidèrent d'accepter. Opale fut forcée de les accompagner. Ambre intima à son cheval de rester là à l'attendre, puis elle suivit l'homme à l'intérieur d'une maison de pierre de taille moyenne. Elle referma doucement la porte derrière elles.

A l'intérieur étaient blotties une nichée d'enfants et une femme échevelée, en larmes, qui semblaient terrifiés, en état de choc. L'habitation avait été saccagée. Des objets, des meubles jonchaient le sol, détruits. Des tableaux sans valeur, mais agréables, avaient été lacérés. Auparavant, la demeure devait être confortable, à présent, elle n'était que décombres.

« Voyez ce qu'*ils* ont fait, voyez! dit l'homme Comment peut-on y remédier? Personne, à part vous, n'a osé mettre les pieds dans notre ville; personne ne sacrifiera sa vie en nous aidant...

— Que s'est-il passé? répéta Ambre.

— *Ils* sont revenus, chuchota l'homme, les yeux exorbités de frayeur. Depuis la chute de Thaar, *ils* ont resurgi de partout.

— Qui? » intervint Jade.

La femme, dans le fond de la pièce, émit un hurlement.

« Ne faites pas attention à elle, dit l'homme. C'est une folle qui erre dans le village. Quand ils sont venus, je l'ai recueillie, pour la sauver, en souvenir de ma propre épouse, qui a été tuée par eux il y a longtemps déjà. »

La femme continua à crier, hystérique.

« Béah Jardun, tais-toi! » lui ordonna l'homme en se plaquant les mains sur les oreilles.

La femme lui obéit, docile, calmée par la sonorité douce de son nom.

« Vous ne les connaissez donc pas? s'étonna l'homme, revenant à sa discussion avec les trois filles. On les craint depuis toujours. Il y eut des périodes pendant lesquelles ils régnaient sur presque tout le Conte de Fées, d'autres où l'on n'entendait plus parler d'eux pendant des siècles. Ils sont de retour et, cette fois, ils sont plus puissants que jamais ! Ils sont commandés par une centaine d'enchanteurs de l'Obscurité. Ils ont toujours voulu dominer le Conte de Fées. C'est pour cela qu'ils se sont rangés du côté du Conseil des Douze, qui leur a promis ce territoire, en échange de leur soutien et de leur soumission. Ils se sont pliés à ses ordres certainement pour mieux les trahir quand ils nous auront vaincus.

— A part des enchanteurs de l'Obscurité, comme vous dites, coupa Jade, qui sont-ils ?

— Des créatures maléfiques de toutes sortes, répondit l'homme, qui ont choisi de se ranger du côté du mal. Il y a aussi des hommes parmi eux. Tous ont un seul point commun : l'envie de détruire. Certains savent même insuffler la haine aux âmes pures. Ceux-là ont le Don du mal. »

« Comme Janëlle », songea amèrement Ambre.

— Depuis que Thaar est entre leurs mains et celles du Conseil des Douze, poursuivit l'homme, ils sillonnent à nouveau le Conte de Fées. Ils pillent, anéantissent les plus faibles qu'eux... La plus grande partie de notre armée, celle qui nous protège d'eux, est mobilisée autour de Thaar. Quant aux enchanteurs de la Lumière, on croit qu'ils ne sont que des légendes et n'ont jamais existé. Bien sûr, beaucoup d'entre nous sont prêts à combattre, mais l'Elu ne vient toujours pas, on désespère et on finit par se résigner.

— L'Elu ? Qui est-ce ? » interrogea Jade.

L'homme la regarda, très étonné. Puis il parut frappé par une chose évidente et se reprit, toussotant :

« Je ne sais plus ce que je dis... Je dois divaguer, comme cette pauvre hallucinée de Béah Jardun. Ne tenez pas compte de mes propos.

— N'espérez pas que je vous croie... A part ça, oot ce qu'ils ont un nom ?

— Pas vraiment... juste l'armée de l'Obscurité.

— Et qui sont les enchanteurs de la Lumière ?

— S'ils existent, ce sont les seules personnes capables de s'opposer aux enchanteurs de l'Obscurité. Bientôt, quand l'armée de la Lumière se rassemblera...

— Quoi ? Quelle armée ? questionna Jade. Pourquoi se rassemblera-t-elle ? Il va y avoir une guerre ?

— J'en ai trop dit, soupira l'homme, mais vous n'apprendrez plus rien de moi. »

Ambre s'était approchée des enfants et de la femme pour les réconforter maladroitement. Pendant que Jade tentait d'obtenir de l'homme des explications sur l'Elu, elle leur parlait de sa voix douce et chaude. Un éclair de lucidité sembla passer dans les yeux de Béah Jardun. Elle se redressa à demi et, tirant Ambre par le bras pour la forcer à se pencher vers elle, elle murmura nerveusement : « Quand tu es née, ta mère était si contente... Apeurée, aussi, mais ravie. J'étais là, une simple bonne, mais j'étais là quand même. Il y avait beaucoup de monde, même Jean Losserand, le vagabond, qui, après avoir vécu maintes péripéties, rentrait chez lui, était de passage ce soir-là. Il a aidé ta mère à fuir, à te mettre en sécurité dans le Dehors... Et, quand il a voulu la faire retourner dans le Conte de Fées, avant de rentrer chez lui, ils ont été arrêtés. Jean Losserand est resté là-bas, en prison, mais ta mère, elle, a été tuée sur ordre du Conseil des Douze. Moi aussi, je les accompagnais. Heureusement, j'ai eu plus de chance, j'ai réussi à revenir et à retrouver ton père qui attendait sa femme en vain... Plus tard, lui aussi a été tué par l'armée de l'Obscurité.

— C'est vrai ? »

Ce furent les seuls mots qu'Ambre réussit à prononcer, tant ses émotions se bousculaient.

« Bien sûr que c'est vrai, s'indigna Béah Jardun. Ta mère et ton père t'aimaient, Jean, moi et d'autres encore, et c'est ça qui t'a rendue différente, Ambre. »

Puis la femme retomba dans une hébétude dont rien, pas même les questions véhémentes d'Ambre, ne parvint à la faire sortir.

Pendant ce temps, l'homme avait repris son récit :

« Cette modeste ville n'est habitée que par des guérisseurs, comme moi, ou des magiciens de profession. Nous n'utilisons qu'une forme rudimentaire de magie pour donner à nos potions et à nos onguents la force désirée. Nous sommes de braves gens, pacifiques ! Et pourtant, ils se sont montrés impitoyables envers nous. Ils nous ont pris notre nourriture, nos rares bijoux, et ont incendié nos maisons. Je n'ai réussi à sauver qu'une dizaine de potions. Ils sont revenus aujourd'hui, ont détruit ce qui restait... et ont scellé la ville.

— Scellé la ville ? répéta Jade. Je ne comprends pas.

— C'est ce qu'ils font dans chaque ville où ils passent. Ils la marquent du Sceau de l'Obscurité. Pendant un an, personne ne pourra sortir d'ici. Nous sommes condamnés à mourir de faim ou, en tout cas, à subir d'atroces souffrances jusqu'à ce que la grève de la Mort prenne fin.

— C'est ignoble, dit Jade.

— Bien sûr, personne ne s'aventure dans une ville scellée par l'armée de l'Obscurité par peur des représailles, ou simplement pour ne pas se retrouver prisonnier !

— Ce qui signifie que nous sommes justement enfermées dans votre ville, constata Opale avec calme.

— Oui, mais... » L'homme se mit à sangloter. « Du moment que vous étiez entrées, je ne pouvais plus rien faire, gémit-il.

— Nous avons quelques vivres qui nous permettront de tenir quelques jours, répondit Opale avec optimisme. Nous trouverons une solution.

— Et voilà, encore un piège ! » s'énerva Jade.

Ambre, qui avait du mal à suivre la conversation, n'intervint pas. Elle ne pouvait détourner ses pensées des paroles de Béah Jardun.

« Mais pourquoi cette armée de l'Obscurité vous a-t-elle attaquée ? demanda Jade.

— Ils épargnent les campagnes, les villages, parce que c'est pour eux une perte de temps. Ces gens ne s'opposeraient jamais à eux et ne constituent aucune menace à leurs yeux. Mais, dans certaines villes comme la nôtre, ils sévissent sans pitié. Ils savent que nous sommes contre eux. Dès que l'Elu viendra, nous nous rangerons à ses côtés. Ils essayent de nous en dissuader.

— Vous disiez que l'Elu n'existait pas, que vous divaguiez, ironisa Jade.

— Mais bien sûr ! Je suis... souffrant, répliqua l'homme, tentant de se rattraper. Je dis des inepties, je ne me contrôle plus. L'Elu ? Je ne sais pas d'où j'ai tiré cela. »

Il chercha vainement à feindre un accès de folie.

« Au fait, comment vous appelez-vous ? demanda Jade, renonçant à faire parler l'homme sur ce mystérieux Elu.

— Je suis Amnhor.

— Bon, maintenant, ce qu'il nous reste à faire, c'est trouver un moyen de libérer cette ville, résuma Jade.

— Il n'y en a pas, asséna Amnhor. Que croyez-vous ? qu'on n'a rien essayé ? Une ville scellée par l'armée de l'Obscurité est condamnée. Le sort qu'ils nous ont jeté est très puissant.

« – Très bien. On va quand même essayer, vu que je n'ai pas l'intention de rester ici plus de quelques heures », répliqua Jade.

Les trois filles échangèrent des regards entendus et sortirent leurs pierres. Amnhor, qui était persuadé de leur échec, soupira longuement, résigné. Jade, Opale et Ambre se concentrèrent, en se rappelant la fine brume noire qui entourait la ville : le Sceau de l'Obscurité. La communication se fit entre les pierres, et de trois elles devinrent une. Une douce chaleur les submergea, désormais habituelle. « Rompre le Sceau, rompre le Sceau », se disaient-elles mentalement, avec de plus en plus de force.

Mais rien ne se passa. La puissance du Sceau était beaucoup trop forte pour qu'elles puissent s'y confronter. Elles durent s'avouer vaincues et rangèrent leurs pierres, dépitées.

« Je vous avais prévenues », sermonna le guérisseur.

Cependant, Opale remarqua qu'elle tremblait. Elle se sentait fiévreuse. Puis elle se rendit compte que, depuis qu'elle avait découvert sa pierre avant l'heure, les maux de tête ne l'avaient pas quittée. Ils s'étaient un peu atténués, et elle n'y avait pas attaché d'importance mais, à présent, à cause de sa plaie, la fièvre avait repris une intensité douloureuse.

Amnhor s'aperçut qu'Opale n'allait pas bien. Il s'enquit de son état et partit chercher dans une pièce voisine une fiole pleine d'un liquide transparent ainsi qu'un petit pot d'onguent.

« C'est la potion la plus simple qui existe, expliqua-t-il, mais elle soigne tout ce qui est fièvre et maux de tête. »

Opale avala une gorgée du liquide frais, revigorant. Elle se sentit mieux sur-le-champ.

« Prenez ça pour votre blessure. C'est un remède assez rare, mais très efficace », dit Amnhor en lui tendant un pot d'onguent.

Opale le remercia et en enduisit sa plaie.

« Vous avez de la chance, reprit Amnhor, d'être sorties toutes trois indemnes de votre lutte contre le Sceau. La magie obscure est si dangereuse...

— Je ne renonce toujours pas, déclara Jade fermement. Je dois aller voir Oonagh, et j'irai !

— Cherchez plutôt un moyen de survivre pendant un an sans nourriture, répondit tristement le guérisseur.

— Cherchez-le si cela vous distrait, rétorqua Jade, mais moi, je compte bien détruire ce Sceau.

— J'en ai aussi l'intention, soutint Opale.

— Mais... attendez ! Amnhor, vous avez dit qu'il y a des magiciens dans cette ville, non ? demanda Jade vivement.

— Oui, mais ils n'utilisent la magie qu'à un niveau très superficiel, expliqua l'homme. En aucun cas ils n'arriveraient à briser le sortilège du Sceau.

— Rassemblez-les quand même ! s'exclama Jade d'un air impérieux. Ce qu'à eux seuls ils ne peuvent pas faire, nous y arriverons tous ensemble !

« — De toute manière, il vaut mieux tenter que d'attendre patiemment de mourir de faim », conclut Opale.

Amnhor s'en fut et revint au bout d'une heure :

« Les magiciens sont sur la place principale. Je leur ai expliqué que vous vouliez anéantir le Sceau. Ils ne sont pas particulièrement convaincus, mais ils sont venus quand même. Suivez-moi. »

Sur la large place bondée d'hommes et de créatures, régnait un silence atterré. Une tension tissée de malheur et de découragement accablait la foule. Jade prit la parole d'une voix forte :

« Je sais ce que vous avez enduré, mais vous ne pouvez pas vous résigner à abandonner toute lutte ! On peut toujours essayer de briser ce fameux Sceau et, un jour, on y parviendra. Seul, personne ne peut rien entreprendre, mais tous ensemble nous pouvons y arriver ! »

Les gens gardèrent le silence et leurs visages prirent une expression dubitative.

« Les sortilèges ne se pratiquent pas collectivement, intervint Amnhor. C'est contraire aux coutumes. Personne ne s'y risque jamais.

— Une coutume est-elle plus importante que nos vies ? » s'emporta Jade.

L'assemblée ne cilla pas.

« Essayer de contrer le Sceau est ardu et très risqué », continua Amnhor.

Jade s'efforça de contenir sa colère.

« Ils ne veulent pas m'écouter, maugréa-t-elle à voix basse.

— Laisse-moi leur parler », murmura Ambre.

Elle s'avança un peu, intimidée. Elle voulait montrer à cette foule qu'elle désirait l'aider, la comprendre, mais ne savait comment le faire savoir. Les gens la jaugeaient avec sévérité. Sa chevelure de feu, son regard chaleureux ne leur inspiraient aucune sympathie. Ils ne voulaient plus entendre parler du Sceau, car ils le redoutaient et n'envisageaient pas de s'y opposer. Ambre ébaucha un sourire, mais elle sentit que le cœur n'y était pas.

« J'aimerais vous aider », commença-t-elle faiblement. Elle inspira profondément, puis reprit d'une voix plus sûre : « Nous avons un ennemi commun. Qu'il s'appelle l'armée de l'Obscurité ou le Conseil des Douze, il cherche à nous priver de la même chose : la liberté. On ne peut pas se laisser faire, accepter sa domination. Depuis toujours, certains ont osé s'opposer à eux et les combattre. Grâce à eux, la paix a pu durer quelques années. Aujourd'hui, il faut résister. Ils ont tué vos proches, et ils ont tué ma mère, que je n'ai jamais eu la chance de connaître. C'est au nom de cette injustice, au nom de ceux qui ont souffert, que je vous demande d'essayer de briser le Sceau. »

Ambre s'était enflammée et une larme avait perlé au coin de ses yeux lorsqu'elle avait évoqué sa mère. La foule la regarda, ébranlée par ses paroles et par son expression passionnée et sincère. Une voix s'éleva :

« Ils sont venus il y a une semaine, ont tué, pillé... Puis ils sont encore revenus il y a seulement quelques heures, ont incendié ce qui restait de nos maisons et scellé la ville. Si, par miracle, nous arrivions à rompre le Sceau, il est possible qu'ils reviennent encore, et alors leur colère sera terrible ! »

Un murmure parcourut la foule.

« Vous ne pouvez pas refuser la lutte, c'est refuser la vie elle-même », dit Ambre avec emphase.

L'assemblée médita longuement ses propos, puis fut traversée par quelques murmures.

« Les magiciens vous suivront », affirma Amnhor.

La foule attendait désormais des ordres. Jade murmura à Ambre :

« Je ne savais pas que ta mère avait été tuée par l'armée de l'Obscurité ! Je croyais qu'elle était morte d'une maladie...

— Elle a été tuée par le Conseil des Douze, rectifia Ambre, et il s'agit de ma vraie mère, celle qui m'a mise au monde. Béah Jardun m'en a parlé...

— Et ma mère ? Et mon père ? questionna Jade. J'ai aussi le droit de savoir ce qui leur est arrivé ! Béah Jardun saurait-elle quelque chose sur eux ?

— Non, je ne crois pas, murmura Ambre. Je suis désolée. » Puis, s'adressant à la foule : « Je ne sais pas comment vaincre le Sceau, confessa-t-elle. Essayez chacun à votre manière ; une fois réunis, quelque chose se passera sûrement. »

La foule acquiesça. Les trois filles sortirent leurs pierres, les serrèrent et dirigèrent leurs pensées sur le Sceau. Les magiciens, d'un commun accord, se mirent à réciter une incantation incompréhensible.

« L'Alypiûmm, se dit Amnhor gravement, le sortilège le plus puissant, le plus difficile à réaliser... et le plus dangereux. »

Pourtant, même unie à celle des filles, la puissance des magiciens n'était pas suffisante pour engager une lutte contre le Sceau. Il ne se passa rien.

« Que se passerait-il si on essayait simplement de franchir le Sceau ? » demanda Ambre.

Un murmure d'effroi paralysa la foule. Chacun baissa le regard. Amnhor dit dans un souffle :

« On mourrait.

— Mais il y a la grève de la Mort, rappela Jade.

— Oui, mais cela ne change rien. Ce qui se passera, si nous franchissons le Sceau... est pire que la mort.

— Je suis sûre qu'on peut briser ce Sceau, affirma Ambre. Et vous, vous tous, vous ne croyez donc pas en l'impossible ? Ayez confiance en vous, en moi ! Je vous promets qu'on peut y arriver. » Elle se tut. Les gens la regardaient fixement. Elle reprit : « J'ai une idée. »

Faisant signe à Amnhor d'approcher, elle lui murmura quelques mots à l'oreille.

« Ça ne marchera jamais, dit-il. Vous allez conduire toute cette ville à la catastrophe.

— Si on ne fait rien, la ville court de toute façon à la catastrophe. »

Amnhor, résigné, s'inclina devant ses arguments. Il savait, comme toute la foule, qu'Ambre avait raison. Il fallait tenter quelque chose. Mais il savait aussi quel sort réservait le Sceau à ceux qui tentaient de s'opposer à lui.

« Tu es sûre de ce que tu fais ? demanda Jade à Ambre.

— Non.

— C'est bien ce que je pensais. Bon, tant pis, de toute manière ça ne change rien. Il vaut mieux ne pas se poser trop de questions. »

Au bout de longues minutes, les consignes qu'Ambre avait glissées à Amnhor furent exécutées. Tous les habitants de la ville avaient formé une sorte de ronde qui comprenait également les trois filles. Elles aussi se tenaient par la main, leurs pierres blotties au creux de leurs paumes.

« Que fait-on, maintenant ? demanda Jade.

— Rien, répondit Ambre. Pas de formules, pas de magie. On ne se lâche pas, et on franchit le Sceau. C'est comme pour le champ magnétique du Conte de Fées. Si on est sûr d'être capable de le franchir, on le passe. Si on croit en l'impossible...

— Et tu es certaine que ça s'applique aussi au Sceau ?

— On va bien voir ! »

Bientôt, la « chaîne » humaine se trouva face au Sceau, chacun sentait l'odeur âcre qu'il libérait. Il n'y avait que deux pas à franchir pour être hors de la ville, mais entre les hommes et la liberté, il restait le Sceau...

« Il faut y croire », répéta Ambre.

Sa conviction se propagea. Tous les cœurs se gonflèrent d'un espoir fou, et la chaleur des pierres les engloba. Ils étaient des milliers, et pourtant ils ne formaient plus qu'une seule et même personne, déterminée à rompre le Sceau. Ils réussirent tout d'abord à détruire leurs peurs, puis, d'un seul élan, ils firent un pas en avant. Un nuage de brume noire les entoura, les paralysant. Pas un instant, ils ne doutèrent de le vaincre. Une lutte invisible s'engagea. Le Sceau était un sortilège issu d'une puissance magique terrifiante ; en temps normal, quiconque essayait de le franchir mourait foudroyé. Mais la Mort était en grève, aussi l'armée de l'Obscurité avait-elle inventé quelque chose de pire encore.

Ambre, à cet instant, comprit le Sceau. Elle eut l'impression qu'il lui avait parlé, qu'il s'était confié à elle, mais jamais on ne put savoir si elle avait raison.

« Janëlle nous a communiqué sa haine, pensa-t-elle, ce Sceau nous transmet le mal, les sentiments de celui qui l'a créé. Quelqu'un qui, assurément, porte quelque chose de terrible en lui, quelque chose de destructeur : ce fameux Don du mal. Et le Sceau n'est que le reflet de l'âme de son créateur... »

Elle respirait difficilement, par saccades, et se sentait changer, comme asservie par un élément cruel qu'elle ne pouvait pas repousser. Alors, elle vit l'évidence.

« Le Sceau insuffle le mal à ceux qui cherchent à le détruire, se dit-elle. Certains en souffrent jusqu'à en mourir. Mais il y a grève de la Mort... Au lieu de succomber, on absorbe ce qui émane du Sceau. Il nous domine, jusqu'à nous transformer, faire de nous des personnes habitées par le mal, au service de cette armée de l'Obscurité... C'est pour cela que le sortilège est si puissant ! »

Et de fait, le mal commençait à s'infiltrer en chacun. La haine, la peur, la rage, l'envie de pouvoir et, surtout, la douleur paralysèrent la foule. Cependant, le combat se poursuivait. Comme un seul homme, les milliers de personnes présentes opposaient leur conviction, leur espoir, tout le bien qui était en elles, au mal qui les étouffait.

Jade, Opale et Ambre se sentaient submergées de fatigue, abattues. L'odeur lourde et enivrante de la brume qui les enveloppait leur donnait envie d'abandonner tout combat. Leurs mains relâchaient leur étreinte autour des pierres, leurs paupières se fermaient peu à peu... Mais elles n'abandonnaient pas, elles ne *pouvaient* pas abandonner. Le bien et le mal luttaient sans pitié dans leurs cœurs, comme le Sceau de l'Obscurité luttait contre les habitants de la ville. Les forces étaient égales. Mais tous suffoquaient, épuisés, et l'attaque contre le Sceau faiblissait. La douleur était trop intense. Et pourtant, une étincelle d'espoir subsistait dans chaque cœur : on vaincrait le Sceau. On ne pouvait pas se résigner au contraire, pas complètement.

Alors, tous puisèrent dans leurs dernières forces. Le Sceau résisterait, c'était certain... mais il fallait essayer. Dans un même mouvement, ils firent un pas en avant.

Le Sceau ne résista pas, il se dissipa, se rompant brutalement. On avait cru qu'on pouvait le vaincre. On l'avait vaincu.

Jade, Opale et Ambre s'évanouirent, exténuées.

22

« Regardez ! Elle se réveille ! Enfin ! »

Ambre ouvrit les yeux. Elle vit les visages d'Amnhor et de Jade penchés sur elle. Tout tournoyait. Elle mit de longues minutes à revenir à elle. Elle se redressa, demanda, désemparée :

« Le Sceau... Il est brisé, non ? On a réussi ou pas ?

— Calme-toi », dit Amnhor.

Il lui mit un flacon sous le nez. Elle le prit, but une gorgée du liquide nauséabond et se sentit un peu apaisée.

« Tu es restée inconsciente pendant presque une journée, expliqua Jade.

— Une journée ? » Ambre n'avait plus aucun souvenir à partir du moment où elle était tombée en franchissant le Sceau. « La ville... elle n'est plus scellée, si ?

— Bien sûr que non, la rassura Jade. On l'a vaincu ! Comme tu l'as dit, il suffisait d'y croire, de se battre ensemble !

— Et toi ? Et Opale ? Vous ne vous êtes pas évanouies quand on a traversé le Sceau ?

— Si, mais grâce aux soins d'Amnhor on s'est réveillées quelques heures plus tard.

— D'ailleurs, intervint le guérisseur, quand le Sceau a été rompu, de nombreuses personnes sont tombées, épuisées, et ne se sont pas encore remises. Mais on leur prodigue des soins, elles sont hors de danger. Grâce à vous, tout va rentrer dans l'ordre. »

Opale entra dans la pièce. Lorsqu'elle vit Ambre éveillée, elle lui sourit.

« Bien, on pourra donc partir cet après-midi, décida Jade.

— Nous avons rajouté des sacs de vivres sur vos chevaux, dit Amnhor, pour vous remercier de nous avoir libérés. »

Après une longue discussion, les trois filles et le guérisseur prirent un délicieux repas.

« Mais... où sont passés Béah Jardun et les enfants ? demanda soudain Ambre.

— Je ne sais pas vraiment, avoua Amnhor. Les enfants étaient des orphelins. Des familles les ont recueillis. Quant à Béah Jardun, elle est partie juste après la rupture du Sceau. Dans la confusion générale, personne n'y a prêté attention. Je n'en sais pas plus. »

Le repas terminé, les filles jugèrent qu'il était temps de partir. Amnhor alla chercher leurs chevaux et leur fit la surprise de leur offrir un magnifique étalon, de la part des magiciens de la ville.

« Les femmes vous ont confectionné des vêtements pour vous témoigner leur gratitude », leur dit aussi Amnhor.

Chacune reçut une élégante robe de soirée. Puis le guérisseur leur tendit une minuscule fiole en verre bleuté, dont le fond contenait un liquide épais.

« De la part des guérisseurs, prenez cette potion. C'est la seule qui soit restée intacte depuis que l'armée de l'Obscurité a dévasté notre ville. Sa préparation nécessite des mois de travail assidu. Malheureusement, cette fiole en contient à peine deux gorgées.

— Merci, répondit Ambre en saisissant le flacon, à quoi sert-elle ?

— Vous m'avez dit que vous iriez voir Oonagh. Cette créature magique habite dans une montagne dangereuse, autour de laquelle rôdent de redoutables oiseaux de proie, des rapaces géants. Leur présence suffit à inspirer la terreur. Tant que vous ne ressentirez aucune peur, il ne se passera rien et ils ne vous remarqueront pas. Mais ils réussissent sans peine à faire resurgir les angoisses de tout être, et il est fort probable que vous paniquerez. Pourtant, il faut que vous restiez impassibles pour survivre. C'est là qu'intervient la potion. Une gorgée ne provoque qu'un effet de quelques minutes... L'une de vous devra s'en passer.

— Et comment cette potion nous aidera-t-elle ? demanda Jade.

— Elle fera de vous un être ni humain, ni magique, répondit gravement Amnhor. Heureusement, son action est limitée à moins de cinq minutes. Durant ce laps de temps, elle effacera tous vos sentiments, de la peur à la sensation même d'être en vie... »

Jade haussa négligemment les épaules. Opale resta imperturbable. Seule Ambre frissonna et interrogea :

« En quoi ces rapaces sont-ils si dangereux ?

— Ils se nourrissent d'abord de votre peur. Ils s'en délectent, l'absorbent. Vous n'essayez donc plus de fuir... C'est alors qu'ils fondent sur vous et vous emmènent dans leur repaire où ils se chargent de faire de vous un délicieux repas.

— Merci pour la potion, dit Jade en réprimant un frisson.

— Sinon, conseilla Amnhor, faites attention à vous et ne vous confiez à personne. »

Les trois filles acquiescèrent. Le guérisseur finit par leur dire adieu, la voix chargée d'émotion :

« Souvenez-vous que vous pourrez toujours compter sur moi et sur tous les habitants de cette ville. »

Jade, Opale et Ambre sourirent, le remercièrent pour son hospitalité, et s'en allèrent.

D'un commun accord, elles chevauchèrent à vive allure, ne se permettant que quelques haltes très courtes. Elles ne croisaient presque personne. De nouveau, elles traversaient une campagne paisible et ensoleillée. Parfois, elles passaient par un village ou une petite ville, sans jamais relever la trace de la venue de l'armée de l'Obscurité. Ambre, intriguée, finit par demander :

« Pourquoi tout est-il si tranquille, alors que nous venons de quitter un endroit dévasté ? Je croyais qu'une guerre sévissait dans le Conte de Fées...

– Non, répondit Jade. Pendant que tu reprenais des forces, Amnhor nous a expliqué que, pour l'instant, l'armée de l'Obscurité ne s'occupe pas des campagnes et des villages. Elle prend pour cibles des villes ennemies, qu'elle détruit méthodiquement, mais se garde d'attaquer les endroits où vivent des créatures qui utilisent la magie à un niveau élevé, ou des chevaliers... On les appelle des hovalyns ici.

– Mais que cherche l'armée de l'Obscurité ? interrogea Ambre.

– Dominer le Conte de Fées, bien sûr, dit Jade. Pourtant, ils ne passent pas encore à l'attaque... Ils avancent pas à pas.

– Amnhor prétend qu'ils attendent quelque chose, intervint Opale. Mais il n'a pas voulu nous dire quoi. »

Les trois filles chevauchèrent toute la journée. Elles mangèrent frugalement, parlèrent peu. La nuit venue, elles s'arrêtèrent dans une plaine.

« Heureusement que nous sommes restées dans la ville scellée, lâcha Jade. A partir de maintenant, je vais commencer à ressembler à une paysanne sale et négligée ! »

Ambre se raidit un peu en entendant cette comparaison. Elle se mordit la lèvre inférieure pour ne pas laisser paraître son agacement et s'aperçut que l'entaille douloureuse avait disparu, sans doute grâce à Amnhor...

La nuit, cette fois réconfortante, délia les langues des trois filles qui se mirent à discuter avec animation.

Ambre relata pour la énième fois ce que lui avait confié Béah Jardun. Jade et Opale écoutèrent avec une attention extrême, comme si elles découvraient ce récit. Rêveuses, elles se mirent à songer à leurs propres parents. Qui étaient-ils ? Etaient-ils encore en vie ? Pourquoi les avaient-ils abandonnées ?

Jade aurait tant voulu savoir qui ils étaient... Mais, en même temps, elle éprouvait une amère colère à leur égard : pourquoi s'étaient-ils séparés d'elle, sans rien lui laisser d'eux, aucun souvenir, aucune marque d'affection, quand elle n'était qu'un bébé ? Elle savait qu'ils l'avaient confiée au duc de Divulyon pour la protéger d'un « danger », mais elle ne pouvait s'empêcher de penser qu'ils ne voulaient pas d'elle, qu'ils ne l'aimaient pas... Au fond, elle n'arrivait ni à les aimer, ni à les haïr. Elle avait trouvé plus simple de croire que c'étaient eux qui ne l'avaient pas aimée. Son vrai père était le duc de Divulyon.

Opale, elle, ne s'était jamais inquiétée de ses parents. Lorsqu'elle était petite, elle avait parfois interrogé à leur sujet Eugénia et Gina, qui lui avaient répondu évasivement. Elle ne s'en était plus préoccupée. Elle ne savait pas ce qu'un père et une mère signifiaient. A présent, pour la première fois, elle se posait de nombreuses questions, sans parvenir à imaginer de réponses.

Quand vint le moment de se coucher, Jade fut la seule à ne pas trouver le sommeil. Elle se sentait mal à l'aise dans cette prairie, perdue dans un monde qu'elle ne connaissait pas. Elle regrettait sa vie facile, son palais somptueux, l'admiration que tout le monde lui vouait... Et le duc de Divulyon lui manquait. Même s'il n'était pas son père, il l'avait aimée plus que quiconque, avait veillé sur elle. Pensait-il à elle en ce moment? Avait-il peur pour elle?

« Je vais bien... papa, murmura-t-elle. Un jour, je reviendrai te voir et te dire à quel point tu comptes pour moi. »

Elle se sentit rassurée, comme si le duc de Divulyon pouvait entendre ses mots affectueux. Après tout, pourquoi pas?

D'un autre côté, Jade goûtait son aventure. Elle découvrait des notions dont elle ne soupçonnait pas l'existence, apprenait à se servir de pouvoirs qu'elle n'avait jamais cru posséder. Elle aimait, parfois, sentir le danger l'effleurer, se retrouver devant l'imprévu.

Saisie d'une faim soudaine, elle se leva, épousseta ses vêtements salis de terre et se dirigea vers les sacs de provisions. Subitement, sans savoir pourquoi, elle se sentit indisposée, elle fut aveuglée et ses jambes faillirent céder sous elle. Elle trembla un moment. Enfin, elle réussit à recouvrer ses esprits.

Elle en était sûre : au loin, se profilait la silhouette indécise d'un cavalier. Sans hésiter, Jade s'élança, courut le plus vite possible, en se maudissant de ne pas avoir pris un cheval. Elle vit l'ombre filer et sut qu'elle ne pourrait pas la rattraper.

Le lendemain matin, Jade s'empressa de raconter son aventure nocturne.

« Tu t'es vraiment sentie désemparée devant lui ? demanda Ambre, songeuse.

— Oui. Pendant un moment, j'ai eu la nausée et je n'ai plus rien vu autour de moi. J'ai failli m'évanouir.

— Donc, c'est un ennemi, conclut Ambre amèrement.

— Un de plus », ironisa Jade.

Après avoir mangé brioches et fruits, les trois filles reprirent la route. Elles forçaient leurs chevaux à avancer rapidement. Peu à peu, chacune se perdit dans ses pensées.

Ambre ressassait les paroles de Béah Jardun, comme si quelque détail avait encore pu lui échapper. Elle se rappelait le visage bon et tendre de Jean Losserand. Pourquoi ne lui avait-il rien dit de son passé ? Elle aurait tant voulu entendre parler de sa mère... Elle sentait croître en elle l'indignation, la colère contre le Conseil des Douze. Ses pensées s'assombrirent. Elle prit un air renfrogné. Pourquoi ne pouvait-elle pas vivre normalement, dans une famille normale, dans un endroit normal, avec des problèmes normaux ?

Jade et Opale tâchèrent de la distraire. Elles devinaient sans peine ce qui la préoccupait. Mais leurs tentatives se révélèrent infructueuses.

Aux alentours de midi, les trois filles firent halte à l'ombre d'un arbre feuillu. Chacune se sentait mal à l'aise. Elles entamèrent leur repas, tout en s'efforçant d'économiser la nourriture. Puis, au moment de reprendre la route, Opale annonça tranquillement en désignant un bosquet d'arbres lointain :

« Regardez là-bas. Il me semble voir un cavalier. »

En effet, une silhouette vêtue de noir se dessinait, imprécise. Sans hésiter, les trois filles rassemblèrent leurs affaires et montèrent en selle. Mais, déjà, le mystérieux cavalier avait disparu.

Jade, Opale et Ambre reprirent leur chemin. L'ennemi inconnu occupait toutes leurs pensées. Bien qu'aucune ne l'avouât, il leur inspirait une peur irraisonnée, terrible.

*

Le Treizième membre sourit dans l'obscurité. La cruauté marquait ses traits, une puissance terrible, maléfique, imprégnait son visage. Son plan fonctionnait à merveille. Cette fois, il contrôlait tout. Opale n'était donc pas morte. Les trois pierres de *La Prophétie* s'étaient réfugiées dans le Conte de Fées, il ne pouvait plus les atteindre par télépathie. Cela ne le contrariait plus. Il avait trouvé une solution encore plus satisfaisante que la précédente.

Son ricanement perça le silence.

Il fit un geste de la main. Une plaque dorée, flottant dans l'air, émit un bourdonnement avant de faire apparaître l'image d'un homme au visage très dur, creusé de cicatrices. Le regard bleu, les cheveux noirs, il paraissait redoutable. Il était vêtu d'un somptueux uniforme de jais.

« Ah ! c'est vous, Treizième membre, dit-il d'une voix tranchante. J'ai envoyé un de mes cavaliers. Ne vous inquiétez pas, tout va bien.

— Je vous fais confiance, enchanteur. Mais un de vos hommes... est-ce prudent ?

— Ce n'est plus un homme. C'est un soldat de l'Obscurité. Il ne faillira pas.

— Très bien.

— Il les surveille. Pour l'instant, tout se passe comme prévu.

— N'oubliez pas que le moment décisif approche.

— Je n'oublie pas, Treizième membre. Lorsque ce moment viendra, faites attention. Notre victoire dépend de vous.

— Ce n'est pas à vous de me le rappeler. »

Le Treizième membre fit un geste pour interrompre la communication. Les nouvelles étaient bonnes. Cet enchanteur de l'Obscurité l'agaçait ; il était le seul à oser lui parler en égal. Il ne pouvait rien y faire pour le moment, car il avait encore besoin de lui pour détruire les pierres, afin que le Conseil des Douze triomphe...

Cette fois, il en était certain. Son plan ne pouvait pas échouer.

Paris, 2002

J'en suis venue à me dire que je pouvais vivre, que j'en avais le droit. Je savais qu'il m'était impossible d'ordonner à la Mort de reculer, de me laisser tranquille, mais je me plaisais à le croire. Ma réalité rejoignait mon rêve. Naïvement, je pensais que si je la suppliais de m'épargner, la Mort, en créature dotée de quelque sentiment, m'écouterait et passerait sa route. Après tout, pourquoi ne pouvait-elle pas être en grève ? Pourquoi ne se laisserait-elle pas émouvoir par mon désarroi ? Alors, je laissais libre cours à la rivière de mes larmes. Lorsque je ne dormais pas, je pleurais – de rage, de désespoir, de tristesse, de peur... J'essayais de me persuader qu'un jour je ne me réveillerais plus, que je serais rentrée dans le rêve, que j'y vivrais, heureuse. Si je le voulais vraiment, si j'y croyais de toutes mes forces, n'était-il pas possible que ce vœu insensé se réalise, me laissant pénétrer dans un conte de fées ?

Chaque nuit, je plongeais à nouveau dans l'univers magique de mon rêve. Je le vivais à ma manière.

Les images, les sentiments m'appartenaient autant qu'aux personnages qui évoluaient dans ce monde irréel.

Je passais mes journées à espérer que le rêve continuerait la nuit suivante. Une voix criarde et désagréable insinuait méchamment que je me berçais d'illusions. J'en avais conscience, mais je le refoulais. Ce rêve n'était pas réel.

Et cependant, j'espérais. A nouveau. Comme jamais je ne m'étais permis de le faire auparavant. Des souvenirs resurgissaient du plus profond de ma mémoire. J'avais eu tant de mal à les engloutir dans l'oubli... A présent, ils étaient là, arrogants, aussi splendides et blessants qu'ils l'avaient toujours été.

Les images affluèrent d'abord. Je tentai vainement de les chasser, de les rendre au néant dans lequel j'avais cru les avoir classées. Mais elles restaient là, dansantes, vives, colorées, à virevolter devant moi. Alors, je compris que le seul moyen de m'en débarrasser était de les affronter et de les accepter. Je me rappelle avoir commencé à pleurer. Puis je les ai vues, ces images, fantômes du passé.

Les premières étaient celles de mes parents. Les larmes aussitôt inondèrent mes yeux rougis. Ils étaient morts. Et je ne pouvais rien y changer. Pourtant, leur image continuait à s'imposer à moi, souriante, affectueuse, traîtresse. Elle me faisait croire qu'elle était réelle, et j'en pleurais avec frénésie.

Devant moi, mes parents riaient, me taquinaient, me chérissaient. J'étais à nouveau Joa.

Je me souviens d'avoir hurlé pour chasser ces images. Elles sont parties, troublées, effrayées, mais je savais qu'elles reviendraient, qu'elles continueraient à m'assaillir douloureusement...

23

Les Ghibduls firent visiter leur repaire à l'Elu et à Elfohrys. Leur village était modeste et assez inquiétant. Les constructions étaient essentiellement faites de bois et, pour la plupart, vacillantes. Certaines tombaient en ruine.

« Nous ne sommes pas un peuple d'artisans, expliqua humblement un Ghibdul à l'Innomé. Nous avons des dispositions pour la lutte et la télépathie, mais pas pour autre chose. Notre civilisation est rudimentaire. »

L'Elu et Elfohrys étaient tout de même impressionnés. Les Ghibduls se révélaient accueillants et, derrière leur allure et leurs manières menaçantes, ils pouvaient se montrer agréables. L'hovalyn fut traité avec un respect qu'il n'avait encore jamais rencontré. Dans la rue, on le saluait avec déférence et admiration.

Il resta parmi eux un peu plus d'une semaine. Les créatures magiques lui demandaient sans cesse de prolonger son séjour et il n'osait refuser.

Il fut logé avec Elfohrys dans l'une des plus jolies huttes, agrémentées de quelques décorations taillées dans le bois. Ils dormaient tous deux sur des lits de mousse verte et se couvraient de draps tissés de feuilles.

La nourriture était délicieuse. Chaque repas était un banquet organisé en l'honneur de l'Elu. On lui servait de la viande fraîche, des légumes, des fruits qu'il ne connaissait pas. Pour lui, les Ghibduls chassaient toute la journée dans la Forêt Sans Fin et en rapportaient le meilleur gibier. Les femmes allaient cueillir des baies sauvages et prenaient de leur propre potager les fruits et légumes les plus savoureux.

L'Innomé avait changé. Ses traits s'étaient affermis ; son regard avait perdu un peu de sa mélancolie. Désormais, même s'il ignorait toujours son nom et ses origines, il était l'Elu. Il avait une identité. Il se savait attendu par des milliers de gens. Il avait une place parmi les autres. Pourtant, il voulait toujours retrouver la mémoire, afin d'être une personne à part entière.

Lorsque la fin de son séjour arriva, un éminent penseur ghibdul vint le trouver.

« Hovalyn, dit-il gravement, nous ne pouvons te retenir plus longtemps. Tu dois accomplir de grandes choses. Mais, pour te trouver toi-même, tu iras voir Oonagh.

— Je sais, répondit le chevalier.

— Là-bas sévissent les cruels rapaces de la peur. Pour t'en protéger, prends ceci. » Le Ghibdul lui tendit deux lianes vertes au bout desquelles pendait une petite sphère noire. « Ce sont des amulettes, expliqua-t-il. L'une est pour toi, l'autre pour ton ami. Ne les mettez autour du cou que lorsque vous apercevrez les rapaces. Durant une heure, ce pendentif ensorcelé vous protégera de la peur, avant de disparaître.

— Merci, dit sincèrement l'hovalyn en saisissant l'amulette.

— Tu ne sais pas encore quel est ton véritable rôle, continua le Ghibdul en soupirant. Mais n'oublie pas qu'il suffira que tu dises que tu es l'Elu pour provoquer autant de haine que de bonheur. »

L'Innomé hocha la tête.

« Quelques-uns de nos guerriers vont t'accompagner jusqu'à la lisière de la forêt, reprit le Ghibdul. Nous t'offrons également deux chevaux sauvages. Malheureusement, ils ne sont pas magiques, mais tu verras qu'ils sont vigoureux. »

L'Elu lui exprima toute leur gratitude. Le jour même, accompagné d'Elfohrys, il quitta le repaire des créatures magiques. Les femmes leur remirent quelques vivres, ils s'engouffrèrent dans la forêt, escortés par des guerriers ghibduls qui voletaient autour d'eux.

Les voyageurs durent faire de fréquentes haltes, pour permettre aux Ghibduls de se reposer de leur vol. Plus ils s'enfonçaient dans le bois, plus ils étaient obligés de suivre de minces sentiers. Des branches sèches leur fouettaient parfois le visage. Les Ghibduls essayaient de rendre le voyage agréable, mais ils ne pouvaient pas changer la forêt.

« Vous êtes encore assez loin d'Oonagh, dit une des créatures magiques. Une fois sortis d'ici, il vous faudra encore plus de deux semaines pour achever votre périple.

— Je connais plus ou moins le chemin que nous devrons emprunter, répondit l'Innomé.

— Il n'est pas dangereux. C'est la partie la plus inoffensive du Conte de Fées, celle qui recèle le moins de magie.

— Faites quand même attention à l'armée de l'Obscurité, conseilla un autre Ghibdul. Même ici, on sait qu'elle est de retour. Et vous ne pouvez ignorer sa puissance et sa cruauté. »

Au crépuscule, la lisière de la forêt leur apparut.

« Nos chemins se séparent ici, dit un Ghibdul. N'oublie pas, Elu, que nous attendons ton retour. »

Un des guerriers sortit alors de sa besace l'écrin, orné de perles, que l'hovalyn avait oublié de réclamer :

« Reprends ce qui t'appartient. »

L'Elu considéra l'écrin avec une curiosité nouvelle. Il ne savait toujours pas quelle était son utilité.

« Adieu, dit-il aux Ghibduls. Merci pour tout.

— Au revoir, répondirent-ils. Et à bientôt. »

Elfohrys et l'Innomé franchirent la lisière de la forêt. Epuisés par le voyage, ils s'étendirent dans l'herbe fraîche et s'endormirent.

A leur réveil, ils s'empressèrent de manger. Ils délièrent ensuite les chevaux, remontèrent dessus et partirent à vive allure.

« Alors, Innomé, dit Elfohrys, maintenant que tu sais être l'Elu, qu'en penses-tu ?

— Je sais que j'ai un rôle à remplir, même si je ne le connais pas encore. Mais je me sens différent. J'ai trouvé un sens aux jours qui viendront. »

Elfohrys sourit d'un air complice.

La campagne était encore endormie alentour. Très loin, on distinguait les sommets coiffés de neige où habitait Oonagh.

L'Elu et Elfohrys parlèrent beaucoup. Ils évoquèrent leur séjour étonnant chez les Ghibduls, l'avenir incertain qui s'esquissait devant eux.

L'Innomé avait fini par tutoyer son compagnon et avait trouvé en lui un ami.

« Mais toi, lui demanda-t-il soudain, que cherches-tu ? Pourquoi as-tu voulu m'aider ?

— Je crois que je peux te l'apprendre, maintenant, répondit Elfohrys. Beaucoup de gens désespéraient de voir arriver l'Elu. Tu es important. Tu es attendu. Moi, j'ai décidé de te trouver, de t'amener à découvrir qui tu étais. Et j'y suis parvenu.

— Mais..., balbutia l'Elu, abasourdi. Qu'attend-on de moi exactement ?

— Oonagh te le révélera. Il est dit dans *La Prophétie* que tu ne dois pas l'apprendre avant. Tu sais, Néophileus, l'auteur de ce célèbre livre, est issu du peuple clohryun, comme moi, et je crois en ses paroles.

– Il est mort depuis des siècles, s'exclama l'Innomé. Tu ne vas pas suivre ses paroles à la lettre ! »

Elfohrys sourit mais ne fit pas de commentaire.

Au bout de quelques heures, une ville, modeste, apparut à l'horizon. Un voile de brume noirâtre l'encerclait.

« Une ville scellée par l'armée de l'Obscurité, murmura Elfohrys.

– Il faut y entrer, sauver les gens !

– Non, protesta Elfohrys calmement. Nous ne pouvons rien pour eux. C'est trop tard. On ne peut pas briser un Sceau. Je connais cet endroit. C'est une ville de marchands. Elle est peuplée de braves gens, simples et honnêtes. L'armée de l'Obscurité ne s'attaque qu'à des cibles trop faibles pour se défendre. »

Elfohrys retint l'Innomé qui voulait s'élancer dans cette direction. Ce dernier comprit vite qu'il ne pouvait pas aider les habitants de cette ville. Il se sentit coupable, inutile. Elfohrys essaya vainement de le réconforter.

Ils chevauchèrent encore pendant une heure, quand l'Elu aperçut, au lointain, les contours d'un château d'où s'élevait de la fumée. Cette fois, d'un commun accord avec Elfohrys, il frappa brutalement les flancs de son cheval pour s'élancer au secours des habitants.

Sur place il constata, trop tard, que la fumée n'était pas due aux flammes, mais au Sceau de l'Obscurité en train de se former.

Devant lui se dressaient des centaines de cavaliers vêtus de noir, montés sur des chevaux sombres. Ils encerclaient le château et semblaient unis par une même force, une même pensée. Leurs lèvres remuaient à peine pendant qu'ils récitaient l'incantation du Sceau.

L'Elu avait devant lui une partie de l'armée de l'Obscurité. Il ne réfléchit pas. Elfohrys poussa un cri perçant quand il dégaina son épée. Il ouvrit hâtivement l'écrin, dans sa besace, et s'élança vers un soldat de l'Obscurité. Il lui trancha la tête, qui roula sur le sol, ses yeux exorbités fixant l'Innomé d'un air de reproche.

Quelques soldats de l'Obscurité détournèrent leur attention du Sceau, qui se mit à se dissiper imperceptiblement.

« Comment oses-tu attaquer l'un des nôtres ? rugit une créature à l'air difforme.

— Et vous, comment osez-vous détruire la vie des innocents ? demanda l'Elu.

— Qui es-tu ?

— L'Elu. »

Aussitôt, une dizaine de soldats de l'Obscurité se précipitèrent vers lui. Elfohrys se mêla à la bataille. L'écrin donnait à l'Elu une force inconnue. Il avait toujours su se battre admirablement mais, cette fois, il maniait son épée avec virtuosité. Ses gestes souples étaient d'une précision parfaite. Il fendait la chair des ennemis, rapide, efficace. Les coups l'atteignaient peu, et ne laissaient que des entailles superficielles.

Cependant, les soldats de l'Obscurité étaient puissants, bien entraînés et supérieurs en nombre. Ils allaient prendre l'avantage quand un homme de stature imposante ordonna la fin de la bataille. Aussitôt, les soldats rangèrent leur épée et se redressèrent, dociles. Ils encerclèrent l'Elu et Elfohrys.

Le nouveau venu, qui jouissait d'une autorité incontestable, était humain. Il montait un étalon noir, ensorcelé, dont les naseaux laissèrent échapper des flammes. Il était vêtu d'un luxueux uniforme couleur de jais, et le fourreau de son épée était incrusté de saphirs.

Il avait un air redoutable, impressionnant. Son visage, aux traits durs, était strié de balafres. Ses yeux, deux joyaux bleu acier, impitoyables, brillaient sous des sourcils broussailleux. Il avait un menton fort, volontaire, un nez droit, des lèvres minces. Ses cheveux étaient noirs.

« Homme, avance », ordonna-t-il à l'Elu d'une voix profonde.

L'Innomé ne bougea pas. L'homme ne parut pas s'en affecter.

« Tu sais te battre mieux que les plus faibles d'entre nous, mais c'est déjà un exploit. »

L'Elu ne répondit pas.

« Je suis un enchanteur de l'Obscurité, je commande ce régiment d'incapables. »

Elfohrys glissa un regard inquiet vers l'Innomé qui s'entêtait à se taire.

« Tu es sans aucun doute un hovalyn, reprit l'enchanteur de l'Obscurité. Où as-tu appris à te battre ? »

L'Elu resta silencieux. Toujours monté sur son cheval, il fixait les yeux durs de son ennemi.

« Pourquoi t'es-tu opposé à notre armée ? Personne ne s'y risque. Tu es donc courageux.

– Il dit être l'Elu, intervint un soldat de l'Obscurité.

– L'Elu ? répéta l'homme d'un ton glacial.

– Je le suis, affirma l'hovalyn calmement.

– Tu ne l'es pas plus que moi. »

D'un geste, l'homme fit s'élever l'Elu à quelques mètres du sol. Le jeune hovalyn ne broncha pas.

« Sais-tu quel est le signe de l'armée de l'Obscurité ? » demanda l'enchanteur.

Sans attendre de réponse, il dénuda sa cheville gauche. Une marque, représentant une lune noire surmontée de quelques chiffres, s'étendait sur sa peau. Il fit un nouveau signe de la main et l'Elu avança dans les airs. Sa cheville gauche était au niveau de l'homme. D'un claquement de doigts, il souleva un pan du pantalon de l'Innomé. Aucun signe de l'Obscurité ne figurait sur sa peau.

« Oh ! s'exclama l'enchanteur de l'Obscurité, sarcastique. J'ai donc devant moi un déserteur. »

Sortant son épée de son fourreau, il effleura la cheville gauche de l'Elu de la pointe de son arme. A la surprise générale, un filet de sang noir en coula, formant une lune escortée de quelques chiffres.

« J'avais raison. Déserteur », assena l'enchanteur de l'Obscurité.

Qui fut le plus atterré ? Elfohrys ou l'Innomé ?

« D'après les chiffres, voilà donc deux ans que tu as fui notre armée. »

L'Innomé n'en croyait pas ses oreilles.

« Ah ! Mais je m'en souviens, maintenant, déclara l'enchanteur de l'Obscurité. Ton histoire était connue à une époque. Tes parents étaient morts quelques années plus tôt. Tu vivais chez tes grands-parents, mais tu es parti, une nuit, quittant ton existence banale. Tu as erré de village en village. Nous t'avons recueilli, même si tu n'avais que seize ans. Au bout de quelques mois à peine, tu as déserté. Nous t'avons vite rattrapé. La coutume était de donner la mort à ceux qui fuyaient l'armée. Mais comme tu étais si jeune, nous avons juste effacé ta mémoire. Intégralement. Tu as été épargné. »

D'un geste, il fit retomber l'Innomé à terre. Meurtri, celui-ci se releva, contenant ses larmes de douleur et de désarroi.

L'homme se mit à ricaner bruyamment.

« Normalement, je devrais te tuer. Mais il y a cette maudite grève de la Mort. Donc, je te laisserai vivre ton existence exécrable et insignifiante. »

Vivant, l'Innomé était condamné à porter sa honte. A sa vue, l'espoir s'éteindrait, les regards se détourneraient. Son existence serait une longue errance, dépourvue de sens, dans le déshonneur.

L'enchanteur de l'Obscurité savait qu'une telle vie était bien pire que la mort. Il partit à nouveau d'un rire tonitruant :

« Et tu voulais me faire croire que tu es l'Elu ? »

Puis il fit signe à l'Innomé et Elfohrys de s'en aller. Ils ne purent qu'obéir.

24

Les trois filles n'avaient pas revu l'étrange cavalier. Elles avaient chevauché à travers la campagne sans rencontrer d'obstacle. La journée, elles se contentaient d'avancer en direction des montagnes enneigées et demandaient leur chemin à des créatures aux longs cheveux d'argent. La nuit, elles trouvaient le repos dans des prairies accueillantes. Elles n'avaient plus vu de villes scellées sur leur chemin. Tout alentour paraissait prospère et paisible.

A mesure que les jours passaient, les cultures se raréfiaient, les villages s'espaçaient. Enfin, au bout d'une semaine de voyage, un matin, les trois filles arrivèrent au pied des montagnes au sommet couvert de neiges éternelles. Désormais proches de leur but, elles se demandaient où habitait Oonagh. Heureusement, un vieil homme montant un âne vint à passer.

« Excusez-moi, demanda Ambre, pourriez-vous nous indiquer où trouver Oonagh ?

— J'en reviens, répondit l'homme en dévoilant un sourire édenté. J'ai eu beaucoup de mal à ne pas me faire remarquer par ces maudits rapaces, mais j'ai quand même réussi!

— Comment arrive-t-on jusqu'à lui ? » répéta Ambre.

Le vieil homme désigna une montagne dont le pic se perdait dans les nuages.

« Oonagh habite là-bas, mais pas au sommet de la montagne, rassurez-vous. Il suffit de suivre le chemin qui est déjà tracé. Vous verrez, la seule difficulté réside dans les rapaces. Heureusement, si vous les avez vaincus à l'aller, ils ne se préoccupent plus de vous au retour. »

Les trois filles remercièrent l'homme, puis se dirigèrent vers la montagne qu'il leur avait indiquée. Un sentier permettait de gravir la pente qui n'était pas trop ardue. Elles traversèrent d'abord un bois de feuillus. Le chemin sinueux se faufilait toujours à travers les arbres. Pour l'instant, les rapaces ne se manifestaient pas. Mais, quand la pente devint plus escarpée et que d'imposants conifères remplacèrent l'agréable forêt, les chevaux devinrent nerveux, s'agitèrent et hennirent, paniqués. Ambre essaya de lire les pensées de son cheval. Elle sentit la peur, sans en comprendre la raison. Après maints efforts, elle réussit à entrer en contact avec l'esprit de sa monture.

« Qu'est-ce que tu as ? » demanda-t-elle.

Son cheval ne put répondre que de longues minutes après. Sous l'effet de la terreur, il en oublia ses habitudes et énonça assez distinctement : « Je n'irai pas plus loin. Si je continue, je succomberai aux rapaces. Pars. Moi, j'attendrai ici. »

Ambre comprit qu'il ne servait à rien d'insister. Elle expliqua la situation à Jade et Opale qui se résignèrent à poursuivre le voyage à pied.

« Contentons-nous de prendre l'essentiel avec nous, décida Jade. Les provisions. Le reste, nous reviendrons le chercher plus tard. »

Chacune se chargea d'un petit sac de vivres, puis elles reprirent leur ascension.

Maintenant que le voyage ne s'effectuait plus à cheval, la fatigue se faisait durement sentir. Pourtant, les filles s'autorisèrent le moins de haltes possible. Elles restèrent silencieuses, économisant leur souffle. Jade brûlait de curiosité à mesure qu'elle s'approchait d'Oonagh, et les deux autres partageaient son ardeur. Leur but était quasiment à portée de main et les poussait à redoubler d'efforts. Elles ne pensaient plus qu'à la créature magique, aux révélations qu'elle pourrait leur faire. Ambre se souvint du symbole que leur avaient transmis les pierres, puis de Jean Losserand qui l'avait traduit et les avait envoyées à Oonagh. Elle se rappela tout ce qu'elle avait vécu en si peu de temps, depuis qu'elle avait croisé le chemin de Jade et d'Opale.

Enfin, la nuit tomba sur la forêt de conifères. Jade décréta qu'il était impossible de continuer, sous peine de se perdre. Elles s'installèrent dans une vaste clairière. Au moment d'entamer leur repas, une certaine tension se fit sentir. La forêt, plongée dans l'obscurité, était devenue menaçante, hostile. Ambre crut entendre des cris lointains et terrifiants. Des loups. Elle se mit à trembler. Les ombres s'étendaient de toute part. Ambre s'imagina que des paires d'yeux jaunes scintillaient derrière les arbres qui entouraient la clairière. Ils la fixaient, malveillants, une lueur cruelle dans le regard.

Quand Jade fit tomber de sa besace une pomme, qui roula par terre, Ambre, les nerfs à vif, poussa un cri.

« Calme-toi, lui dit Jade, la voix légèrement tremblante. Tu m'as fait peur !

— Ne t'inquiète pas, tout va bien, Ambre, fit Opale pour la rassurer.

— Et si... et si les rapaces venaient cette nuit, pendant qu'on dort ? » balbutia Ambre.

Cette perspective glaça le sang de Jade. Même Opale se sentit frissonner.

« On ne peut pas se priver de sommeil, remarqua Jade.

— Il ne se passera rien ! » affirma Opale d'une voix moins sûre, cette fois.

Cet échange avait coupé l'appétit des trois filles. Elles s'étendirent, respirèrent profondément, cherchant le sommeil. Rien n'y fit. Une angoisse démesurée avait pris possession d'elles. Le silence était insoutenable. Finalement, Jade leur proposa de discuter, pour se détendre. Opale et Ambre s'empressèrent d'accepter.

La nuit, propice aux confidences, dissimulait les expressions de leurs visages. Les mots leur venaient donc plus facilement. Jade commença à évoquer sa vie au palais de Divulyon. Sans s'en rendre compte, elle oublia, comme les deux autres, son angoisse et avoua la nostalgie et le désarroi qui, parfois, l'habitaient. Ambre raconta pour la première fois la mort de celle qu'elle avait considérée comme sa mère. Elle confia à quel point le récit de Béah Jardun l'avait déstabilisée. Elle narra ensuite en détail comment Janëlle l'avait trahie.

Puis ce fut au tour d'Opale de parler. Jade et Ambre s'attendaient à ce qu'elle se taise. Mais, d'abord hésitante, presque timide, elle retraça l'existence sans surprises qu'elle avait connue et, s'enhardissant, expliqua comment elle goûtait à sa nouvelle existence, en dépit de son air distant. Elle humecta ses lèvres, marqua une pause, et finit par raconter comment elle avait « apprécié » la compagnie d'Adrien.

Jade et Ambre, gentiment, firent semblant d'être surprises.

Lorsque les paupières des trois filles devinrent lourdes, l'angoisse les avait quittées.

A leur insu, cette nuit-là, quelque chose changea. Après avoir ainsi révélé leurs sentiments, elles ne pourraient plus jamais être ennemies. Les pierres, leurs aventures communes les avaient déjà rappro-

chées, mais ce fut cette conversation qui les lia définitivement.

Les trois filles passèrent toute la journée du lendemain dans la vaste forêt de résineux. L'ambiance était
plus détendue qu'à l'ordinaire. Régulièrement, un éclat
de rire troublait le silence des lieux. Jade, Opale et
Ambre se racontaient des anecdotes et s'en amusaient.
Pourtant, leurs courbatures les faisaient souffrir et la
montée continuait d'être éprouvante.

Pour l'instant, l'ascension ne paraissait pas présenter de danger. Ambre finit d'ailleurs par se persuader
que le cri des loups n'était que le fruit de son imagination. Quant aux rapaces, les trois filles en vinrent à se
demander s'ils existaient vraiment...

Ainsi, toute la journée s'écoula paisiblement.

La nuit les trouva dans une clairière, où, vidées de
leurs forces, elles se laissèrent emporter dans le sommeil.

Le lendemain, Opale se réveilla à l'aube. Elle savait
qu'elle avait fait un horrible cauchemar, mais elle
n'arrivait plus à s'en souvenir. Pourtant, la peur la
tenaillait, intacte. Son visage était baigné de larmes et
elle sentait son cœur battre la chamade. Elle mit un
long moment à se ressaisir.

Jade et Ambre ne tardèrent pas à se réveiller. Elles
aussi avaient l'air effrayées.

« Je ne me sens pas bien, murmura Ambre. Mon
ventre est noué ; je frissonne... Et je ne sais pas pourquoi ! »

Jade réfléchit un moment, puis répondit sur un ton fataliste :

« Nous devons nous être rapprochées des rapaces. Amnhor a dit qu'ils émettent des ondes qui provoquent la terreur. Nous devons être encore à une distance raisonnable, puisque nous ne paniquons pas complètement... »

A ces mots, Ambre se sentit défaillir. Elle avait cru qu'elle pourrait affronter les rapaces ; maintenant qu'elle était sur le point d'y être confrontée, sa détermination volait en éclats.

Les trois filles se levèrent en se jetant des regards plein d'appréhension.

« Faisons demi-tour », proposa tout à coup Ambre.

Jade et Opale considérèrent un moment cette proposition tentante, prêtes à y adhérer. Mais Jade finit par soupirer.

« Nous avons fait tant d'effort pour arriver jusqu'ici. Depuis la libération de Nathyrnn jusqu'à aujourd'hui, nous avons risqué plusieurs fois nos vies pour voir Oonagh. Maintenant que nous sommes si proches de notre but, nous ne pouvons pas tout abandonner. »

Les deux autres furent forcées de reconnaître la justesse de ses propos.

« De toute manière, déclara Ambre, nous avons la potion.

— Il ne faut s'en servir qu'en dernier recours », rappela Jade.

Et elles reprirent leur chemin. Cette fois, tremblantes, elles n'arrivaient plus à mener une discussion sensée. Elles progressaient lentement, dévorées par l'image qu'elles se faisaient des prédateurs. Opale gardait dans sa besace la fiole que leur avait donnée Amnhor. Elle l'en sortit, la regarda, rassurée par son contact lisse.

Les minutes leur semblaient s'étirer, comme si le temps s'était figé et que chaque instant apportât davantage d'angoisse que le précédent. Les filles s'attendaient à tout moment à voir les rapaces surgir, fendre l'air et se précipiter sur elles. Pourtant, elles n'en virent aucun.

Quand le soleil fut au zénith, elles sortirent enfin de la forêt. Quelques arbrisseaux remplacèrent les conifères et la montée devint encore plus escarpée. Peu à peu, les arbustes se raréfièrent, pour finalement laisser place à une herbe parsemée de quelques fleurs chétives. Ambre leva anxieusement les yeux au ciel. Eblouie par la clarté du soleil, sphère de feu au milieu d'un océan bleu azur, elle ne vit aucune trace des prédateurs tant redoutés.

Les trois filles sentaient pourtant la peur grandir en elles. Bientôt elles ne pourraient plus supporter cette terreur qui les submergeait. Elles marchèrent encore pendant une heure, mais leurs pas devenaient de plus en plus lents.

Soudain, Ambre aperçut des silhouettes menaçantes sur le ciel clair, leurs larges ailes déployées. Les rapaces s'élevaient très haut, mais on les identifiait facilement. Dès que les trois filles les virent, elles sentirent un tourbillon de peur les envelopper. Pourtant, ils ne semblaient pas s'être aperçus de leur présence, et continuaient à planer dans le ciel.

Mais leur puissance se fit très vite ressentir. Opale réussissait, par miracle, à conserver un certain calme. Tout en frissonnant, elle parvenait à se convaincre qu'elle ne devait pas laisser la peur s'infiltrer en elle.

Jade serra les poings, rejeta fièrement ses cheveux noirs en arrière et s'opposa fermement à la terreur qui l'assaillait. Elle tremblait, son cœur s'agitait tumultueusement, mais elle restait en possession de ses moyens.

Ambre, elle, était tétanisée. Elle ne pouvait s'empêcher d'imaginer les rapaces en train de fondre sur elle pour la dévorer; ses genoux s'entrechoquaient; ses membres étaient parcourus de frissons convulsifs. Elle n'arrivait pas à détacher son regard des rapaces.

« La fiole..., réussit à balbutier Ambre. Il me la faut, Opale... »

Mais Opale ne céda pas. Pour l'instant, les rapaces ne descendaient pas et Amnhor avait recommandé d'utiliser la potion au dernier moment.

Les rapaces descendirent lentement en vol plané. Ils étaient plus d'une cinquantaine, obscurcissant le ciel. A présent, on distinguait leur plumage gris et, surtout, leur taille effrayante. Etaient-ils deux fois ou trois fois plus grands qu'un homme ?

Ambre cria, sûre de vivre son pire cauchemar.

Même Opale se sentit fléchir.

Les rapaces se concentrèrent, unissant leurs forces. Pour vivre, ils se nourrissaient de la peur, il fallait donc que la terreur de leurs proies atteigne son paroxysme. Il existait pour cela un moyen quasi infaillible.

Les trois filles ne mirent pas longtemps à le découvrir. Les rapaces piquèrent et s'arrêtèrent à une dizaine de mètres au-dessus d'elles. Elles étaient déjà incapables d'avancer depuis l'apparition des prédateurs, mais lorsqu'elles aperçurent les longs becs incurvés, les serres crochues et acérées, la panique les submergea.

Le pire restait à venir. Les rapaces réveillèrent les craintes les plus effroyables qui somnolaient en elles, ce qu'elles redoutaient le plus. Désormais, la plupart d'entre eux n'étaient plus qu'à cinq mètres. Leurs yeux perçants reflétaient la concentration, l'avidité, l'attente de la victoire.

L'image d'Adrien agonisant frappa brutalement Opale. Elle crut le voir mourir, le torse en sang, le regard révulsé, sans pouvoir lui parler ou intervenir. La douleur, la colère l'envahirent.

Jade fut confrontée au néant, à l'éternité infinie. Elle vacilla, aveuglée par ce gouffre obscur, sans fond. Puis l'image de son père adoptif, vieux, malade, sur son lit de mort, lui apparut. Des larmes jaillirent de ses yeux quand elle le vit si maigre, si vulnérable. Aussitôt, l'image se brouilla. Puis le Conseil des Douze se matérialisa devant elle, malveillant. Il organisait avec minutie sa mort et envoyait l'armée de l'Obscurité à sa poursuite. Jade se laissait vaincre sans réagir.

Ambre, elle, vit surgir tant d'images, tant de sentiments qu'ils se confondaient tous. Elle sentait qu'il était impossible d'aller au-delà dans l'horreur.

Alors, miraculeusement, elle sentit la peur la quitter. Elle eut la présence d'esprit de se rappeler que les rapaces absorbaient d'abord la terreur de leurs victimes avant de les achever. Elle articula faiblement :
« Opale, la potion ! »

La voix d'Ambre fit sursauter Opale, qui retrouva ses esprits. Elle fouilla nerveusement dans sa besace, trouva la fiole de verre bleu et la lui lança. Ambre l'attrapa vivement. Parcourue d'un spasme de terreur, elle ôta le bouchon et avala une gorgée de liquide. Ses mains tremblaient tellement que le flacon lui échappa, tomba par terre, se brisant en mille morceaux. La gorgée qui restait se perdit dans l'herbe.

Opale jeta un regard désespéré à Ambre. Elle avait réduit à néant leur seule chance de s'en sortir.

L'effet de la potion fut immédiat. Les rapaces sentirent leur proie leur échapper. Tous les sentiments d'Ambre, ses sensations s'effacèrent peu à peu. Elle resta debout, le visage dénué d'expression, observant les alentours avec indifférence. Elle vit les visages convulsés de Jade et Opale. L'idée de les aider ne l'effleura même pas. Elle ne pensa pas à s'en aller, à se réfugier quelque part ; elle ne voyait même pas le danger qui l'entourait.

« Vos pierres ! hurla Opale. Sortez vos pierres ! »

Jade lui obéit machinalement, Ambre aussi, par réflexe. Mais il ne se passa rien, car Ambre n'était plus vraiment vivante, ni humaine. Sans sentiments, elle n'était plus une personne réelle.

Cependant, du fond de sa torpeur, cette dernière aperçut une brèche dans le sol. Elle s'en approcha et constata qu'un sentier praticable s'enfonçait dans les entrailles de la terre. Opale la vit s'engouffrer dans le passage souterrain, les abandonnant. Elle se sentit paniquée, mais elle s'efforça de repousser de toutes ses forces la terreur qui cherchait à la posséder.

Opale dirigea son regard vers Jade. Elle comprit que la peur de la jeune fille avait été absorbée par les rapaces : elle souriait d'un air béat. Un prédateur, resté plus haut que les autres, fondit alors sur Jade à une vitesse stupéfiante. Opale n'hésita pas une seconde. Elle sentit qu'elle triomphait de sa propre peur, qu'elle l'oubliait pour ne penser qu'à Jade. Elle était à quelques pas d'elle et se jeta sur elle pour la sauver des griffes du rapace en la poussant violemment. Toutes deux perdirent l'équilibre et tombèrent. Opale se releva et ordonna à Jade de la suivre. Mais celle-ci ne l'écoutait pas. Elle ne comprenait pas pourquoi il fallait fuir. Opale ne sut jamais comment elle parvint à la soulever dans ses bras.

Le prédateur avait repris un peu d'altitude, comme si cette scène l'amusait et qu'il voulait profiter du spectacle. Mais il ne pouvait se permettre de perdre sa proie. Les autres rapaces demeuraient immobiles, car le seul en droit d'attraper le gibier était leur meneur — les autres se contentaient de provoquer la peur de leurs victimes et de s'en nourrir. Opale avait à peine avancé de quelques pas lorsqu'elle comprit que le rapace allait à nouveau plonger et que, cette fois, il ne se laisserait pas abuser.

Elle n'essaya pas de courir. Elle continua à marcher tout en trébuchant. Elle fit le vide en elle. Elle ne chercha pas le contact tiède de sa pierre. Elle ne compta que sur elle-même, en une tentative désespérée. N'importe qui aurait cru que le rapace allait les emporter, qu'il était vain de lutter. Mais pas Opale. Elle se dit qu'elle n'abandonnerait pas. Elle se concentra en rassemblant toutes ses forces. Les rapaces ne pouvaient pas la vaincre, elle se le répéta en silence avec de plus en plus de conviction. Un espoir fou grandit en elle. Peu à peu, une douce chaleur l'envahit. Elle eut l'impression qu'elle établissait un contact avec sa pierre. Elle sentit les serres cruelles s'enfoncer dans sa peau, la meurtrir, et se vit s'élever très lentement dans les airs. Elle continuait à tenir Jade fermement. Elle n'avait pas peur. Au contraire, un sourire s'épanouissait sur son visage. Ses boucles blondes tournoyaient, elle avait mal, le sang jaillissait de sa peau pâle là où le rapace l'enserrait, mais elle ne s'en souciait pas. Impassible, elle ferma ses yeux d'un bleu plus clair que le ciel, et continua à espérer.

Alors, le rapace commença à perdre de l'altitude. Opale ne réagit pas, ne manifesta aucune joie. Seul l'espoir occupait son cœur. Quand elle rouvrit les yeux, le rapace s'était immobilisé à deux mètres du sol. Très lentement, il relâcha l'étreinte qu'il exerçait sur Opale, à regret. La jeune fille tomba par terre, avec Jade, qui ne réagissait toujours pas.

Dans le ciel, les rapaces disparaissaient peu à peu, blessés par un mal invisible. Jade retrouva ses esprits. Opale lui indiqua la trappe par laquelle s'était échappée Ambre, et elle s'y engagea. Avant de la suivre, Opale jeta un regard calme sur le ciel débarrassé de toute menace et esquissa un sourire.

Puis elle pénétra dans le souterrain, comme si rien ne s'était passé.

25

Jade et Opale avancèrent à tâtons dans le sombre tunnel. A peine eurent-elles franchi quelques mètres qu'elles trébuchèrent sur une forme recroquevillée. Malgré l'obscurité, elles reconnurent Ambre, assise en boule par terre, la tête entre les mains. Ses sanglots se répercutaient dans le souterrain.

« Ambre ! s'exclama Jade. Ça va ? »

Ambre se releva d'un bond.

« Vous êtes là, toutes les deux ! s'écria-t-elle en séchant ses larmes. Je vous ai abandonnées ! Et je vous croyais perdues !

— Pourquoi n'es-tu pas venue nous aider une fois que les effets de la potion ont disparu ? reprocha Jade.

— Je n'ai pas pu, pleurnicha Ambre. Il n'y a que quelques minutes que je suis redevenue moi-même, et j'étais sûre qu'il était déjà trop tard pour vous sauver. Comment êtes-vous arrivées jusqu'ici ? »

Jade entreprit de raconter à Ambre ce qui s'était passé depuis son départ. Opale compléta son récit, sans parvenir à expliquer la fuite des rapaces.

Puis Jade remercia vivement Opale de lui avoir sauvé la vie. Ambre, toujours sous le coup de l'émotion, étreignit les deux filles, soulagée de les avoir retrouvées.

« Et maintenant, où va-t-on ? demanda Jade, soucieuse. Si les rapaces reviennent...

— Souviens-toi qu'ils ne peuvent pas nous attaquer deux fois. Mais je crois qu'on pourrait emprunter ce chemin souterrain, proposa Opale. Il mène sûrement quelque part, et je suis curieuse de savoir où. »

Après un court débat, la décision fut prise de suivre cet avis. Les trois filles, encore un peu troublées par ce qu'elles venaient de vivre, s'enfoncèrent dans les profondeurs de la terre. Etrangement, au lieu de s'obscurcir, le tunnel s'éclairait peu à peu. Elles distinguaient parfaitement ce qui les entourait. La lumière, puissante, surnaturelle, semblait émaner de partout, et non d'une fissure qui aurait laissé filtrer un rai de soleil.

Au bout d'une longue marche, les trois filles tressaillirent, effrayées. Un bruit de pas, qui allait en s'amplifiant, résonnait dans le tunnel. Le cœur battant, elles s'attendaient à voir surgir une créature terrifiante, lorsqu'une petite fille apparut. Elle ne devait pas avoir plus de cinq ans et, bien qu'elle ne fût pas humaine, elle n'en était pas moins attendrissante. Il émanait d'elle une fraîcheur candide. Elle avait une peau d'un bleu très pâle ; sa robe blanche, évasée, laissait ses bras graciles et ses courtes jambes dénudés. D'immenses yeux violines dévoraient son visage grave et innocent ; une cascade de cheveux blonds déferlait sur ses épaules, jusqu'à ses petits pieds nus.

« Bonjour », dit-elle d'une voix cristalline.

Les trois filles lui sourirent.

« Qu'est-ce que tu fais là ? demanda Ambre gentiment. Tu habites ici ? »

La fillette se contenta de rire joyeusement, et son sourire découvrit ses dents d'un blanc éclatant.

« Tu t'appelles comment ? » questionna de nouveau Ambre de sa voix douce.

Mais la petite s'obstina à se taire d'un air désinvolte et mystérieux.

« Nous sommes venues jusqu'ici pour voir Oonagh, dit Jade. Sais-tu si le chemin est encore long ?

— Oonagh, Oonagh, répéta la petite fille avec malice. Je peux vous aider.

— Merci, répondit Ambre. Mais en quoi ?

— Venez, fit l'enfant, je connais Oonagh. Il suffit de me suivre. »

Sur ces mots, l'étrange petite fille partit en gambadant. Sans une hésitation, Jade, Opale et Ambre lui emboîtèrent le pas. Elle chantonnait gaiement un air dont les paroles n'étaient que « Oonagh, Oonagh », comme s'il s'agissait du nom le plus plaisant du monde. Quelquefois, elle jetait des regards amusés aux trois grandes qui la suivaient, curieuses.

Le tunnel se subdivisait à plusieurs reprises, mais la fillette bifurquait avec assurance, empruntant des voies qui lui étaient visiblement familières. Enfin, après plus d'une heure, elles arrivèrent devant un mur peu ordinaire, qui resplendissait de lumière. Jade, Opale et Ambre, aveuglées, entendirent le timbre clair de la petite retentir :

« Entrez dans la lumière, elle ne vous fera pas de mal. »

Et elles crurent l'apercevoir qui passait au travers du mur éclatant.

« Qu'est-ce qu'on fait, maintenant ? s'alarma Ambre.

— Je crois qu'on n'a pas vraiment le choix, dit Jade. Soit on revient sur nos pas et, sans la petite, on risque de se perdre. Soit on essaie de franchir ce seuil. »

Ambre n'eut pas le temps de protester que, déjà, Jade s'avançait et disparaissait dans la lumière. Opale voulut la suivre, mais Ambre la retint :

« Qui sait ce qu'il y a derrière cette porte ? Je crois vraiment qu'il ne faut pas y aller.

— On ne va pas abandonner Jade, rétorqua Opale. Si elle court un danger, alors, justement, nous devons être avec elle. »

Ambre, résignée, s'avança et la lumière l'engloutit en même temps qu'Opale.

Elles traversèrent le mur comme s'il était impalpable. De l'autre côté les attendait un spectacle incroyable. Les murs, tapissés de cristaux multicolores dont les couleurs et la beauté resplendissaient, illuminaient la salle.

Opale et Ambre aperçurent Jade, aussi émerveillée qu'elles.

« C'est d'ici que provient toute la lumière qui éclaire le tunnel », songea Ambre.

Cherchant du regard la fillette qui les avait guidées en ce lieu féerique, les trois filles l'aperçurent derrière un arbre.

« Oonagh, Oonagh, dit-elle en riant. C'est ici qu'elle vit.

— Ah bon! s'exclama Jade, euphorique. Et où est-elle? »

La fillette s'avança vers elle, le regard soudain sérieux :

« C'est moi », répondit-elle simplement.

Il était impossible de mettre en doute ses paroles, tant sa voix était franche et nette. Les trois filles la regardèrent soudain différemment et remarquèrent son expression réfléchie derrière son sourire enfantin. Jade croisa son regard et comprit aussitôt qu'elle ne mentait pas. Dans les grands yeux violines se reflétait un tourbillon d'années, de réflexions, de folie, de sagesse, d'expérience, de bonheur comme de malheur... Jade crut qu'elle allait se perdre dans ce regard qui avait tant vécu ; elle comprit que, sous son apparence frêle et puérile, Oonagh avait vu passer plus de temps qu'elle-même n'en verrait jamais.

« Il était temps que vous veniez à moi, dit la créature magique. Je vous attendais. »

Les cœurs des trois filles battaient la chamade.

« Qui sont nos parents ? questionna brusquement Jade. Pourquoi nous a-t-on chassées de chez nous ? Quel danger nous menace ? Pourquoi le Conseil des Douze nous recherche-t-il ? »

Le feu aux joues, elle s'apprêtait à continuer quand elle croisa le regard paisible d'Oonagh. Elle se tut.

Alors, la voix claire d'Oonagh s'éleva, emplit la salle entière :

« Des ténèbres surgira l'Elu
Pour unifier le Royaume
Et le mener à la lumière
En Roi qui ne doit pas régner
Sacré au nom du Don.
Trois pierres, trois jeunes filles.
Une découvrira le Don
Une reconnaîtra le Roi
Une convaincra les deux autres de mourir
De trois pierres il ne restera qu'un destin.

Les gens murmurent ce passage de *La Prophétie* depuis des siècles, ajouta Oonagh. On vous a attendues patiemment. Votre destin est tracé. Seule son issue est incertaine. »

Un frisson parcourut les trois filles.

« Je n'y comprends rien, murmura Ambre.

– *Une convaincra les deux autres de mourir*, s'affola Jade. Ça veut dire quoi, ça? Qu'une de nous va pousser les autres à se tuer? »

Troublée par ses propres paroles, Jade s'interrompit. Un silence pesant s'établit dans la salle. Ainsi, c'était pour cette raison qu'elles devaient être ennemies : l'une d'elles trahirait les autres et les pousserait à la mort...

« Quelle horreur! s'exclama Jade. Ça ne peut pas être vrai!

– Aucune de nous ne ferait ça », renchérit Ambre. Oonagh resta muette.

« Qui est l'Elu? demanda Opale pour changer de sujet.

– D'ici moins de deux semaines, le jour du solstice d'été, un immense combat aura lieu, dit Oonagh, éludant la question. Néophileus en avait fixé la date. Le mal et le bien vont s'affronter dans les plaines du Dehors, devant le champ magnétique du Conte de Fées. D'un côté, il y aura l'armée de l'Obscurité, avec le Conseil des Douze et les chevaliers de l'Ordre, de l'autre, l'armée de la Lumière.

– Qui fait partie de cette armée? interrogea Ambre.

– Tous ceux qui veulent lutter pour la liberté. Des chevaliers, des hommes, des créatures... L'armée de la Lumière est en train de se rassembler. Mais jamais elle ne pourra combattre si l'Elu n'apparaît pas. C'est à lui de la mener à la victoire, de donner sa vie s'il le faut dans la bataille. Or voilà : l'Elu n'est toujours pas arrivé. Personne ne sait qui il est, peut-être lui-même ne le sait-il pas... Vous devez aller au palais d'Yrianz de Myrnehl. Une partie de l'armée de la Lumière y attend l'Elu. Il est dit dans *La Prophétie* qu'une de vous le reconnaîtra. Peut-être sera-t-il là-bas. Sinon, cherchez-le, trouvez-le !

— Et comment arriver jusqu'à ce palais ? questionna Jade.

— Ne vous inquiétez pas. Un homme de confiance vous y guidera. Son nom est Rokcdär. C'est un des conseillers de la Mort. »

Les trois filles échangèrent des regards étonnés.

« Il faut que vous alliez voir la Mort, lâcha Oonagh. Elle doit cesser sa grève afin que la bataille puisse avoir lieu. Vous seules êtes capables de raisonner cette créature entêtée. »

Tandis qu'Oonagh partait chercher un objet dans un recoin de la salle, les trois filles, éberluées, s'inquiétèrent. Aller voir la Mort ? La raisonner ? Comment y parvenir sans encombre ? Oonagh revint vers elles et leur tendit une carte afin qu'elles puissent s'orienter jusqu'au sombre pays de la Mort.

Soudain, Jade prit la parole d'une voix étrangement grave :

« Toute cette histoire d'Elu, de bataille, c'est bien beau, mais je veux savoir ce que moi, j'ai à faire dans tout ça. Je veux savoir qui je suis.

— Vous êtes les trois pierres de *La Prophétie,* expliqua Oonagh. Vous êtes celles qui feront basculer le monde du côté du mal ou du bien. Pendant que les deux armées s'affronteront, vous irez à Thaar, la cité des Origines. Là-bas, de votre côté, vous livrerez l'ultime combat.

— Et c'est aussi là-bas que l'une de nous mènera les autres à la mort ? demanda Jade d'un ton agressif. J'en ai assez ! Pourquoi irais-je voir la Mort, puis chercher l'Elu ? Pourquoi aller à Thaar livrer " l'ultime combat ", ce qui signifie, en gros, se faire massacrer ? Pourquoi ne rentrerais-je pas chez moi, hein ? Qu'est-ce qui m'oblige à risquer ma vie ? Je ne veux plus avoir peur. Je ne veux plus me poser des questions sans réponses ! »

Elle s'interrompit, reprit son souffle.

« Maintenant, dit-elle plus doucement, dites-moi ce qui m'empêcherait de retourner tranquillement dans mon palais, de revoir mon père, de vivre enfin en paix.

— Jade, l'armée de la Lumière a besoin de vous trois pour gagner son combat. Si vous ne luttez même pas, le mal va l'emporter.

— Et alors ? Ça ne me regarde pas !

— Tu *dois* aller à Thaar, poursuivit Oonagh. Parce que tes parents se sont sacrifiés pour toi. Parce qu'ils savaient qu'un jour tu lutterais contre l'Obscurité et qu'ils ont donné leur vie pour te protéger. Tu n'as pas le droit de les trahir.

— Ils sont morts ? cria Jade. Ils sont morts !

— Ils t'ont mise en sécurité avant d'être tués par l'armée de l'Obscurité, ou le Conseil des Douze. Par le mal.

— Mais qui étaient-ils ? Comment s'appelaient-ils ?

— En quoi cela t'aiderait-il de le savoir ? Tu ne dois pas vivre dans le passé. Ne souffre pas pour ce qui est irrémédiable. Consacre ton énergie à ce que tu peux encore changer. Tu n'as pas le droit de renoncer à combattre.

— Et mes parents ? demanda Opale tout à coup.

— Je suis désolée, murmura Oonagh. Ils n'ont pas été épargnés. Ils ont été obligés de fuir pour te cacher. L'armée de l'Obscurité et le Conseil étaient très puissants, ils les pourchassaient. Tes parents n'ont pas pu leur échapper. Ils avaient deviné quel serait leur sort. C'est pourquoi ils t'ont confiée à des gens en qui ils avaient toute confiance.

— Depuis tout à l'heure, vous ne répondez pas à ma question, intervint Jade. Qui sommes-nous ? Pourquoi avons-nous tant d'ennemis ?

— L'Elu, et vous... êtes les enchanteurs de la Lumière », expliqua Oonagh gravement.

Un profond silence succéda à cet aveu.

« Ah ! dit enfin Jade. Et ça nous avance à quoi ?

— Ecoutez-moi. Quand vous êtes nées, vous serriez déjà vos pierres dans vos poings. Ces pierres vous confèrent un pouvoir considérable, mais elles n'appartiennent qu'à vous, elles font partie de vous. Jusqu'à vos quatorze ans, votre Don sommeillait en vous. Il n'était pas encore prêt à se réveiller. Il était essentiel que vous ne le découvriez pas trop tôt et, surtout, que vous le découvriez ensemble. Seules, vous êtes vulnérables et votre Don ne vous sert à rien. »

Opale toussota. Elle avait trouvé sa pierre avant l'heure, mais elle n'avait jamais pensé que cela pouvait avoir des conséquences. Oonagh fronça les sourcils.

« Opale, ton cœur me révèle ce que tu cherches à cacher. C'est mauvais, ce que je découvre, très mauvais. Si tu as trouvé ta pierre trop tôt, tu as sûrement éveillé l'attention du Conseil des Douze... Il a peut-être eu accès à ton esprit par télépathie. » Oonagh soupira bruyamment. « Tant pis. Ce qui est fait, est fait ! Je disais donc que depuis le jour de vos quatorze ans, votre Don s'est développé. Cependant, il vous fallait traverser quantité d'épreuves pour le forger ; arriver jusqu'à moi était la dernière étape nécessaire à ce qu'il gagne sa plénitude. Mais si vous aviez découvert votre rôle trop tôt, pendant une de ces péripéties, votre pouvoir aurait cessé de croître.

— Alors, si on nous a chassées de chez nous, résuma Jade, c'est parce qu'à l'âge de quatorze ans notre soi-disant Don allait se manifester, et qu'il fallait qu'on soit ensemble pour le découvrir ? Et ensuite on devait vivre une aventure terrifiante pour finalement choisir le destin du monde ? Vous ne trouvez pas que c'est un peu trop pour nous trois ? Surtout que la fin ne s'annonce pas très gaie, si deux d'entre nous doivent mourir.

— C'est ainsi, dit Oonagh.

— Mais enfin, hurla Jade, vous nous prenez pour des folles ? On ne va pas aller délibérément se faire tuer à Thaar !

« – Avez-vous le choix ? Rentre chez toi si tu veux, de toute façon le Conseil ou l'armée de l'Obscurité te rattrapera et te tuera. Toutes les trois, vous êtes capables de changer beaucoup de choses. A vous de décider si ça en vaut la peine ou non. Mais sache, Jade, que si tu renonces à aller à Thaar et que tu survis, tu ne seras peut-être pas détestée des autres, mais tu te haïras toi-même. »

Jade ne put rien ajouter. Elle savait que les paroles d'Oonagh étaient vraies, mais elle essayait de se persuader du contraire.

« Et notre fameux Don, c'est quoi ? demanda Opale.

– *Une découvrira le Don*, répondit Oonagh. Ce sont les termes de Néophileus. Il ne m'appartient pas de vous dévoiler ce que l'une de vous doit comprendre. »

Malgré l'avalanche de questions des trois filles, Oonagh ne dit plus un mot. Elle avait repris son sourire indolent de petite fille. Elle se mit à chantonner :

« Des ténèbres surgira l'Elu
Pour unifier le Royaume
Et le mener à la lumière
En Roi qui ne doit pas régner
Sacré au nom du Don.
Trois pierres, trois jeunes filles.
Une découvrira le Don
Une reconnaîtra le Roi

Une convaincra les deux autres de mourir
De trois pierres il ne restera qu'un destin. »

Alors, Jade, Opale et Ambre comprirent qu'Oonagh ne leur parlerait plus et, mues par une volonté commune, elles franchirent en sens inverse le mur de lumière qui les ramenait vers leur destin.

Paris, 2002

Je m'étais réveillée, haletante, bouleversée par la nuit agitée que j'avais passée. Je me rappelais en détail les révélations de la créature magique aux yeux violines, et les émotions de Jade, Opale et Ambre me submergeaient, comme si je les avais moi-même vécues.

De nouveau, mon rêve s'interrompait, me ramenant douloureusement dans mon univers sombre et froid. Je me souviens d'avoir pleuré, révoltée par l'injustice que je vivais, par ce rêve qui n'épousait toujours pas les formes de ma désespérante réalité. Mes souvenirs choisirent ce moment pour refaire surface, trompeurs et désolants derrière leur apparence dorée.

Cette fois, j'étais trop désemparée pour les repousser. Ils m'envahirent, scintillants d'une gaieté amère. Je me vis, Joa. Je me rappelais à quel point on avait admiré la fille exubérante que j'avais été. J'étais riche, prétentieuse ; mes vêtements faisaient pâlir d'envie toutes celles qui croisaient mon chemin. On tolérait mes caprices, on les interprétait comme des ordres que je lançais aux autres. Joa avait un caractère exécrable, mais je la savais aussi bien plus sensible qu'elle ne le laissait paraître. Je me souvenais nettement des regards fascinés qui accompagnaient mes gestes les plus désinvoltes, mais aussi des moqueries que de rares autres proféraient à mon égard. Alors, je me réfugiais dans un coin obscur, et je pleurais en silence. Au fond, j'étais fragile, même si je le dissimulais avec soin. J'aimais m'amuser, rire aux dépens des autres, et il est vrai que j'étais loin d'être réfléchie et mature. Mais parfois il m'arrivait, à travers ma légèreté, de penser gravement, de me montrer attentionnée. Je n'étais pas que vitalité ; au contraire, mon cœur était tendre. Je ne me montrais émotive que lorsque j'étais loin des regards, loin de l'effervescence que je suscitais.

J'avais cru au bonheur éternel. Les amies qui m'entouraient me paraissaient sincères et attachées à moi. Mais leurs sourires n'étaient que miel et apparence. Lorsque ma maladie avait détruit ma vie parfaite, je m'attendais à être soutenue et entourée. Pourtant, tout le monde a lâchement fui. Quel intérêt présentais-je, étendue sur mon lit d'hôpital, les traits ravagés par le mal qui me rongeait ? Seuls mes parents continuèrent à prendre soin de moi, mais la vie jugea que même cette consolation était superflue, et un accident les fit également disparaître de mon univers. Que mes amis soient partis, j'arrivai peu à peu à le concevoir et à l'accepter. Mais, parmi eux, lui aussi a disparu, lui que j'aimais, et qui m'aimait. Je ne savais pas ce qu'aimer voulait dire. Mais cela ne m'empêchait pas de tenir à lui, de l'aimer à ma manière, avec mon insouciance d'alors. Il avait des traits semblables à l'Elu de mon rêve, mais, comme lui, il n'était qu'un déserteur, un traître qui prétendait à la lumière quand il ne servait que l'obscurité. Il m'a rendu visite une fois, une seule, puis il s'est enfui pour ne plus jamais revenir. Et cela, il m'est toujours impossible de l'accepter.

26

L'Innomé chevauchait au côté d'Elfohrys, accablé par l'effroyable nouvelle qu'il venait d'apprendre. Il n'arrivait pas à comprendre comment il avait pu livrer son âme au mal. Aussi loin que remontaient ses souvenirs, il avait toujours considéré l'Obscurité comme un ennemi redoutable, mais répugnant. Et pourtant, il avait fait partie des ténèbres ! Le signe de la sombre armée avait orné sa cheville gauche, et son sang continuait à couler, dessinant avec netteté la forme de la lune surmontée de chiffres. L'enchanteur de l'Obscurité ne lui avait pas menti, aussi viles que soient ses intentions. Désormais, il regrettait les jours où il s'interrogeait vainement sur son passé. Il savait que la certitude d'avoir servi le mal le tourmenterait à l'infini.

Désespéré par la révélation de l'enchanteur de l'Obscurité, Elfohrys n'adressa plus la parole à l'Innomé pendant des jours. Ils continuèrent leur route, abattus et silencieux. Finalement, au bout du troisième jour passé à chevaucher tristement, à la tombée de la nuit, Elfohrys se décida à parler :

« Comment est-il possible que tu sois un soldat de l'Obscurité, toi que j'ai considéré comme un ami, et que tu aies du sang d'innocents sur les mains ? »

L'Innomé ne répondit pas. Dans le regard oblique qu'il lança à Elfohrys se lisait toute sa détresse. La voix de la créature magique s'adoucit un peu :

« Je sais que tu ne te souviens de rien, mais moi, j'ai cru en toi ! J'étais persuadé que tu étais l'Elu ! Tu as détruit des vies quand tu prétendais vouloir en sauver ! Comment pourrais-je me dire que tu as changé, que ton âme noyée dans l'obscurité a fini par être inondée de lumière ? »

L'Innomé soutint le regard accusateur d'Elfohrys, qui poursuivit :

« A quoi bon maintenant aller trouver Oonagh pour qu'elle lise dans ton cœur cruel ? Je crois qu'ici nos routes se séparent, et j'espère n'entendre plus jamais parler de toi. Si un jour je croise ton chemin de nouveau, j'espère que ton image se sera déjà effacée de mes souvenirs ! »

Sur ces mots, Elfohrys fit demi-tour et voulut s'élancer au galop. Mais l'Innomé cria son nom d'une voix rauque et lui dit :

« Avant de te décevoir, je me suis trahi moi-même. Je n'ai jamais pensé avoir servi l'Obscurité. Comment j'ai pu en arriver là, je l'ignore, mais je peux t'assurer qu'aujourd'hui je préférerais mourir plutôt que de rejoindre l'armée ténébreuse. Je ne sais pas si mon âme est subitement passée du mal au bien, mais le sang qui macule mes mains m'affecte au-delà de la souffrance que j'avais imaginée possible. »

En entendant ces paroles, Elfohrys fit volte-face. Il sonda de son regard doré les yeux bleu saphir de l'hovalyn. Derrière leur immense mélancolie se lisaient toujours force et noblesse.

« En admettant que ce soit vrai, répliqua sèchement Elfohrys, pourquoi devrais-je te suivre ? Tu n'es pas l'Elu, et je dois continuer à le chercher. Il m'est impossible de rester auprès de toi sans penser aux atrocités dont tu dois être coupable. Tu es un assassin et je ne peux l'oublier !

— Ainsi, selon toi, je dois porter le poids de mes crimes jusqu'à ma mort ?

— Tu mérites même de périr !

— Mais je suis devenu quelqu'un d'autre, s'enflamma l'hovalyn. Je ne vais pas me laisser hanter par mon passé toute ma vie ! J'ai des remords ; je regrette ce que j'ai fait, même si je ne m'en souviens pas. N'aurai-je donc jamais le droit d'effacer mes fautes ?

— Est-ce que tes regrets feront revenir ceux qui t'ont supplié de leur laisser la vie ? rétorqua méchamment Elfohrys. Un homme ne change pas du jour au lendemain, et les morts que tu as causées appellent ta propre mort !

— Devrai-je donc souffrir toute ma vie ?

— Ce ne serait que justice ! »

L'Innomé se retrouva seul, hagard, livré à son désarroi. Il chevaucha ainsi pendant une heure. Enfin, la forme d'un élégant manoir se dressa dans les ténèbres. Il décida d'y faire halte. Il descendit de son cheval et frappa à la porte. Presque aussitôt, une femme joviale et replète lui ouvrit.

« Je vous demande humblement l'hospitalité, dit-il. Je suis un hovalyn égaré et sans pain.

— Soyez le bienvenu ! s'exclama la femme. Par une nuit aussi obscure, dormir dehors serait imprudent. Entrez donc, prenez place à table, pendant que je mène votre cheval à l'écurie. »

L'Innomé la remercia et se sentit un peu apaisé par l'atmosphère chaleureuse qui régnait dans le manoir. Il suivit un couloir, observa avec attention les portraits qui ornaient les murs blancs, puis il entendit une clameur joyeuse qui semblait provenir d'une salle et, se guidant au son, il fit irruption dans une vaste pièce où se tenait un banquet animé. Une cinquantaine de personnes riaient, discutaient, pendant que des domestiques leur servaient des plats appétissants. Lorsque les convives aperçurent l'Innomé, ils se turent peu à peu. Finalement, un homme au visage rond et sympathique, vêtu avec simplicité, se leva. Il s'exclama avec bonhomie :

« Voici un invité impromptu ! Je me présente : Tivann de l'Orleys. Bienvenue à toi, viens donc prendre place parmi nous. N'es-tu pas un hovalyn ?

— Si, répondit l'Innomé.

– Voilà qui est intéressant. Approche, assieds-toi et parlons un peu!»

L'Innomé prit place au côté de Tivann de l'Orleys et se servit à manger. Dans cette ambiance détendue, il essaya d'oublier ses tracas.

« Ainsi, tu es un hovalyn? répéta l'homme qui, visiblement, était le propriétaire du manoir.

– Oui, répondit à nouveau le jeune chevalier.

– Vois-tu, nous avons ici un objet qui attirera sûrement ton attention, poursuivit Tivann sur un ton mystérieux. Il s'est transmis dans ma famille de père en fils... C'est une bague enchantée, qui n'a rien d'original, à part... » Tivann de l'Orleys s'interrompit, ménageant son effet. Puis, baissant la voix : «*A part qu'elle est capable de...* » Mais l'homme parut se ressaisir d'un coup, et se tut. « Tu l'apprendras demain matin », conclut-il.

L'Innomé, intrigué, acheva son repas en silence tout en observant les convives qui l'entouraient. En face de lui était assise une jeune fille fragile et délicate. Elle était vêtue avec plus de soin que le reste des hôtes ; elle portait une longue robe bleu ciel qui moulait gracieusement son corps. Son visage blême était éclairé par ses yeux d'un vert très clair, quasi irréel ; ses lèvres minces s'épanouissaient en un sourire vague. Son regard croisa celui de l'Innomé. Elle l'examina avec attention, lui sourit.

« C'est ma fille, Orlaith, déclara le maître du manoir à l'hovalyn. De tous mes enfants, elle est la plus jeune, la plus sensible. Elle fait ma fierté comme mon déses-poir. Car la tradition ancestrale dit que sa main revien-dra à celui qui est destiné à posséder la bague enchantée dont je t'ai parlé, sauf s'il n'accepte pas ma fille pour épouse. Ce qui m'étonnerait vraiment. Orlaith est une perle. »

L'Innomé se tut, ne sachant que répondre. Lorsqu'il eut fini de manger, il confia à Tivann de l'Orleys qu'il était très fatigué. Compréhensif, ce der-nier le fit conduire jusqu'à sa chambre. L'Innomé se vêtit d'une chemise de nuit laissée à son intention, s'étendit sur le lit, huma l'odeur des draps frais. Il enfouit la tête dans un oreiller de plumes et chercha le sommeil, mais il dut attendre des heures que ses tour-ments lui accordent le repos. Il rêva de Tivann de l'Orleys qui ne cessait de répéter : « C'est une bague enchantée, elle est capable de... C'est une bague enchantée, elle est... » Puis le visage d'Orlaith s'imposa dans son rêve, pendant que Tivann énonçait : « C'est une perle... »

A l'aube, l'Innomé fut tiré du sommeil par deux bras vigoureux qui le secouaient vivement. Il ouvrit les yeux et aperçut le visage de Tivann de l'Orleys penché sur lui.

« Hâte-toi, hovalyn, dit-il avec entrain. D'ici une dizaine de minutes, on t'attend dans la salle où nous avons dîné hier soir. »

L'Innomé s'habilla prestement. Il sortit son épée enchantée et tenta de l'enfoncer dans son cœur : il ne pouvait pas supporter le poids de son passé. Mais la curiosité le sauva. Il rengaina la lame et se dirigea en hâte vers la pièce où Tivann l'attendait. Qu'allait-il lui révéler ? Etait-ce au sujet de l'étrange bague dont il lui avait parlé ?

Quand il arriva dans la vaste salle, l'Innomé ne put réprimer sa surprise : tout autour de la table en bois rectangulaire se tenaient debout son hôte et de nombreuses personnes, humaines ou créatures magiques. Certains portaient d'encombrantes armures, d'autres arboraient les cicatrices de blessures de guerre. Tous avaient la même expression solennelle et portaient une épée au fourreau. L'Innomé sut aussitôt que cette assemblée se composait d'hovalyns. Il remarqua que la belle Orlaith de l'Orleys était là aussi et qu'elle paraissait encore plus fragile et féerique au milieu de ces hommes à l'allure de soldats.

Sur un signe de Tivann, l'Innomé s'avança et prit place. Il se demandait à quel événement il allait assister. Il ne tarda pas à l'apprendre. Tivann de l'Orleys, la mine réjouie, déclara de sa voix chaude :

« Mes amis, notre assemblée réunit le nombre exact d'hovalyns nécessaire à perpétuer l'antique coutume qui se transmet dans ce manoir. Chacun d'entre vous aura la possibilité d'essayer la bague enchantée que j'ai en ma possession, mais je dois vous rappeler que c'est une entreprise très périlleuse. » Après une pause, il reprit : « Depuis des siècles, lorsqu'un volontaire se propose d'essayer la bague de l'Orleys, la tradition veut qu'une réunion de plusieurs hovalyns se tienne, selon des rites précis. Aujourd'hui, le jeune courageux qui se risquera à passer la bague en premier est Arthur de Farrières. »

Un jeune hovalyn à l'air suffisant se rengorgea.

« S'il réussit, poursuivit Tivann, il obtiendra la main de ma fille, ainsi que mon estime. S'il échoue, tout autre volontaire qui siège autour de cette table pourra également tenter sa chance. »

L'Innomé, de plus en plus intrigué, observait attentivement Tivann, qui se racla la gorge et fit un signe à sa fille. Orlaith plongea la main dans son décolleté et en tira une chaîne d'argent au bout de laquelle scintillait une bague.

« Seule Orlaith peut porter ce bijou contre sa chair sans subir d'atroces brûlures, déclara Tivann. Selon la tradition, seule la plus pure des filles de l'Orleys a le privilège de garder la bague... » Puis, jetant un regard à Arthur de Farrières qui le soutint, fanfaronnant : « Hovalyn, es-tu résolu à passer cette bague envoûtée par des enchanteurs en des temps immémoriaux ? Acceptes-tu les risques que tu encours ? Pèse ta réponse car, une fois que tu l'auras énoncée devant cette assemblée, elle sera irréversible.

— Je l'assume », répondit Arthur de Farrières avec un sourire plein d'orgueil à l'adresse d'Orlaith qui détourna les yeux, effarouchée.

« Bien. Avant de commencer l'épreuve, je vais éclairer les rares hovalyns parmi vous qui ne sont pas encore avertis de la propriété de la bague de l'Orleys. En elle réside un sortilège puissant ; elle sait distinguer les âmes noircies par le mal des cœurs purs qui n'œuvrent que pour le bien. Plus l'obscurité dévore un homme, plus la bague se montre impitoyable envers lui, car elle ne tolère que l'innocence et la justice. Mais, même si un homme honnête, à l'existence irréprochable, ose passer à son doigt ce bijou, il est fort possible qu'il subisse de fâcheuses conséquences. C'est pourquoi il faut mûrement réfléchir avant de se mesurer à la bague de l'Orleys. » Une ombre mystérieuse voila le regard de Tivann. « La bague a été forgée pour une seule tâche : reconnaître celui qu'elle attend depuis des siècles. Une fois qu'elle aura accompli son devoir, elle disparaîtra. *C'est une bague enchantée, elle est capable de trouver l'Elu.* »

L'Innomé se sentit frissonner. Il voulut s'enfuir de la pièce, mais ses jambes se dérobèrent sous lui, sa vision se brouilla. Il se reprit, et sa faiblesse passa inaperçue.

Orlaith défit la chaîne d'argent de son cou et posa la bague dans sa paume blanche.

« Depuis toujours, je sais que je suis l'Elu, décréta Arthur de Farrières. Je ne me suis jamais considéré comme un simple hovalyn. Cette épreuve ne m'effraie nullement. »

Orlaith glissa la bague au doigt d'Arthur. Celle-ci, un anneau d'or blanc habilement ciselé, ne tarda pas à se liquéfier en un tourbillon qui se mit à tournoyer autour du doigt de l'hovalyn. Le visage du chevalier exprimait une frayeur croissante; ses yeux, exorbités, trahissaient la douleur qu'il éprouvait. La bague se transforma peu à peu en flammes d'argent aux reflets nacrés. Les traits ravagés de souffrance, l'hovalyn cria tout en secouant sa main :

« Enlevez-moi cette bague! Je ne peux plus la supporter! Pitié! Je vous en supplie, aidez-moi!

— C'est impossible », murmura Tivann, déçu.

Les flammes maléfiques continuèrent à se multiplier, léchant avidement sa main. Bientôt, des lambeaux de chair calcinée se détachèrent du doigt mutilé. L'Innomé était fasciné par ce spectacle; la répulsion l'envahissait, mais il ne pouvait en détacher ses yeux.

« Rares sont ceux que la bague de l'Orleys punit avec autant de cruauté », soupira Tivann.

Finalement, la torture cessa. Le doigt de l'hovalyn s'émietta en cendres noirâtres. La bague, aussi lisse que lorsqu'elle pendait au cou d'Orlaith, tomba sur le sol avec un bruit clair. La jeune fille s'empressa de la ramasser. Arthur de Farrières regagna sa place en grimaçant de douleur.

« A présent, dit Tivann de l'Orleys, quelqu'un d'autre veut-il se risquer à essayer la bague? »

Le silence régna sur l'assemblée d'hovalyns. Un homme au visage dur prit la parole :

« Moi, je veux tenter ma chance.

— Si telle est ton envie, approuva Tivann. Tu as,

Gohral Keull, beaucoup de mérite, et si tu n'es pas l'Elu, alors personne n'est digne de l'être. »

Gohral Keull garda une expression impassible. Il tendit sa main, entaillée de nombreuses cicatrices, à Orlaith. L'ignoble phénomène se répéta. Les flammes entourèrent son doigt en une ronde frénétique. Gohral Keull n'émit aucun cri; au contraire, il resta de marbre, comme si la souffrance qu'il endurait était sans importance. Seul son regard sombre laissa transparaître une ombre de douleur. Bientôt, l'anneau tinta sur le sol. Orlaith le ramassa prestement. Cependant, tous les hovalyns regardaient, stupéfaits, le chevalier : le doigt qu'avaient enserré les flammes de la bague de l'Orleys, le doigt de Gohral Keull était intact.

« La bague a jugé que, même si tu n'es pas l'Elu, tu es tout de même un homme de valeur », expliqua Tivann de l'Orleys.

Gohral Keull n'eut aucune réaction devant ce compliment.

« Y a-t-il un autre volontaire pour essayer la bague de l'Orleys? demanda Tivann, certain que plus personne ne se présenterait.

— Oui, moi, déclara soudain l'Innomé, se surprenant lui-même.

— Toi? Voyons, tu es encore bien trop jeune! Quel est ton nom?

— Je n'en ai pas », répondit l'hovalyn, amusé par cette question qui lui avait pourtant toujours paru funeste.

Un murmure parcourut l'assemblée.

« L'Innomé, murmura avec dédain Arthur de Farrières. C'est donc vous ! Et vous prétendez être l'Elu !

— Non, rétorqua l'Innomé. Je veux juste savoir si j'ai en moi le mal ou le bien. »

Les yeux de Gohral Keull se plissèrent durement. Tivann, déconcerté, répondit :

« Innomé, je ne peux, selon la coutume, te refuser ta chance. Mais si j'étais toi, je retirerais mon engagement.

— Je le maintiens », répliqua le jeune hovalyn avec assurance.

Il se dirigea vers Orlaith. Les chevaliers qui croisèrent son regard durent admettre qu'il reflétait puissance et détermination. L'Innomé posa sa main aux doigts longs et agiles dans la paume glacée d'Orlaith. Il observa la bague. Elle était simple, mais belle. A première vue, on la croyait uniquement faite d'or blanc mais, de plus près, on s'apercevait que sa texture lisse, brillante, était incrustée de minuscules diamants. Orlaith la fit lentement glisser au doigt de l'Innomé et lui adressa un regard d'encouragement.

La bague de l'Orleys se transforma en un liquide argenté qui coula de plus en plus vite autour du doigt de l'hovalyn. Il parvint à contenir un gémissement. Pourtant, la douleur se faisait cuisante, cruelle. Bientôt, des flammes argentées meurtrirent impitoyablement sa chair. Il voulut crier, crut s'évanouir, mais il résista, droit, réprimant sa faiblesse, malgré l'odeur de chair brûlée qui se répandait dans l'air.

Les hovalyns le considéraient avec commisération. Pour lui, la torture dura encore plus longtemps que pour Arthur de Farrières et Gohral Keull réunis. L'Innomé se força à garder la tête haute, sans accorder un regard à son doigt blessé. Il avait la confirmation de ce qu'il refusait d'admettre : la douleur avait été si forte, si insurmontable, qu'il était certain que la bague de l'Orleys avait vu le mal en lui et cherché à le punir.

Il sentait les yeux des hovalyns fixés sur lui sans oser affronter leurs regards. Un murmure s'éleva dans le silence et fut suivi de nombreux autres, que l'Innomé interpréta comme des remarques acerbes sur son compte. Il prit la parole, la voix pleine d'amertume :

« Vous aviez raison ; j'ai échoué, et le mal emplit mon cœur. La bague de l'Orleys a confirmé vos pensées. Qu'Orlaith ramasse donc cet anneau et le passe au doigt d'un autre, mais oubliez-moi, oubliez la défaite que je viens d'essuyer, oubliez jusqu'à mon visage... »

Il ne savait plus ce qu'il disait. Par chance, ces propos, prononcés à voix basse, n'avaient été entendus par personne. Il chercha des yeux la bague sur le sol, elle ne s'y trouvait pas. Il scruta chaque recoin de la pièce, à la recherche de l'éclat argenté. En vain. Alors il se risqua à jeter un coup d'œil hésitant à sa main meurtrie.

Elle était vierge de toute blessure.

Orlaith lui sourit, rayonnante. Les chevaliers l'observaient avec admiration et humilité, même si certains lui jetaient des regards envieux.

« Innomé, cela ne fait aucun doute, déclara Tivann de l'Orleys, ému aux larmes. Tu es l'Elu, celui que nous avons tous rêvé de voir un jour ! »

Sur ces mots, l'assemblée fit une ovation magistrale en l'honneur de l'Innomé, toujours incrédule.

Etait-il bien celui dont le seul nom, l'Elu, faisait palpiter l'espoir au fond du cœur du monde ?

27

Troublées par les révélations d'Oonagh, les trois filles étaient revenues sur leurs pas pour retrouver leurs chevaux. Ambre et Opale étaient soucieuses. Savoir qu'elles avaient tant d'importance les effarait et les fascinait tout à la fois. Quant à Jade, trop bouleversée par l'entrevue avec Oonagh, elle ne savait pas ce qu'elle ressentait. Elle s'était d'abord révoltée contre un avenir si sombre. Ces nouvelles responsabilités pesaient trop lourd sur ses épaules. Mais elle devait aller jusqu'au bout. Si on l'attendait depuis des siècles... elle ne pouvait pas tout abandonner maintenant. Pourtant, comment accepter d'aller droit au péril en connaissance de cause ? Jade, sans se l'avouer, était transie de peur.

« Je jure, dit-elle tout à coup, que je ne vous trahirai jamais. La Prophétie est sûrement fausse. Jamais l'une de nous ne poussera les autres à mourir. Jamais !

– Je jure, répéta Ambre gravement, que je ne ferai jamais une chose pareille. Plutôt mourir que vous tuer !

– Je le jure aussi, fit Opale. Ce Néophileus s'est trompé. Ça fait des siècles qu'il est mort. On n'a aucune raison de faire tout ce qu'il a dit ! »

Jade et Ambre sourirent, mais l'angoisse les tenaillait encore.

« Je ne peux pas y croire, murmura Jade. Ce qui nous arrive, c'est si...

– Etrange, imprévu, inimaginable, compléta Ambre, songeuse. Et dire que nous allons voir la Mort !

– C'est terrifiant, dit Jade, mais si excitant à la fois.

– En plus, des centaines de gens vont avoir le regard rivé sur nous, déclara Opale, pensive. Oonagh a affirmé que nous sommes attendues depuis des siècles !

– J'ai peur, confia Ambre soudain. Comment peut-on nous demander de choisir le destin du monde ? C'est insensé. J'aimerais tant faire comme si je ne savais rien et retourner chez moi, vivre une existence normale.

– Moi aussi. Je ne veux pas, je ne peux pas aller à Thaar... en sachant ce qui nous y attend. Mais je sais que j'y suis obligée, répondit lourdement Opale.

– Alors, si tu y vas... j'irai aussi, promit Ambre.

– Et moi aussi, déclara Jade avec gravité. Il faut qu'on reste ensemble. Impossible de deviner quelle horreur nous attend... Mais, si tant de gens comptent sur nous, nous ne pouvons pas les décevoir. Si nos parents ont donné leur vie pour nous, si nous sommes vraiment capables de changer quelque chose, d'affaiblir le Conseil des Douze ou l'Obscurité, nous devons le faire. »

Jade se tut. Elle ne pouvait pas abandonner Ambre, Opale et tous ces gens qui croyaient en elle. Ambre, nostalgique, se prenait à regretter les jours insouciants qu'elle avait vécus avant son quatorzième anniversaire, tout en sachant qu'elle devait vivre son incroyable destin.

Opale gardait son air mystérieux et impassible, mais sentiments et souvenirs affluaient en elle. Avant de rencontrer Jade et Ambre, le temps s'écoulait pour elle lentement et sans surprise. Elle menait une existence routinière, sans passion ni aventures. A force de voir la même journée se répéter, elle avait fini par oublier les rêves, les rires, les pleurs, les émotions. Elle avait rejeté l'amitié, l'amour, pour se replier sur elle-même. En croisant le chemin de Jade et d'Ambre, puis celui d'Adrien, elle avait appris à découvrir le monde tel qu'il peut être : étonnant, beau, doux et rude à la fois. Et maintenant que la vie qu'elle commençait à goûter était menacée, elle n'en devenait à ses yeux que plus précieuse encore.

« Comment Oonagh veut-elle qu'on explique à la Mort de ne pas se suicider ? grommela tout à coup Jade. Pourquoi serions-nous plus capables que d'autres de raisonner cette créature ?

— En plus, renchérit Ambre, voir la Mort, c'est quand même... terriblement anormal ! »

Les trois filles exprimèrent leur incrédulité, leurs doutes... Elles s'interrogèrent ensuite sur l'épisode des rapaces. Pourquoi avaient-ils épargné Jade et Opale ? Et pourquoi s'étaient-ils enfuis, tiraillés par une puissance inconnue qui semblait les meurtrir ?

La descente était aisée, presque agréable. En moins de deux jours, les voyageuses retrouvèrent leurs montures, qui les attendaient paisiblement. Ambre caressa longuement son cheval, contente de le revoir. Il avait adopté le pelage blanc qu'elle affectionnait et la dévisageait avec bienveillance.

Avant de repartir, Jade étudia avec attention la carte que lui avait confiée Oonagh.

« Si je comprends bien, dit-elle, les campagnes que nous avons traversées jusqu'ici appartiennent à une région boisée appelée l'Hornimel. La chaîne de montagnes où nous sommes n'est pas très importante ; elle se nomme l'Irog et, d'après cette carte, elle marque les limites de l'Hornimel. Au-delà, se trouvent des plateaux, des vieilles montagnes, qui s'étendent dans une région dont le nom est l'Ellrog. Là-bas, apparemment, il n'y a aucune ville...

— Montre-moi la carte », demanda soudain Ambre. Elle s'approcha de Jade, s'assit à côté d'elle, et jeta un regard intéressé au parchemin. « C'est bien ce que je craignais, soupira-t-elle, impressionnée. Le Conte de Fées est immense !

— Mais nous sommes assez proches du territoire de la Mort, répliqua Jade. Regarde, il suffit de suivre une rivière, le Déâthod, qui traverse l'Ellrog... Elle mène à une grande plaine, longeant un immense lac où, très étrangement, le Déâthod se jette. Après, il faut traverser la plaine ou le lac, et nous arriverons là. » Jade pointa son doigt sur une inscription à l'encre noire aux lettres élégantes : Okdhrûl, pays de la Mort. « Si nous voulons arriver un jour dans ce fameux Okdhrûl, reprit-elle, il faut reprendre la route dès maintenant ! »

« Okdhrûl, se dit Ambre. Quel horrible nom ! »

Les trois filles repartirent, traversèrent en sens inverse la forêt de feuillus. Soudain, une pensée désagréable traversa l'esprit d'Opale, qui tressaillit d'inquiétude :

« Une fois que nous serons au pied de cette montagne, que nous traverserons l'Ellrog, nos ennemis nous chercheront peut-être.

— Oui, je sais, intervint Jade, frissonnant à cette idée. Mais, après tout, ils ne savent pas où nous sommes, ni à quoi nous ressemblons...

— Justement, continua Opale, ce cavalier noir aperçu plusieurs fois, on avait conclu que c'était un ennemi... Et s'il appartenait à l'armée de l'Obscurité ? s'il était une sorte d'éclaireur ?

— Mieux vaut ne pas y penser, déclara précipitamment Ambre.

— Mais si j'avais raison ? insista Opale.

— C'est probable, dit Jade, d'ailleurs, plusieurs personnes qui nous étaient inconnues ont semblé nous reconnaître. Nous devons avoir un signe distinctif qui permet aux autres de nous identifier... et qui nous met en danger !

— Trois filles seules, d'environ quatorze ans, qui chevauchent à travers l'Hornimel, dit Opale, ça ne peut qu'attirer l'attention. »

De plus en plus angoissées, elles se turent. Si l'armée de l'Obscurité les trouvait, quelles tortures leur ferait-elle subir ?

« Si seulement j'avais une épée, se dit Jade, je me sentirais plus rassurée... J'ai ma pierre, heureusement. Mais cela suffira-t-il à nous défendre ? »

« Tout de même, glissa Opale, si nous sommes si facilement reconnaissables, et si nous avons tellement d'ennemis, pourquoi ne nous ont-ils pas encore attaquées ? »

La journée se passa cependant dans la menace d'un assaut de l'armée de l'Obscurité. Ambre s'attendait à voir surgir à tout moment des cavaliers vêtus de noir qui fondraient sur elle, l'épée étincelante au poing.

« Si le pire arrive, si l'armée de l'Obscurité nous trouve, pensa-t-elle, tremblante, est-ce que j'aurai le courage de lutter ou est-ce que je serai aussi pitoyable que face aux rapaces ? »

Son cheval, la devinant nerveuse, essaya de l'apaiser par des douces ondes télépathiques. Mais Ambre demeurait anxieuse.

La nuit tomba alors que les trois filles quittaient la montagne. Elles considérèrent un moment la chaîne de l'Irog, qu'elles avaient traversée, quittant ainsi l'Hornimel. Elles avaient suivi le Déâthod, une rivière à l'eau trouble, à travers la forêt de feuillus. Désormais, les collines de l'Ellrog s'étendaient à perte de vue devant elles, et les voyageuses percevaient confusément que cette région, abandonnée, leur était hostile.

Fatiguées, Jade, Opale et Ambre s'assirent à même le sol, près du Déâthod qui coulait dans un bruissement cristallin. Elles mangèrent frugalement sans oser s'abreuver de l'eau boueuse de la rivière. Puis elles s'étendirent sur l'herbe. Malgré le calme environnant, elles restaient préoccupées, et contemplaient, émerveillées, la voûte céleste. Ensemble, elles communiquaient sans un mot. Elles savaient qu'elles éprouvaient la même chose, que la nature, immense, généreuse, effaçait leur tourment, les unissait en une même féerie, une même poésie. Aucune n'osa émettre un son, de peur de briser la magie de cet instant. Jade, Opale et Ambre avaient doucement étreint leurs pierres...

Le lendemain matin, débordantes de vitalité, elles se remirent en route peu après l'aube. Elles observèrent un moment le paysage désolé de l'Ellrog : des collines à l'herbe rase, jaunie, sèche ; quelques arbres décharnés disséminés çà et là ; de rares sommets, usés par l'érosion, à peine plus élevés que les collines alentour.

Au début, le voyage se passa tranquillement. L'air matinal, frais, embaumait du parfum que quelques fleurs distillaient, des oiseaux chantaient leur allégresse. Une biche effarouchée passa en trombe devant leurs chevaux, elles admirèrent son pelage de velours. Finalement, elles s'étonnèrent de trouver l'Ellrog si agréable. Reléguant l'image de leurs ennemis au fond de leurs pensées, elles se mirent à discuter en feignant l'insouciance.

Ambre regarda le Déâthod qui, grâce à de nombreux affluents, était devenu plus large et imposant. Il serpentait avec rapidité ; son eau, désormais claire, faisait tellement miroiter le soleil qu'elle paraissait d'argent. Pourtant, mues par un mystérieux instinct, les trois filles ne s'y désaltéraient pas.

Le soleil s'éleva dans le ciel, et la chaleur se fit plus lourde. Les trois filles interrompirent leur conversation. Un étrange malaise les gagnait. Soudain, Ambre énonça ce que nulle n'osait avouer :

« Cet endroit n'est pas normal. »

Le paysage s'était peu à peu transformé. Les fleurs avaient disparu. Les chevaux se montraient tendus et nerveux. Un silence total, inquiétant, s'était abattu sur la terre. Aucun animal ne se montrait. A mesure qu'elles avançaient, toute forme de vie semblait fuir l'Ellrog.

« Peut-être est-ce le signe que nous approchons d'Okdhrûl, le pays de la Mort, suggéra Jade.

— Et je suis censée m'en réjouir ? ironisa Ambre. J'ai peur, moi. Je sais que vous deux, vous êtes courageuses, que vous n'avouerez jamais votre peur. Mais moi, si ! Je n'ai aucune envie de voir la Mort, et, déjà, cette région m'inquiète !

— Ne t'en fais pas, assura Opale. Nous ne risquons rien.

— Ah oui ? s'exclama Ambre, la voix tremblante. A part de nous faire lacérer par l'armée de l'Obscurité ou par un autre ennemi qui veut notre peau, c'est vrai, nous ne risquons rien ! Et puis, si nous survivons, si nous voyons la Mort, on pourra toujours se rattraper à Thaar ! Et là-bas, aucune chance d'en sortir indemnes ! »

Jade et Opale tentèrent d'apaiser Ambre, mais sans conviction. Heureusement, pour l'instant, aucun cavalier vêtu de noir ne s'était à nouveau montré. Elles parlèrent beaucoup, pour éviter de se laisser gagner par la crainte. Le paysage tout entier leur paraissait menaçant. Même le soleil avait été absorbé par les nuages grisâtres, l'air était devenu froid et humide.

Enfin, quand la nuit tomba sur l'Ellrog, les trois filles s'arrêtèrent près du Déâthod, dont l'eau était redevenue sale, noire, mêlée de terre.

Ambre, angoissée, tâtonna dans l'obscurité pour trouver la main glacée d'Opale.

« Quand j'étais petite, ma mère me tenait toujours la main pour que je m'endorme, murmura-t-elle. Tant qu'elle était près de moi, j'étais sûre qu'elle ferait fuir les ombres malveillantes, les cauchemars... »

Ambre s'arrêta, mais Opale, compréhensive, serra doucement sa main et ne la lâcha pas. Les trois filles finirent par s'endormir.

Elles se levèrent le lendemain sans enthousiasme pour se remettre en route. Il leur en coûtait de chevaucher dans ce paysage sombre et hostile, en suivant le cours d'eau. Les chevaux hennissaient craintivement et progressaient avec lenteur. Elles se sentaient de plus en plus exténuées et abattues. Au bout de quelques heures, une brume légère les entoura, qui se mua en un brouillard dense, étouffant. Les trois voyageuses ne voyaient plus rien, ne se voyaient même plus entre elles. Seul le Déâthod, étrangement brillant, se distinguait encore. Jade, Opale et Ambre se forcèrent à parler sur un ton tranquille, pour ne pas se perdre. Elles avaient oublié toute notion du temps. Aveuglées par le brouillard, glacées par un vent sec, elles grelottaient.

Enfin, le brouillard s'éclaircit graduellement. Elles aperçurent une plaine fleurie, bordée par un immense lac.

« Je sais où nous sommes ! s'enthousiasma Jade. Il ne nous reste plus qu'à traverser cette plaine pour arriver en Okdhrûl !

— Déjà ! fit Ambre.

— L'Ellrog est une petite région. Ne nous en plaignons pas ! »

Elles s'apprêtaient à entrer dans la plaine, quand, une voix d'homme puissante retentit. Pourtant, personne n'était en vue.

« La plaine ou le lac..., En Okdhrûl vous conduiront ces deux voies.

Si dans la plaine vous conduisent vos pas,
Les songes vous hanteront jusqu'au trépas,
Si dans la barque vous décidez d'aller,
Le lac vous montrera le passé. »

La voix se tut. Les trois filles se concertèrent un moment, troublées, et choisirent d'un commun accord le lac du Passé. Ambre ordonna aux chevaux de les attendre ici avec leurs affaires. Elles n'emportèrent que l'essentiel en guise de provisions. Une barque de bois les attendait, où elles s'installèrent. L'embarcation, précaire, vacilla sous leur poids, puis glissa sur l'eau limpide, bleutée, du lac, poussée par une force inconnue. Les trois filles échangèrent un regard déconcerté. Déjà, les contours du rivage se perdaient dans la brume de l'Ellrog. Soudain, Ambre poussa un cri. L'eau claire était devenue rouge sang. Jade hurla à son tour, horrifiée. Puis une forme sombre surgit des eaux troubles. Ambre fut la première à l'apercevoir. La barque s'immobilisa. Mais l'effroi d'Ambre fit bientôt place à la joie. L'ombre prit l'apparence d'une jeune femme au regard doux et aimant ; elle sut qu'elle voyait sa mère. Celle-ci lui caressa les cheveux, affectueuse.

« Viens avec moi, lui dit-elle d'une voix mélodieuse. Tu m'as tellement manqué... Rejoins-moi, Ambre. »

Et la jeune femme lui tendit sa main blanche. Ambre la prit, subjuguée par son charme, avec le désir de lui obéir. Pour Jade et Opale, l'apparition était invisible. Aussi, elles poussèrent un cri d'effroi lorsqu'elles virent Ambre se lever, prête à enjamber le bord et à se laisser sombrer dans l'eau. Jade, affolée, la tira violemment en arrière, et Ambre tomba sur elle, faisant basculer la barque. Toutes trois se retrouvèrent dans le lac. Opale et Jade s'agrippèrent à l'embarcation, tandis qu'Ambre, les yeux dans le vague, coulait. Jade eut un moment d'hésitation. Elle croisa le regard d'Opale, qui murmura :

« Je me sens trop faible... Je serais incapable d'aller la chercher. »

En effet, Opale sentait sa tête lui tourner, elle apercevait des ombres qui l'entouraient, formant le théâtre de la mort cruelle de ses parents. Elle voyait le sang jaillir du cœur de sa mère, elle l'entendait crier grâce ; elle distinguait le visage impitoyable d'un enchanteur de l'Obscurité...

Jade, en plongeant, avala par mégarde un peu de l'eau au goût de sang. Elle aperçut Ambre et se dirigea vers elle. Mais l'image troublante de milliers de visages souriants l'assaillit tout à coup. Qui étaient-ils ? Il semblait qu'ils souhaitaient le lui dire... Délaissant Ambre, elle s'approcha d'eux, entendit leurs murmures : « Nous avons vécu pour que tu vives... Nous nous sommes battus pour que tu livres l'ultime bataille... Nous sommes en toi, nous sommes avec toi... Si tu es là, c'est parce que nous avons été là... »

Jade commençait à manquer d'air, mais elle en avait à peine conscience. Quand, soudain, elle sentit qu'elle serrait sa pierre et une voix au fond d'elle dit : « Ces ombres qui te parlent appartiennent au passé. Tu dois sauver Ambre, tu dois vivre ! » Alors, elle se détourna des visages bienveillants, nagea le plus vite possible vers Ambre, ses poumons sur le point d'éclater. Elle espérait qu'elle y parviendrait, qu'elle sauverait Ambre qui, dans un ultime effort, avait étreint sa pierre... Mais elle n'en pouvait plus. Elle était résignée à abandonner et à se laisser couler au fond du lac du Passé lorsqu'une énergie nouvelle la traversa, et elle sut qu'Opale aussi avait serré sa pierre. « Tu vis », affirma la voix d'Ambre ou celle d'Opale, Jade n'arrivait plus à le déterminer... « Tu vis, et tant que tu vivras, tu ne peux pas renoncer à espérer vivre encore. »

Alors, Jade trouva l'énergie de ramener Ambre à la surface. Elle avala avidement une goulée d'air. Ambre revenait à elle, mais Jade, qui la sentait trop faible pour nager, continua à la soutenir.

La tête lui tournait. Sa vue se brouillait. Exténuée de fatigue, Jade était sur le point de se laisser à nouveau engloutir par les eaux rougeâtres du lac du Passé.

Soudain, elle sentit deux bras fermes l'enserrer, la tirer, et elle eut la certitude que son corps était étendu sur la terre ferme.

Paris, 2002

J'ouvris les yeux, bouleversée. Mon cœur battait trop vite, trop fort, dans ma poitrine. Cette fois, je savais sans recours possible que le rêve appartenait à la fiction, qu'il était le produit de mon imagination débridée. Je m'étais bercée d'illusions ; j'étais presque parvenue à croire que ce rêve existait, quelque part, ailleurs. Je me trompais, je le savais. Mes efforts venaient d'être anéantis.

Dans l'eau profonde de ce lac du Passé, parmi tous ces visages qui s'adressaient à Jade, j'avais vu le mien. Ou plutôt celui de Joa. Joa, plus belle, encore plus souriante que jamais. Cette vision me meurtrissait ; pourtant, je me l'étais infligée toute seule, j'avais cru nécessaire d'immiscer ma propre image dans mon rêve, pour me rappeler qu'il n'était que le reflet de ce que j'inventais... Et Joa continuait de sourire avec complaisance sous mes yeux, ses boucles auburn encadrant son visage, son regard bleu-vert, lumineux, vibrant d'une gaieté dérisoire. Elle se taisait, et pourtant ses lèvres closes semblaient me murmurer à quel point j'avais été naïve.

Le rêve n'était donc rien. Je le contrôlais, je l'inventais... Il n'était rien, rien... qu'une tentative manquée pour continuer à vivre. La vérité surgissait brutalement devant moi. Pourquoi avais-je voulu me démontrer ma propre crédulité ? Pourquoi avais-je voulu détruire la seule chance qui me restait ?

La Mort, que j'avais espéré repousser, me guettait à nouveau. Cette fois, impossible de lui échapper ; ma dernière défense, le rêve, s'était lâchement effondrée. Je ne sentais plus qu'une douleur infinie. La Mort connaissait trop bien sa tâche, qu'elle exécutait sans retard. Tremblante, je fermai les yeux, mais la vision de la créature ténébreuse, drapée de noir, me poursuivit, de plus en plus nette. Réelle.

Je voulais revoir le soleil percer les nuages brumeux de mon cœur. Je voulais entendre le vent murmurer sa douce mélodie à mon oreille. Je voulais sentir l'odeur enivrante du printemps, celle, lourde, de l'été. Je voulais goûter la vie comme jamais encore auparavant je n'avais osé le faire.

J'avais cru que, lorsque le moment de partir viendrait, je serais courageuse. Mais ce n'était pas le cas. Comment l'être ? Il y avait tant de choses que je n'avais pas faites quand j'en étais encore capable... Et j'avais fini par le regretter. Des larmes submergeaient mon visage, mais je n'avais pas l'impression de pleurer. Si mon rêve avait l'audace de se finir, de me laisser un ultime répit... « Je t'en supplie, dis-je à la Mort, laisse-moi encore un peu de temps. Une nuit. »

28

Jade et Ambre ne tardèrent pas à revenir à elles. Opale se tenait à leurs côtés.

« C'est incroyable, murmura-t-elle. Lorsque j'ai serré ma pierre, j'ai senti une force puissante me traverser, et j'ai réussi à nager jusqu'ici. Pourtant, nous étions au milieu du lac, et il m'a semblé que j'avais à peine avancé de quelques mètres lorsque j'ai atteint le rivage...

— Nous sommes en Okdhrûl ? De l'autre côté du lac du Passé ? demanda Jade, incrédule.

— Oui, répondit Opale.

— Comment sommes-nous sorties du lac ? interrogea Ambre, sidérée.

— J'étais ici depuis quelques instants, dit Opale, en train de me demander comment je pouvais vous sauver, quand je vous ai aperçues. Ambre, tu étais inconsciente, et Jade te portait. Lorsque vous êtes arrivées à moins d'un mètre de la terre, j'ai vu que Jade n'en pouvait plus... Vous étiez à ma portée ; je vous ai hissées jusqu'ici.

– Comment sommes-nous arrivées du milieu du lac ? se demanda Jade, songeuse.

– C'est un lac enchanté, répondit une voix grave derrière elles. Une fois qu'on a vaincu ses mirages, on peut pénétrer en Okdhrûl. »

Les trois filles sursautèrent, se retournant. Un homme, vêtu de noir, une expression lugubre sur le visage, leur faisait face. Il montait un cheval noir.

« Au secours ! hurla Ambre. C'est un soldat de l'Obscurité !

– Vous ne nous faites pas peur, déclara Jade fièrement, d'un ton peu convaincant. Nous nous battrons ! »

L'homme eut un sourire amusé.

« Je n'en doute pas, mais ce n'est pas la peine. Je suis Rokcdär, un conseiller de la Mort, et, pour son bien, j'ai décidé de vous amener jusqu'à elle.

– Mais oui ! Oonagh nous a parlé de vous ! s'exclama Jade. Elle a dit que vous nous conduiriez au palais d'Yrianz de Myrnehl.

– Pour l'instant, c'est vers la Mort que je vous emmène... Enfin, façon de parler ! »

Avec joie et surprise, Ambre aperçut tout à coup son cheval, qui broutait paisiblement à quelques mètres de là. Suivant son regard, Rokcdär expliqua :

« J'ai fait venir vos chevaux jusqu'ici, vous pouvez les monter. Le palais de la Mort n'est pas loin. Je vais vous y conduire. »

Les trois filles enfourchèrent leurs chevaux en silence, encore méfiantes. Le conseiller de la Mort partit au galop. Elles le suivirent. Autour d'elles, le paysage était spectral, désertique. De maigres buissons jonchaient la terre noire et sèche. Enfin, un imposant palais se profila dans l'ombre environnante de l'Okdhrûl.

« C'est ici que réside la Mort », murmura Rokcdär.

Les trois filles levèrent les yeux vers l'obscur bâtiment, entouré de plusieurs larges tours, dont le sommet se perdait dans le ciel. Il en émanait une impression de puissance sinistre. Tout autour de l'édifice régnait un silence macabre. Il était protégé par un régiment de gardes vêtus de noir qui, en apercevant le conseiller Rokcdär, le saluèrent et le laissèrent passer. Les trois filles y pénétrèrent à sa suite. Des domestiques tout en noir, affairés, s'empressèrent de mener les chevaux à l'écurie, pendant que Jade, Opale et Ambre emboîtaient le pas à Rokcdär à travers d'interminables couloirs, sombres et inquiétants.

« Je ne doute pas que vous ayez de puissants pouvoirs, dit brusquement le conseiller, mais tout de même, faites attention. Raisonner la Mort n'est pas une mince affaire. »

Des sanglots déchirants firent tressaillir les trois filles. Maintenant qu'elles étaient si proches de leur but, elles se sentaient sur le point de défaillir. Rokcdär s'immobilisa devant une porte d'ébène, d'où s'échappaient ces pleurs. Sans frapper, il l'ouvrit et entra en compagnie de Jade, Opale et Ambre. La salle, assez vaste, n'était meublée que de noir. De lourds rideaux de velours empêchaient la lumière de filtrer des étroites fenêtres. Autour d'un large lit, étaient assis une dizaine d'hommes à l'air grave, habillés comme Rokcdär, et, étendue sur le lit, une forme noire pleurait à fendre l'âme.

« Vous avez de la visite », annonça Rokcdär à la Mort.

Les trois filles, qui s'attendaient à voir se lever une créature issue de leurs plus effroyables cauchemars, fermèrent les yeux, terrorisées. Quand elles les rouvrirent, elles se tenaient devant une jeune fille de petite taille qui les regardait tout en reniflant. Elle avait des cheveux châtain clair, coupés court, lisses ; son teint était d'une pâleur extrême. Ses yeux noisette brillaient de mélancolie. Ses joues étaient pleines, ses lèvres très fines, d'un rose nacré. Elle était un peu ronde et portait une jupe ample, noire, qui s'arrêtait aux genoux, et une jolie chemise de même couleur ornée de jais. Elle était assez attirante. Cependant, ses traits étaient empreints d'une détresse infinie, qui trahissait l'éternelle et lourde tâche qu'elle avait si longtemps assumée.

« Vous me craignez tous, dit-elle d'une voix claire, entrecoupée de sanglots. Vous me maudissez, me suppliez jour et nuit de ne pas venir... »

Jade, Opale et Ambre, déconcertées, ne surent quoi répondre.

« Ma grève arrange tout le monde, alors pourquoi venir s'en plaindre ? Toi, Opale, tu sais que notre rencontre aurait dû se produire plus tôt, et tu appelles cela un miracle d'être encore en vie! Personne ne m'aime, à part quelques suicidés en misère... Et encore, même eux souvent me redoutent sur la fin. » Puis, d'un geste nerveux, elle ordonna : « Partez tous! Laissez-moi avec ces trois filles! »

Les conseillers de la Mort obéirent. Jade, Opale et Ambre restèrent seules avec elle.

« Je ne sais vraiment pas pourquoi tout le monde me déteste... Même les privilégiés que je me donne la peine d'aller chercher hurlent à mon approche. Les autres, que je conduis à mourir par une seule pensée fugitive, sont encore plus effarés de voir leur fin arriver.

— Et où conduisez-vous les morts? Y a-t-il une vie au-delà du trépas? s'enhardit à demander Ambre.

— Vous voyez! s'exclama la Mort, blessée. La vie, la vie! Vous n'avez que ce mot à la bouche, vous ne pensez qu'à elle, ma sœur adulée par tous! Quant à vous révéler où je mène les mourants, n'espérez pas que je vous le confie. Vous pouvez être les trois pierres du destin, je n'en reste pas moins la créature la plus mystérieuse, la plus crainte par les hommes. Il m'est impossible de vous parler des secrets que le monde a si longtemps cherché à percer...

— J'aimerais tant voir ma mère, dit Ambre, ma mère que vous m'avez volée avant que je puisse la connaître!

— Voilà ce que tous les mortels me réclament. Ils m'accusent de cruauté, ils veulent revoir leurs proches... Mais je n'y suis pour rien, je ne fais qu'accomplir ma tâche! Depuis la nuit des temps, avant même que les créatures magiques ne soient apparues, les hommes se sont ingéniés à s'entre-tuer. Ils ont créé le mal, ils l'ont nourri de leur sang. Je ne les ai pas poussés à commettre leurs actes meurtriers; je ne fais qu'apporter le repos à ceux qui agonisent. J'ai suivi les voies que les hommes ont tracées.

— Mais pourquoi faites-vous la grève? demanda Jade. Nous avons tous besoin de vous; sans vous, la vie n'existe plus, le monde se perd dans l'éternité...

— Merci, répondit la Mort, touchée, en esquissant un faible sourire. Voilà longtemps qu'on ne m'a pas complimentée. On offre à la vie des poèmes, mais moi, je n'ai jamais reçu que des complaintes. Pourquoi? Suis-je si hideuse? Répondez!

— Ce n'est pas vous qu'on haïsse, expliqua Opale. On a peur, tout simplement, on se demande qui vous êtes, ce que vous apportez. On vous redoute parce qu'on ne vous connaît pas, et l'inconnu fait peur.

— Vous séparez les familles, les amis, poursuivit Ambre, et c'est pour cela qu'on vous maudit : on vous trouve injuste, cruelle. Mais, au fond, on sait que vous devez venir tôt ou tard, qu'il le faut, que la mort d'un proche, le deuil, est une étape incontournable mais qui permet d'avancer, de réfléchir.

— Alors, pourquoi me considère-t-on comme un malheur, une fatalité? gémit la Mort, qui avait séché ses larmes.

— Parce qu'on souhaiterait garder à jamais les êtres chers auprès de soi, répondit Jade tristement. On sait que c'est impossible, mais on l'espère quand même, et on ne peut que souffrir de leur disparition...

— Ma grève est donc une bonne chose. C'est bien ce que je disais : personne ne m'aime.

— Mais non, insista Ambre, c'est faux. De nombreuses personnes vous attendent pour trouver le repos, même si elles se demandent ce que vous leur réservez. Et vous devez continuer votre tâche pour permettre au monde de survivre. Vous contribuez à la vie, vous en faites partie !

— Ah bon ! s'enthousiasma la Mort, rassurée. Pourtant, tellement de gens s'affolent à ma vue... Je crois que c'est le noir, cette couleur ne me va vraiment pas. Mais si je m'habille autrement, je perds ma crédibilité. »

Jade, Opale et Ambre, amusées, se regardèrent et sourirent.

« Je suis trop ronde, s'alarma soudain la Mort. Tout doit venir de là. J'essaye de faire un régime, mais c'est impossible, je suis vraiment très gourmande. Il faut absolument que je maigrisse. »

Les trois filles éclatèrent de rire. Surprise par une gaieté qu'elle avait rarement l'occasion de susciter, la Mort sourit elle aussi.

« Ne vous inquiétez pas, fit Jade. Vous êtes très bien comme ça.

— Vraiment ? Vous me trouvez jolie, et sympathique ?

— Mais oui, insista Ambre.

— C'est incroyable, on ne me l'avait jamais dit, et cela faisait des siècles que je l'attendais. »

La Mort, ravie, battit des mains. Puis elle rejeta en arrière une de ses mèches châtaines, un large sourire illuminant son visage encore jeune et agréable.

« Bon, maintenant, déclara Jade, vous allez arrêter votre grève, n'est-ce pas ?

— Non. Si je reprends ma tâche, au bout de trois jours, j'en serai à nouveau dégoûtée.

— Mais des gens agonisent, souffrent mille douleurs en vous attendant, plaida Ambre. Ils étaient sur le point de mourir au moment où vous avez déclaré votre grève, et ils vous supplient de venir les chercher.

— Ils m'attendent ? répéta la Mort, surprise. Très bien. S'ils veulent que je vienne, je viendrai, je reprendrai ma tâche. Mais à une seule condition. » La Mort planta son regard profond dans celui des trois filles. « Aucun mortel n'est encore venu jusqu'à moi. J'arrêterai ma grève seulement si vous me promettez que, lorsque nous nous verrons à nouveau, peut-être dans de longues années, vous me suivrez sans cris ni pleurs. Comme si nous n'étions que des amies qui se retrouvent joyeusement, qui iront ensemble vers une agréable demeure.

— Promis, jurèrent les trois filles d'une seule voix.

— A présent, je ne chercherai plus à vous retenir, reprit la Mort, car je lis dans votre esprit que vous êtes pressées par le destin. Rokcdär vous conduira aux limites de mon royaume. Mais, même si je ne sais pas lire l'avenir, je pressens le danger autour de vous. Je saurai attendre avant de vous revoir et j'espère que la vie vous offrira encore de longues et heureuses années. » La Mort marqua une pause, puis poursuivit gravement : « On m'a longtemps associée au mal, pourtant je suis au-delà de ça. Je n'appartiens ni au bien, ni au mal, et je ne juge ni l'un ni l'autre. Néanmoins, je les connais, je les vois, je les sens. Sachez que leur puissance a atteint son sommet et que leur lutte est proche. L'un ou l'autre sera provisoirement anéanti, mais ils sont tous deux trop puissants pour s'effacer totalement du monde. Dans le cœur des hommes, ces deux ennemis cohabiteront éternellement. »

La Mort reprit d'une voix inquiète : « Vous êtes vraiment certaines que je n'ai pas besoin de faire un régime ?

— Mais oui », répondit Jade fermement avant de rire de nouveau.

Après des adieux affectueux, les trois filles quittèrent la Mort, qui leur souriait avec mélancolie :

« Je suis triste que vous partiez. Si le destin n'était pas toujours si pressé, j'essayerais de vous retenir un peu auprès de moi. Mais je sais que je vous reverrai... »

29

L'Innomé n'arrivait pas à accepter l'évidence. Comment pouvait-il être l'Elu, lui qui avait servi l'Obscurité ? C'était impossible. La bague de l'Orleys s'était trompée. Toute la journée, Tivann avait organisé des festivités en son honneur. Mais, malgré l'insistance des hovalyns, il était resté cloîtré dans sa chambre, à réfléchir. Alors que la soirée était déjà avancée, quelqu'un frappa à sa porte et, en dépit de ses protestations, entra. Le visage dur, le regard téméraire de Gohral Kcull apparurent.

« Je sais ce qui tourmente ton cœur, lui dit l'hovalyn. Va voir Oonagh. Elle t'aidera. »

L'Innomé, l'air absent, ne répondit pas.

« Tivann de l'Orleys prépare déjà ton mariage avec sa fille Orlaith, mais je sens que tu ne l'aimes pas.

— Je partirai, dit l'Innomé. J'irai voir Oonagh. Tous ces gens, dans ce manoir, croient en moi. Je ne le mérite pas. Il faut que je m'en aille. » Il s'interrompit, puis ajouta : « Je ne suis pas l'Elu.

– Je le sais, dit Gohral Keull. Je connais ton passé. »

L'Innomé, surpris, leva son regard bleu nuit vers l'hovalyn.

« Vous savez qui j'ai été ? murmura-t-il.

– Oui. Et je sais aussi que tu as changé. Laisse-moi t'accompagner chez Oonagh. Je sais sur toi beaucoup de choses que tu ignores. »

L'Innomé hésita un moment.

« Je m'en irai quand l'obscurité sera complète, trancha-t-il, je m'enfuirai lâchement d'ici. Si vous voulez m'accompagner, suivez-moi.

– Je te suivrai », assura Gohral Keull.

Durant l'heure qui suivit, les deux hovalyns préparèrent leurs affaires puis, discrètement, ils se faufilèrent hors du manoir de Tivann de l'Orleys. Ils passèrent chercher leurs chevaux à l'écurie, tels des voleurs drapés de nuit, se hissèrent sur leurs montures et s'enfuirent au galop. L'Innomé glissait des regards curieux vers Gohral Keull, qui se contentait de respirer l'air vivifiant en se taisant obstinément. Il finit par dire :

« Je connais des raccourcis qui nous mèneront rapidement à Oonagh ; là-bas, tu apprendras quel est ton destin, et tu devras t'y soumettre.

– Que savez-vous sur moi ? Connaissez-vous mon nom ?

– Ce n'est pas ton nom qui fait de toi quelqu'un, répondit Gohral Keull. C'est ce que tu es, ce que tu fais, ce que tu ressens. Des noms, on t'en a attribué beaucoup, et j'ignore celui que tes parents t'ont donné.

— Dites-moi ce que vous savez sur mon passé !

— Le présent compte davantage. »

Gohral Keull se tut et, pendant de nombreuses heures, il refusa de parler. Toute la nuit, les deux hovalyns chevauchèrent à travers l'Hornimel. Lorsque ce fut l'aube, resplendissante des couleurs d'une nouvelle journée, l'Innomé demanda à voix basse :

« Vous savez qui j'étais, avant... Vous savez que j'ai servi l'Obscurité...

— Je le sais, confirma Gohral Keull.

— Et vous ne me haïssez pas ? Même si je ne m'en souviens pas, j'ai du sang sur les mains. Je suis un criminel.

— Tu es un homme. J'en suis un aussi. Qui suis-je pour te juger ?

— Avant de devenir un homme, j'ai été un monstre ! J'étais un soldat de l'Obscurité !

— Tu ne l'es plus. En désertant, tu as renoncé au mal. Quand tu as perdu la mémoire, tu es devenu un autre. Tu es l'Innomé, désormais. Un hovalyn au service du bien. Tu as souffert. Tu t'es battu. Aujourd'hui, même si le mal est encore en toi, car il est en chacun de nous, le bien l'a vaincu.

— Qu'en savez-vous ? Que connaissez-vous de moi ?

— Je t'ai rencontré, Innomé, il y a quelques années. Ce que je sais de toi... Je n'ai jamais vu tes parents, mais tu m'as dit qu'ils étaient morts quand tu étais enfant.

— Ils sont morts, répéta le jeune homme lentement.

— Tu vivais chez tes grands-parents, continua Gohral Keull, imperturbable. Tu n'as jamais voulu parler de cette époque, ni du nom qu'ils te donnaient alors. A seize ans, tu es parti de chez toi, car tu brûlais de découvrir le monde. Je t'ai rencontré sur mon chemin. Il émanait de toi une force, un courage qui m'ont stupéfait. Tu voulais te battre, lutter contre l'injustice, et risquer ta vie ne t'effrayait pas. »

L'Elu, surpris, buvait les paroles de Gohral Keull.

« Tu étais si flamboyant d'audace, de bravoure, que tous ceux qui te rencontraient t'appelaient Elyador, "celui qui a été élu". Tu en riais ; la gloire ne comptait pas pour toi. »

L'Innomé ne savait plus que croire. Le ton de Gohral Keull était sincère, mais la marque sur sa cheville gauche hantait sa mémoire.

« C'est alors que ton chemin a croisé celui de l'armée de l'Obscurité. »

Et Gohral Keull se tut mystérieusement, comme s'il redoutait d'évoquer les soldats des ténèbres. L'Elu brûlait de savoir ce qui s'était passé, de découvrir pourquoi il avait basculé dans l'obscurité. Il voulait enfin porter un regard clair sur son passé, oublier ses doutes, ses questions, et voir les fautes qu'il avait commises, pour parvenir à les effacer.

Durant toute la journée, les deux hovalyns parcoururent l'Hornimel. Les montagnes où résidait Oonagh se profilaient à l'horizon. Ils résolurent de s'arrêter alors que la nuit était tombée depuis plusieurs heures et que la fatigue les tenaillait. Ils partagèrent leur nourriture, parlèrent peu. Puis ils s'étendirent par terre pour dormir. L'Innomé n'osait pas questionner son compagnon ; il sentait qu'il ne reprendrait son récit que lorsqu'il le souhaiterait. Allait-il enfin *tout* découvrir sur son passé ?

Enfin, les deux hovalyns arrivèrent devant la chaîne de l'Irog et commencèrent à gravir l'imposante montagne où habitait Oonagh jusqu'à la dense forêt de conifères, où ils firent une étape. La nuit noire enveloppait les deux hommes et déjà ils sentaient l'angoisse que leur transmettaient les rapaces. Mais ils ne les craignaient pas : l'Elu avait gardé les « amulettes » offertes par les Ghibduls. Il se sentait sombrer dans le sommeil, quand Gohral Keull se décida à parler :

« Innomé, j'ai lâchement repoussé le moment de te parler de cela. Mais, demain, nous arriverons auprès d'Oonagh, et je veux que tu saches tout ce que je connais sur toi. » Gohral Keull inspira profondément, puis lâcha : « J'ignore pourquoi tu as basculé du côté du mal. A l'époque, j'étais ton ami, nous étions inséparables. Un jour, nous avons croisé l'armée de l'Obscurité... Je ne sais ce qui s'est passé en toi. Tu as été fasciné par la puissance des soldats ténébreux, quelque chose t'a attiré vers le mal... Toi, qui avais été bon, comme tu l'es aujourd'hui, tu t'es engagé dans l'armée sombre. J'ai essayé de te raisonner. Tu n'as rien voulu entendre. Pourquoi ? Tu étais si jeune, encore innocent. Pourquoi le mal tente-t-il tellement les hommes ? Une fois qu'on a goûté à sa puissance, une fois qu'on a connu la haine, il est si dur de revenir à la lumière... L'Obscurité t'a entraîné dans ses profondeurs. J'ai perdu ta trace. »

L'Innomé, meurtri par ces révélations, dit faiblement : « Si j'ai été bon, avant d'être un soldat de l'Obscurité, cela signifie, que, même maintenant, le mal pourrait me saisir à nouveau ! Si je lui ai cédé une fois, est-ce que je lui résisterais à présent ?

— C'est un combat que tout le monde mène à chaque instant. On n'est jamais à l'abri de l'Obscurité...

— Pourquoi venez-vous avec moi chez Oonagh ?

— En souvenir de celui que tu as été, celui qu'on appelait Elyador. Tu n'es pas l'Elu. Mais tu n'es plus un soldat de l'Obscurité. La suite de ton histoire est connue de beaucoup de gens. De bouche à oreille, j'ai fini par l'apprendre. Tu as déserté l'armée noire. Pourquoi ? Peut-être parce que tu ne supportais plus de tuer. Peut-être parce que tu aspirais à retourner à la lumière. Mais on t'a rattrapé. Comme châtiment, on a effacé ta mémoire. Dès lors, tu es redevenu celui que tu es vraiment, un hovalyn.

— Mais comment pourrai-je expier les fautes que j'ai commises ? Le sang que j'ai versé ? Est-ce que les gens m'accorderont encore leur confiance, quand ils sauront qui j'ai été ? »

Gohral Keull ne répondit pas.

L'Innomé, la gorge nouée, fixa le ciel sans étoiles. Ainsi, l'enchanteur de l'Obscurité avait dit vrai. Il avait été un criminel, puis un déserteur... Une seule chose continuait à l'intriguer. Il sortit de sa besace l'écrin que lui avait donné la sirène du lac aux Tourments et le montra à Gohral Keull.

« Sais-tu quelque chose sur cet objet ?

— Non, absolument pas. Mais interroge Oonagh à ce sujet, elle pourra peut-être t'éclairer. »

L'Innomé acquiesça. Il passa une nuit plus tourmentée que jamais, rêva de violence, de sang.

Le lendemain matin, les deux chevaliers reprirent la route. Lorsqu'ils aperçurent les rapaces, qui entachaient le ciel d'été, ils passèrent à leur cou les amulettes des Ghibduls et l'effroi les quitta aussitôt. Gohral Keull, qui était déjà allé voir Oonagh, se dirigeait avec sûreté. L'Innomé le suivait, mélancolique, dans les méandres du tunnel. Ils mirent plus d'une heure à arriver jusqu'au mur de lumière qui obstruait la grotte d'Oonagh. Ils le franchirent sans peur et entrèrent dans la vaste salle.

« Ah ! voilà celui qu'on nomme l'Innomé », dit une voix fluette.

L'Innomé se retourna, et se trouva devant Oonagh.

« Aidez-moi, demanda-t-il calmement. Quel est mon nom ? Que suis-je destiné à devenir ?

— Tu veux te racheter ? Très bien. Hâte-toi, va au château d'Yrianz de Myrnehl. C'est là-bas que les hovalyns les plus braves prêtent le serment de se battre contre l'Obscurité, le jour du solstice d'été, et deviennent des soldats de la Lumière.

— Mais... je ne comprends pas, confessa l'Innomé. Que ferai-je, là-bas ?

— Tu as servi l'Obscurité. Maintenant, sers la Lumière. Engage-toi comme soldat. Bats-toi, quand le combat si attendu de tous aura lieu. D'ici moins de deux semaines.

— Mais les gens, dans ce château... Ils ne voudront jamais de moi, quand ils apprendront qui j'ai été ! Ils me haïront !

— Si tu veux affronter l'Obscurité, affronte d'abord la haine des hommes.

— J'irai avec toi, Innomé, intervint Gohral Keull. Moi aussi je veux me battre dans l'armée de la Lumière. Et tous ceux qui en auront la force se joindront à nous ! Cela fait si longtemps que le Conte de Fées attend ce combat... Enfin, le Conseil des Douze, l'armée de l'Obscurité seront réunis devant nous. Nous les anéantirons ! Le jour du solstice d'été, des milliers de gens seront là. Ils viendront de partout et lutteront pour la Lumière !

— Mais n'oubliez pas que l'Elu n'est toujours pas venu, dit Oonagh doucement. C'est à lui de diriger l'armée de la Lumière. Sans lui... je crains que le combat n'ait pas lieu. »

L'Innomé baissa les yeux. Il n'était pas l'Elu.

« Va au château d'Yrianz de Myrnehl, répéta Oonagh. Peut-être trouveras-tu là-bas l'Elu, et peut-être t'y trouveras-tu toi-même.

– Qu'est-ce que cela signifie ? Y apprendrai-je mon nom ? Ou ce que je dois devenir ?

– Je lis dans les cœurs, pas dans le futur », rappela Oonagh.

L'Innomé renonça à en savoir plus. Il sortit lentement l'écrin de sa besace et le tendit à Oonagh.

« J'espérais que tu me montrerais cet objet, dit la créature magique. Il y a bien longtemps de cela, quand tu n'étais qu'un enfant, tes parents sentirent que ton destin serait menacé d'ombres et de danger. Guidés par leur instinct, ils savaient que le mal te guetterait et ils craignaient pour ta vie... Ils sont donc venus me voir pour m'exposer leurs desseins. J'ai tenté de les en empêcher, mais ils ne m'ont pas écoutée. Ils se sont rendus au plus profond de la forêt et ont trouvé le lac des Tourments. »

L'Innomé frémissait, le souffle court.

« Là, ils ont demandé aux sirènes, qui sont de puissantes enchanteresses, d'exécuter un sort qu'elles seules pouvaient réaliser. "D'accord, répondirent-elles cruellement, mais il vous faudra le payer de vos vies. " Tes parents acceptèrent. »

L'Innomé crut qu'il allait suffoquer.

« Quel était ce sort ? demanda-t-il, la voix vibrante d'émotion.

– Les sirènes jurèrent de te donner cet écrin quand tu viendrais à passer près du lac des Tourments. Elles y ont enfermé l'amour que tes parents avaient pour toi. »

L'Innomé sentit des larmes lui monter aux yeux. Ses parents s'étaient sacrifiés pour lui... Il prit l'écrin des mains d'Oonagh, le caressa, tremblant.

« Chaque fois que tu ouvriras cet écrin, prédit la créature magique, tu seras protégé par l'amour inaltérable de tes parents.

— Incroyable, murmura Gohral Keull.

— Innomé, dit Oonagh d'une voix apaisante, ne regrette pas le choix que tes parents ont fait. Ils ne sont pas morts, pas vraiment... Chaque fois que tu ouvriras l'écrin, leur amour vivra en toi, et ils seront là, toujours. »

L'hovalyn sourit tristement.

« Maintenant, déclara Oonagh, il faut que tu partes. Traverse l'Ellrog, contourne le pays de la Mort. Même l'armée de l'Obscurité redoute de s'y aventurer... Rends-toi chez Yrianz de Myrnehl. Si tu croises les trois pierres de *La Prophétie*, convaincs-les d'aller à Thaar. La lutte qu'elles y mèneront sera décisive pour nous tous...

— Mais..., commença l'Innomé.

— Bonne chance, coupa Oonagh. On se verra peut-être à la bataille !

— Quoi ? s'étonna Gohral Keull en considérant la frêle créature. Vous allez lutter, vous aussi, au solstice d'été ?

— Ne vous fiez pas aux apparences, répliqua Oonagh sèchement. La magie est une arme puissante. » Elle s'interrompit, puis conclut : « Ne perdez plus de temps. »

L'Innomé et Gohral Keull firent demi-tour en direction de la lumière.

30

Rokcdär mena les trois filles jusqu'aux limites de l'Okdhrûl. Puis, un soir, le palais où elles étaient attendues se dressa devant elles, et Rokcdär les quitta. Après son départ, Jade, Opale et Ambre se dissimulèrent tour à tour derrière un arbre pour enfiler les robes de soirée que les femmes de la ville d'Amnhor leur avaient offertes. Elles se lavèrent les mains et le visage à l'eau d'un ruisseau, et Ambre ordonna à leurs chevaux de les attendre sur place.

Ravies de leur nouvelle apparence, elles franchirent une grille dorée, entrouverte, qui entourait le château. Les robes leur seyaient à merveille. Elles l'ignoraient, mais les femmes de la ville d'Amnhor les avaient un peu enchantées, et leurs tenues les rendaient aux yeux d'autrui plus attirantes encore. Elles s'engagèrent dans une allée de cailloux blancs qui traversait un immense jardin, entretenu avec soin. Des fleurs colorées, au parfum rare et envoûtant, charmaient le regard de leurs nuances subtiles. Quelques arbres chargés des fruits mûrs s'élevaient au détour de l'allée.

Les trois filles riaient joyeusement; elles avaient oublié le danger. Jade ressemblait à celle qu'elle avait été : la fille du duc de Divulyon. Elle portait une longue robe bleu de Prusse, de soie fine, qui virevoltait autour de ses jambes. Ses cheveux noirs encadraient en désordre son visage fier, où brillait son regard de jade. Pourtant, nombreux étaient ceux qui ne l'auraient pas reconnue. Son aventure l'avait changée : elle avait perdu son air hautain, ses manières prétentieuses. Ses traits, mûris, étaient empreints de gravité. Mais une lueur rebelle miroitait toujours dans ses yeux verts.

Les trois filles frappèrent à la porte du palais. La servante qui leur ouvrit sans tarder resta muette de saisissement devant l'apparition de ces trois créatures drapées d'une lumière éclatante.

« Vous êtes enfin là, murmura-t-elle, admirative. Les trois pierres... Entrez! »

Elle les conduisit jusqu'à une immense salle, illuminée par d'imposants lustres de cristal, où des centaines d'invités, l'épée au fourreau, parlaient avec animation. C'étaient des hommes, mais aussi des créatures magiques, et parfois même des femmes, venus s'engager dans l'armée de la Lumière. Tous les futurs combattants n'étaient pas là; des messagers avaient été envoyés aux quatre coins du Conte de Fées pour rassembler l'armée et la conduire, le jour du solstice d'été, au lieu de la bataille fixé dans *La Prophétie*. Les hovalyns les plus téméraires, les plus reconnus, s'étaient rassemblés chez Yrianz de Myrnehl pour y prêter le serment de lutter contre l'Obscurité. Chacun espérait que l'Elu y viendrait aussi et que les trois pierres de *La Prophétie*, envoyées par Oonagh, réussiraient à l'identifier. Néophileus avait écrit que l'Elu était un enchanteur de la Lumière, tout comme les trois filles. Jade, Opale et Ambre, elles, devraient se rendre à Thaar. Il ne resterait donc plus que l'Elu pour s'opposer aux enchanteurs de l'Obscurité. Nul autre ne pouvait y parvenir. Sans lui, le combat n'aurait pas lieu...

Lorsque les trois filles apparurent, le silence s'installa. Tous s'immobilisèrent, saisis d'émerveillement. Certains admiraient Jade, dont les yeux brillaient de l'éclat des étoiles; d'autres, Ambre, vêtue de mousseline d'un rouge flamboyant; d'autres encore, Opale, resplendissante dans sa robe de tulle blanc, telle une incarnation de la pureté même. Son apparence frêle avait laissé la place à une expression pleine d'assurance. Elle, qui avait coutume de garder les yeux baissés, tenait maintenant la tête droite, mais son air froid et distant avait disparu.

Bientôt, des cris s'élevèrent de toute part :

«Vive les trois pierres de *La Prophétie*! Vive la liberté, l'armée de la Lumière!»

Jade, Opale et Ambre sourirent. C'est alors que deux silhouettes s'encadrèrent dans l'embrasure de la porte. La première était celle d'un chevalier à l'air dur et brave. La seconde, celle d'un jeune homme qui irradiait d'une force indéfinissable. Il embrassait la foule de son regard grave, et pourtant on aurait pu croire qu'il ne la voyait pas. Ses cheveux bruns étaient ébouriffés, son visage, marqué d'une large égratignure, ses vêtements, négligés. Ses traits paraissaient ravagés par une douleur invisible. Dans ses yeux se lisait une mélancolie infinie.

Un hovalyn qui avait été chez Tivann de l'Orleys le reconnut. Il s'exclama :

« C'est l'Elu ! Cet homme est l'Elu ! »

Un autre, qui avait également assisté à la cérémonie de la bague de l'Orleys, renchérit :

« Vive Elyador, celui qui a été élu ! Je me battrai avec toi ! »

Un tumulte suivit ces paroles. Des cris de joie fusèrent. Mais une voix retentit :

« Cet homme n'est pas l'Elu ! C'est un soldat de l'Obscurité ! »

Un silence pesant s'établit aussitôt. Tous les regards convergèrent vers la créature aux cheveux d'un blond très pâle, aux yeux noirs, à la peau d'argent, qui avait parlé. C'était Elfohrys. Il s'adressa à l'Innomé :

« Dis-leur qui tu es ! Un meurtrier. »

Tous s'attendaient à ce que le jeune homme nie ces accusations. Mais il dit :

« C'est vrai. J'ai fait partie de l'armée de l'Obscurité. J'ai été un meurtrier. Mais je ne le suis plus. J'ai changé. Et je voudrais devenir un soldat de la Lumière.

— Et tu crois qu'on va te faire confiance ? s'écria un hovalyn, plein de haine. Comment savoir si tu as vraiment changé ? Tu ne peux pas passer de l'Obscurité à la Lumière ! Tu as versé le sang...

— Et maintenant, c'est ton sang qui mériterait d'être versé », renchérit un autre.

La foule se mit à huer le jeune homme, l'accabla d'injures. Jade s'emportait avec les chevaliers. Opale l'approuvait, mais elle se taisait.

Ambre, elle, considérait le jeune homme avec pitié. Pâle, digne, il ne disait rien, ne cherchait pas à se défendre. Il fixait la foule d'un air absent, mais son visage était marqué par la tristesse. A cet instant, son regard croisa celui d'Ambre. Chacun découvrit l'autre et le comprit. Ils avaient l'impression de se connaître depuis toujours, comme s'ils n'avaient vécu que dans l'attente de se retrouver. L'Innomé ne voyait plus Ambre, dans sa robe de feu ; il voyait au-delà, il voyait son cœur. Il sut qu'elle occuperait le sien. Il n'y avait qu'un mot pour décrire ce qu'il était en train de comprendre. Frémissant, il s'en empara avec crainte. Impalpable, plus fort, plus fou que n'importe quel autre sentiment, le mot reposait dans son écrin comme désormais dans son cœur, dans le regard d'Ambre. L'Amour.

Des ténèbres surgira l'Elu
Pour unifier le Royaume

La voix d'Oonagh résonna dans l'esprit d'Ambre.
Des ténèbres surgira l'Elu.

Ambre, pensive, baissa les yeux. Ce jeune homme...
S'il avait versé du sang... Certes, il avait changé... Il
voulait sûrement oublier son passé, expier ses fautes...
mais, quand même... Etait-il vraiment un meurtrier?

Une reconnaîtra le Roi.

La voix d'Oonagh emplissait son esprit.

« Des ténèbres surgira l'Elu », murmura Ambre
sans y prêter attention. Puis, soudain, elle comprit et
elle hurla : « Des ténèbres surgira l'Elu ! »

L'assemblée, étonnée, se tut.

« Tu te sens bien ? » demanda Jade.

Ambre l'ignora. Elle alla vers l'Innomé. Puis elle
s'adressa à la foule :

« Celui qui a été élu, Elyador, le Roi, tout ce que
vous voulez... C'est lui. Ce meurtrier, ce déserteur que
vous méprisez tant. C'est justement parce qu'il vient
des ténèbres qu'il est l'Elu. »

Jade et Opale la regardèrent, ébahies. Elle était
transformée, sa voix vibrait passionnément, son
regard s'enflammait.

« C'est impossible, intervint Elfohrys. Un soldat de
l'Obscurité ne peut pas être un enchanteur de la
Lumière ! »

Un murmure d'approbation monta de la foule.

« C'est écrit dans *La Prophétie. Des ténèbres surgira
l'Elu,* répéta Ambre. Cet homme a fait partie de
l'armée de l'Obscurité, mais il a eu la force de la

quitter. Qui, parmi vous, aurait été capable de sortir des ténèbres pour aller vers la lumière ? »

L'assemblée restait dubitative.

« Cet homme mérite votre admiration, pas vos injures. Il a osé venir ici, pour s'engager dans l'armée de la Lumière. Il n'a pas cherché à vous mentir. Il a avoué avoir servi l'Obscurité. Il savait que personne ne lui ferait confiance. Qu'il serait haï. Mais il est venu. Qui en aurait fait autant ? » Ambre s'interrompit avant de conclure gravement : « Ceux qui ont toujours été du côté de la lumière sont bons. Mais ceux qui ont connu les ténèbres, qui ont souffert, qui ont essuyé des regards méprisants... et qui ont continué de marcher vers la lumière... ceux-là sont grands. »

Un silence suivit cette déclaration.

Soudain, un bruit fit tressaillir la foule. Elfohrys avait sorti son épée. Il se dirigea vers l'Innomé. Ambre, qui se tenait au côté du jeune homme, voulut crier, mais aucun son ne franchit ses lèvres. Arrivé devant l'Innomé, Elfohrys fit quelque chose qui stupéfia l'assemblée. Il mit un genou à terre et déposa son épée devant le jeune homme :

« Elyador, à celui qui a été mon ami, je présente mes excuses. A celui qui est mon Roi, je présente mes hommages.

— Relève-toi, Elfohrys, dit l'Elu. Je ne suis pas un Roi. Je ne suis qu'un homme. Et je te pardonne. »

Elfohrys se releva lentement. Il ramassa son épée, la brandit et cria :

« Je fais le serment de me battre contre l'Obscurité ! Je fais le serment de servir la Lumière et son Roi ! Je le jure ! »

Alors, tous les hommes sortirent leur épée et, d'une seule voix, dirent :

« Je le jure.

— Je ne suis pas fait pour être un Roi », dit l'Elu faiblement.

Personne ne l'entendit, sauf Ambre.

« Il y a quelques instants, tu étais un meurtrier. Te voilà Roi. C'est quand même mieux, non ? Ne te plains pas et accepte leur hommage. »

Elyador sourit. Il avait un nom désormais. Et sa vie avait un but. Il regarda Ambre, puis la foule. Oonagh avait raison : dans ce château, il avait trouvé l'Elu. Et, par la même occasion, il s'était trouvé lui-même.

« Je vous mènerai à la victoire, promit-il à l'assemblée. L'armée de l'Obscurité et les chevaliers de l'Ordre sont puissants. Nous pouvons l'être encore davantage. Il suffit d'y croire. Rassemblés dans la Lumière, nous les vaincrons ! »

Des cris enthousiastes s'élevèrent.

Opale, qui n'avait pas le souvenir d'avoir versé une larme dans sa vie, Opale pleurait de bonheur.

« Ça ne va vraiment pas ce soir, constata Jade en la voyant. D'abord Ambre... et maintenant, c'est toi qui t'y mets ! Qu'est-ce qu'il y a ?

— J'ai compris, dit Opale entre deux sanglots. J'ai compris ! »

Elle s'interrompit, le visage inondé de larmes, et dit : « Comment avons-nous brisé le Sceau ? Tu t'en souviens ? C'est parce qu'on y *croyait*. On était persuadés qu'on y arriverait. Et les rapaces ? On n'avait plus aucune chance, mais j'ai *cru* qu'on s'en sortirait... J'y ai *cru*. Et le lac ? C'est la même chose ! Et la bataille, c'est grâce à ça aussi qu'on la gagnera... C'est évident ! »

Jade regarda Opale d'un air plein de commisération :

« Crois-moi, tu n'es pas dans ton état normal.

— Mais tu ne comprends pas !

— Quoi ? Qu'il suffit d'y croire ? Si tu veux...

— Mais non ! s'insurgea Opale. Le Don, c'est ça.

— Quoi ?

— C'est ce qui nous permet de croire. Ce qui peut transformer n'importe quel homme. Faire d'un meurtrier un Roi. Tu ne vois pas ?

— Non. Ce que je vois, c'est surtout que tu ne vas pas bien ! »

Opale prit une profonde inspiration avant de lâcher :

« Notre Don... C'est l'Espoir. »

Une découvrira le Don
Une reconnaîtra le Roi.

Une convaincra les deux autres de mourir.

31

Ambre et Elyador restèrent ensemble jusqu'à la fin de la soirée. Ils parlèrent de tout, de rien, partagèrent leurs craintes sur l'avenir. L'Elu devait aller risquer sa vie sur le champ de bataille, Ambre, la sienne à Thaar. Ils promirent de se retrouver quand tout serait fini. La jeune fille contint fièrement ses larmes.

Le lendemain matin, Elfohrys demanda à Elyador de l'accompagner dans la forêt. Les Ghibduls avaient dit vouloir se rallier à sa cause. L'Elu fut forcé de quitter Ambre. Le cœur serré, ils tâchèrent de prétendre que ni l'un ni l'autre ne couraient de danger, qu'ils allaient se revoir bientôt...

Dans l'après-midi, Jade, Opale et Ambre durent s'en aller à leur tour. Thaar était située assez loin, à plusieurs jours de marche. Il leur fallait se hâter. Les trois filles reprirent donc la route. Mais, cette fois, elles savaient que le dénouement de leur aventure était dangereusement proche. Opale mit Ambre au courant de sa découverte.

« Notre Don, c'est l'Espoir ? s'étonna Ambre. C'est incroyable ! Comment as-tu fait pour comprendre ça ?

— Mais ça sautait aux yeux ! Et toi, pour l'Elu ? Comment as-tu deviné que c'était lui ? »

Ambre ne répondit pas. Jade leva vers elles un regard douloureux. Toute la nuit, la phrase de la Prophétie avait hanté ses rêves : *Une convaincra les deux autres de mourir.* Ambre avait reconnu le Roi. Opale avait compris le Don. Il ne restait plus qu'elle. Elle avait l'impression d'évoluer dans un cauchemar. Impossible, c'était impossible. Jamais elle ne pousserait Opale et Ambre à mourir ! Et pourtant, *La Prophétie,* jusque-là, s'était révélée vraie...

Un silence gêné s'était abattu sur les trois filles. Opale et Ambre devinaient les pensées de Jade. Elles n'osaient pas en parler, ne sachant comment l'aider. Elles savaient bien que Jade ne les mènerait jamais à la mort. Mais Jade, devant leur silence, soupçonnait le contraire...

Elles chevauchèrent à travers des plaines monotones, semblables à celles de l'Hornimel, mais ponctuées de villes ou de villages qu'elles traversaient sans s'y arrêter. Cette région était nommée la Lionëral.

Un soir, Jade craqua et dit tout à trac :

« Je ne vous trahirai pas. Croyez ce que vous voulez, mais jamais je ne...

— On le sait, l'interrompit Opale.

— Il doit y avoir une erreur dans *La Prophétie,* intervint Ambre d'une voix apaisante, voilà tout. »

Jade éclata en sanglots.

« Il n'y a pas d'erreur. Et vous le savez très bien. Mais je ne peux même pas imaginer... Enfin, je ne ferai jamais... » Elle se tut, secouée de sanglots. « N'allons pas à Thaar, dit-elle soudain. Je préfère être haïe de tous plutôt que d'entendre à chaque instant cette phrase dans ma tête... *Une d'elles convaincra les deux autres de mourir*...

— Elyador va risquer sa vie à la tête de l'armée, rétorqua Ambre d'une voix douce. Je n'ai pas le droit, de mon côté, de renoncer à aller à Thaar. Ce serait comme si je l'abandonnais, comme si je le trahissais... Si nous luttons, nous serons unis dans le même combat, contre le Conseil des Douze, contre l'Obscurité...

— Comment? fit Jade. Tu peux répéter?

— Laisse tomber, intervint Opale. Elle est amoureuse, il ne faut pas chercher à comprendre. Mais elle a raison : après toutes les épreuves qu'on a vécues, on ne peut pas s'arrêter si près du but! Si on a besoin de nous pour anéantir le mal...

— Oui, mais Elyador, lui, sait au moins ce qu'il doit faire, objecta Jade. Il va se battre, diriger son armée... Mais nous? Une fois à Thaar, qu'est-ce qu'on fait?

— C'est vrai, tu as raison..., approuva Ambre. Même si la Mort est sympathique, je préférerais ne pas la revoir de sitôt! Il me reste tant de choses à faire... Thaar me fait peur. Mais j'irai quand même.

— Très bien, fit Jade, résignée. Mais... si *La Prophétie* est vraie...

– Tu ne nous trahiras pas, affirma Opale. On le sait. »

Les trois filles avaient l'impression que, si elles restaient vraiment unies, rien de mal ne pouvait leur arriver. Et peut-être avaient-elles raison.

Dans la Lionëral, elles voyaient partout l'armée de la Lumière se rassembler sous la conduite de messagers, et cette vue les rassurait, leur donnant le courage de poursuivre leur chemin.

Une fois, Ambre crut apercevoir la forme d'un cavalier vêtu de noir. Elle ferma les yeux, craintive, et lorsqu'elle les rouvrit, il avait disparu. Elle en fit part à Jade et Opale, mais, comme l'ombre ne réapparut pas, les trois filles finirent par l'oublier.

Elles arrivèrent devant Thaar le matin du solstice d'été, après avoir chevauché toute la nuit, et restèrent frappées de stupeur en voyant la cité des Origines. Imposante, la ville se dressait entre d'immenses remparts enserrant des immeubles plus hauts encore, aux innombrables fenêtres resplendissant dans le pâle soleil du matin. Jamais les trois filles n'avaient vu pareil spectacle ; elles ne savaient même pas ce que le terme « immeuble » signifiait.

Elles s'avancèrent vers les remparts, descendirent de cheval, et laissèrent là leurs montures. Les soldats qui avaient auparavant encerclé la cité, et dont Adrien faisait partie, avaient quitté les lieux pour rejoindre l'armée de la Lumière. Constatant qu'une des portes qui se découpaient dans les remparts était entrouverte, surmontant leur angoisse, elles se faufilèrent dans la sombre ville de Thaar...

*

Au même moment, l'armée de la Lumière franchit le champ magnétique qui entourait le Conte de Fées. Elyador, en tête, l'épée étincelante, ouvrit son écrin. Aussitôt, il sentit une force invisible l'envelopper, le rassurer. Il pensa à Ambre. Gohral Keull et Elfohrys, qui se tenaient à ses côtés, furent surpris de le voir soudain plus majestueux qu'il ne l'avait jamais été. Derrière l'Elu, l'armée de la Lumière couvrait l'Horni-mel, aussi loin que le regard portait, et même bien au-delà. Les Ghibduls, leurs amis les Bumblinks, les gué-risseurs et les magiciens de la ville d'Amnhor, les paysans aux longs cheveux d'argent, Owen d'Yrdahl, Adrien... Tant de gens étaient prêts à combattre... Un peu en retrait, se tenaient quelques puissants magi-ciens, dont Oonagh faisait partie, prêts à psalmodier leurs incantations.

Quand Elyador s'avança, tous le suivirent avec la même bravoure. Bientôt, lorsque l'armée de la Lumière fut sortie du Conte de Fées, elle se retrouva face à la terrible armée de l'Obscurité, accompagnée de milliers de chevaliers de l'Ordre, et commandée par une dizaine d'enchanteurs ténébreux. Sur leurs visages s'épanouissait sournoisement le mal. Leur nombre était aussi impressionnant que celui de leurs adversaires. Les deux armées se dévisagèrent un moment, avant de fondre l'une sur l'autre.

« Nous vaincrons ! » s'écrièrent d'une même voix Elyador et ses hommes.

*

Le silence régnait, oppressant, sur la cité des Origines. Les trois filles serrèrent leurs pierres ; l'angoisse qui les tenaillait recula un peu.

« Quoi qu'il arrive, nous vaincrons », dit Jade.

Ambre et Opale l'approuvèrent, parce que l'Espoir les avait envahies. Mais, à cet instant, elles sentirent quelque chose s'infiltrer dans leurs esprits, quelque chose de malsain. Contre leur volonté, elles se dirigèrent vers un immeuble, entrèrent dans un hall puissamment éclairé. Elles étaient conscientes que le Conseil des Douze prenait possession de leurs sens, mais il leur était impossible de résister. Sans pouvoir réagir, elles empruntèrent un interminable escalier, montèrent au dernier étage, où elles se retrouvèrent dans une vaste salle, percée de fenêtres sans vitres. Un homme, un sourire cruel aux lèvres, était assis dans un fauteuil de cuir. Il était vêtu d'une ample tunique pourpre brodée d'or. Il émanait de lui une puissance absolue, terrible.

« Bonjour, je suis le Treizième membre du Conseil des Douze. »

Pétrifiées d'horreur, les trois filles serrèrent de toutes leurs forces leurs pierres.

« Je vois que vous avez peur, et que vous vous posez des questions... Je ne suis pas un homme, c'est vrai, je suis un esprit. L'esprit des Douze membres du Conseil réunis. »

Les trois filles ne *pouvaient* pas réagir.

« Que vous êtes naïves ! Vous êtes arrivées sans encombre à Thaar, et vous n'avez pourtant rien compris ! L'armée de l'Obscurité vous guette depuis votre entrée dans le Conte de Fées, elle a même veillé à votre sécurité... Pour que vous arriviez jusqu'à moi. Je suis le seul capable de vous anéantir. D'ailleurs, est-ce bien la peine ? Vous avez fait tout le travail à ma place. »

*

Les deux armées s'opposaient sauvagement. Les enchanteurs de l'Obscurité murmuraient des incantations maléfiques, que les magiciens s'ingéniaient à détruire. Les combattants s'effondraient de toutes parts ; des cris déchirants résonnaient dans le Dehors. Elyador se battait avec une force surhumaine, Gohral Keull et Elfohrys toujours à ses côtés.

« Pourvu qu'Ambre et les deux autres filles arrivent à vaincre le mal, à Thaar, se dit l'Elu. Ici, je ne sais s'il peut être détruit... »

En effet, l'armée de la Lumière se battait avec fougue, mais elle était peu entraînée et perdait peu à peu du terrain.

*

« Il y a des milliers d'années, expliqua le Treizième membre du Conseil, la violence, la haine sévissaient partout dans le monde. Les créatures magiques se cachaient, craintives, et les hommes ne soupçonnaient pas leur existence. Mais, un jour, elles décidèrent d'aider les hommes à résoudre leurs conflits et elles leur apparurent. Il y eut la paix pendant quelques siècles. Soit dit en passant, c'était l'époque de ce cher Néophileus... Cependant, la nature humaine reprit le dessus et le monde fut de nouveau déchiré par les guerres. C'est alors que le Conseil des Douze fut élu dans le but de faire du monde un seul pays, en paix.

— C'est faux, rétorqua Jade. Le Conseil des Douze a été instauré alors que la paix régnait entre les hommes et les créatures dans le seul but de la détruire ! »

C'était en effet ce qu'avait dit Jean Losserand aux trois filles.

« Non, contredit le Treizième membre. Je ne vous mens pas. Ce n'est même plus la peine. » Il fit une pause, avant de continuer : « Quand le Conseil des Douze est arrivé au pouvoir, il y avait trop d'armes, trop de technologie pour que la paix soit possible. Peu à peu, afin d'éviter les guerres, le monde moderne a été balayé. Tout a régressé, en quelque sorte. Les villes d'antan ont disparu. Thaar est la seule qui garde un souvenir de son passé glorieux. »

Les trois filles écoutaient, tremblantes.

« De père en fils, le Conseil des Douze a perduré. Malgré tous les changements, il existait encore des révoltes, des gens qui semaient le trouble... Cependant, peu à peu, le Conseil des Douze a dominé par télépathie l'esprit du peuple et lui a ôté sa liberté sans qu'il s'en rende compte... C'était tellement mieux ainsi ! Le calme et la prospérité régnaient. Mais les créatures magiques savaient elles aussi pratiquer la télépathie. Elles comprirent ce qui était en train de se passer et elles se rebellèrent... C'est alors que le Conte de Fées a été créé, seul échec rencontré par le Conseil en tant d'années. »

Le Treizième membre marqua une pause.

« Le Conseil des Douze, de génération en génération, a assuré son règne. Et finalement, son emprise est devenue de plus en plus forte. Le monde de jadis a été oublié, pour laisser place à une vie où le peuple était contrôlé par le Conseil... Sans révolte, sans guerre. »

Les trois filles sentirent leur sang se glacer.

« Seule Thaar est telle qu'elle existait il y a des millénaires. On l'a nommée la cité des Origines. Elle a eu tant de noms... Pendant des siècles, quand les hommes se croyaient seuls sur terre, on l'a aussi appelée Paris. »

*

La bataille faisait rage. La vue du sang excitait l'armée de l'Obscurité, avide de mal, tandis qu'Elyador, auréolé d'amour, encourageait l'armée de la Lumière à continuer sa lutte. Tout le monde faiblissait. Des ruisseaux de sang inondaient la terre ; des cadavres mutilés gisaient çà et là ; des centaines de blessés agonisaient, en proie à d'atroces tourments. Le sang giclait de toutes parts, l'épée d'Elyador en ruisselait et, pourtant, elle étincelait toujours. L'Elu ne pensait qu'à Ambre, et son image lui apparaissait, l'exhortant à poursuivre le combat.

Soudain, un de ses adversaires réussit à le déstabiliser. Il tomba de cheval et son épée lui échappa. L'effroi le glaça. Certain de mourir, il leva les yeux vers le soldat de l'Obscurité sur le point de le tuer quand celui-ci s'effondra, transpercé d'une épée. Elyador, ramassant son arme, remercia son sauveur. Ce dernier paraissait très jeune. Il était brun, aux yeux sombres, à l'air déterminé, et s'appelait Adrien de Rivebel.

Ayant perdu de vue Elfohrys et Gohral Keull, l'Elu continua de se battre au côté d'Adrien. Ce dernier luttait avec une agilité surprenante. Aucun de ses adversaires n'avait encore réussi à le blesser.

Cependant, la victoire de l'armée de l'Obscurité paraissait inévitable. Ses soldats, mus par la haine et entraînés à tuer, faisaient preuve de sauvagerie, contrairement aux nombreux paysans ou villageois de l'armée de la Lumière qui ne savaient pas se battre.

« Il faut que je revoie Opale, se disait Adrien, je n'ai pas le droit de mourir... »

Quant à Elyador, il n'en pouvait plus. Mais il n'abandonnerait pas.

*

« Et vous, vous, les trois pierres de *La Prophétie,* continua le Treizième membre, vous osez menacer le règne du Conseil des Douze! A cause de vous et de ce maudit Néophileus, la révolte a germé dans les cœurs des gens, de nombreux esprits ont échappé à notre contrôle... Pourtant, vous n'êtes rien! Je pourrais vous tuer sur-le-champ. Mais je veux d'abord profiter de votre défaite.

— Vous n'arriverez jamais à nous vaincre! s'exclama Jade. Notre Don, l'Espoir, est plus fort que tout! »

Le Treizième membre eut un rire tonitruant.

« Est-il plus fort que ça? » demanda-t-il entre deux éclats de rire.

D'un geste de la main, il désigna une large fenêtre. Les trois filles poussèrent un cri d'effroi. Du haut de l'immeuble où elles se trouvaient, on pouvait apercevoir la bataille. Des milliers de cadavres jonchaient le sol. Les chevaliers de l'Ordre et les soldats de l'Obscurité étaient vêtus de gris et de noir. L'armée de la Lumière portait des armures couleur d'argent. Il restait des milliers de combattants ténébreux, mais les soldats de la Lumière, tache claire au milieu d'une masse noire, n'étaient plus que quelques centaines.

« Que croyez-vous ? dit le Treizième membre d'une voix glaciale. Vous ne pouvez pas vaincre le mal. Il est partout : dans le cœur de chacun, dans l'air, dans la vie.

— Le bien aussi », répliqua Ambre.

Mais elle regarda en direction de la bataille et se mit à trembler, le cœur palpitant de peur. Elyador était-il encore en vie ? Elle le savait, l'issue du combat était certaine. A Thaar, comme sur les champs de bataille, la Lumière serait vaincue.

« Merci, mes petites, merci beaucoup, reprit le Treizième membre. Sans vous, personne n'aurait jamais reconnu l'Elu et il n'y aurait pas eu de bataille. Jamais je n'aurais eu l'occasion d'anéantir tous mes ennemis en une seule fois. Quelle délicatesse de les avoir regroupés et envoyés se faire tuer ! Ils mourront jusqu'au dernier. Comment pouvaient-ils espérer vaincre mes chevaliers de l'Ordre et l'armée de l'Obscurité ? Demain, et pour toujours, la puissance du Conseil des Douze sera absolue ; aucune menace ne pourra plus jamais lui faire ombrage. »

Les trois filles regardèrent le Treizième membre, désespérées. Que pouvaient-elles faire ?

*

Les soldats de la Lumière savaient qu'ils avaient perdu le combat. Ils ne luttaient presque plus. Les enchanteurs de l'Obscurité psalmodiaient toujours de sombres incantations, qui n'agissaient pas, grâce aux efforts soutenus d'Oonagh et de quelques magiciens. Seule une centaine d'hovalyns aguerris se battait encore avec fougue, ainsi qu'une poignée de gens. Elyador, Elfohrys, Gohral Keull et Adrien étaient ceux qui gênaient le plus l'armée de l'Obscurité. A la surprise générale, les combattants qui faisaient preuve de plus d'ardeur étaient les Ghibduls. Ils voletaient à quelques mètres du sol, choisissaient un soldat de l'Obscurité, fondaient sur lui, l'achevaient en quelques coups de griffes, avant de remonter dans les airs et de s'attaquer à une autre proie. L'armée sombre n'avait réussi à en tuer que quelques-uns. Malheureusement, les Ghibduls n'étaient pas assez nombreux pour causer de réels ravages dans les rangs ennemis.

L'Elu se battait encore courageusement, mais il se sentait faiblir. Il ne tiendrait plus longtemps, il le savait. Tout à coup, il se vit encerclé par plusieurs soldats de l'Obscurité et, puisant dans ses dernières forces, il se prépara à se défendre.

« Alors, c'est toi, l'Elu ? fit une des créatures de l'ombre. Il paraît qu'avant, t'étais un des nôtres.

— Avant de déserter, ricana un autre soldat de l'Obscurité. L'armée de la Lumière, y prennent les plus lâches des nôtres pour en faire des Rois ou quoi ?

— Un Roi, ça ? reprit un homme à l'air cruel. Bah ! Tuons-le, comme ça au moins on pourra dire qu'on a versé le sang d'un Roi. Je te parie qu'il est pas différent du nôtre. Roi ou Elu... c'est pas ça qui l'empêchera de mourir ! »

Voyant Elyador en danger, les Ghibduls se concertèrent rapidement, volèrent à son secours et, impitoyables, déchiquetèrent les soldats de l'Obscurité qui le menaçaient. Puis, un par un, ils mirent pied à terre : ils avaient décidé de se battre au corps à corps contre l'Obscurité. Ainsi, ils pourraient affaiblir davantage ses forces. Même s'ils savaient qu'ils y laisseraient sans aucun doute la vie.

*

« Maintenant, que vais-je faire de vous ? se demanda le Treizième membre. Vous tuer ? » Il fit mine de réfléchir avant de poursuivre : « Non. J'ai une meilleure idée. Partez. »

Les trois filles tressautèrent. Elles échangèrent un regard ahuri.

« Oui, jubila le Treizième membre. Partez. Qu'y a-t-il de pire qu'un espoir déçu ? Vous n'avez rien compris, vous avez gardé votre Don pour vous... Et quand le mal aura triomphé, quand vous sombrerez dans l'amertume, votre Don y sombrera avec vous. D'espoir, il se transformera en désespoir. Votre vue insufflera le découragement. On vous haïra d'avoir échoué. Partout où vous irez, le désespoir vous suivra... Jusqu'à ce que la Mort vous en libère. »

Ambre sentit les larmes lui monter aux yeux. Mais Jade s'écria :

« Vous avez dit qu'on n'avait rien compris, qu'on

avait gardé notre Don pour nous... Alors, il suffirait de l'offrir aux autres, pour que la bataille soit gagnée ? De leur donner l'Espoir qui est en nous ?... »

Le Treizième membre contint son agacement. Dans son enthousiasme, il en avait trop dit. Mais, de toute manière, cela ne changeait rien.

« Il est un peu trop tard pour le comprendre, fit-il remarquer à Jade.

— Je ne crois pas », intervint Opale.

Comme Jade et Ambre, elle serrait toujours sa pierre. Les trois filles se dirigèrent vers la fenêtre sans vitre. Le Treizième membre les laissa faire. Elles s'apprêtaient à lancer les pierres vers le champ de bataille, quand celles-ci devinrent ardentes. Elles tentèrent d'ignorer la douleur. Mais elles s'aperçurent alors qu'elles étaient incapables de jeter leurs pierres, quelque chose les en empêchait. Elles sentaient une sorte de lien invisible entre leurs pierres et elles, un lien qui ne pouvait pas être rompu.

Le rire lugubre du Treizième membre retentit :

« Vous n'avez toujours pas compris ça ? Vos pierres font partie de vous. Elles représentent votre Don. Vous ne pourrez jamais vous séparer d'elles. Vous êtes liés à elles comme vous êtes liées entre vous. Si l'une de vous mourait, l'Espoir s'éteindrait avec elle. Savez-vous comment il vous est parvenu ? Depuis la nuit des temps, quelqu'un a détenu votre pouvoir. Au début, il était fragile, mais à mesure que les générations ont passé, il s'est accru. »

« Les visages, les visages dans le lac du Passé, pensa Jade, c'étaient ceux des gens qui nous ont transmis la force que nous avons ! »

« A chaque génération, une seule personne détenait le Don, poursuivit le Treizième membre. On dit qu'il avait dans le creux de la main une sorte de petite cicatrice en forme de soleil. Et votre pouvoir a fini par atteindre sa plénitude, il s'est divisé en trois. La cicatrice s'est muée en pierres. Depuis si longtemps, l'Espoir choisissait celui qui le portait, et cette personne, sa vie durant, était chargée de le transmettre aux autres. Si tous ces gens avaient failli à leur mission, s'ils avaient gardé l'Espoir en eux, celui-ci se serait éteint. Mais il est arrivé jusqu'à vous, au prix de maints efforts. Et tout ça n'a manifestement servi à rien, puisque vous avez échoué ! Votre Don ne vous quittera qu'à votre mort, et qui sait ce qu'il deviendra alors ?... Il s'éteindra, assurément. Ou, transformé en désespoir, il s'abattra sur le monde. Dans ce cas, vous aurez au moins servi à deux choses : rassembler tous mes ennemis pour que je puisse tranquillement les anéantir, et assurer le règne du mal pour l'éternité. » Un sourire cruel s'étira sur le visage du Treizième membre. « Maintenant, partez. »

Les trois filles ne bougèrent pas. Elles savaient que tout était perdu, mais elles n'arrivaient pas à réaliser leur défaite.

Alors, elles étreignirent avec davantage de force leurs pierres. Ambre pensait à Elyador de tout son être, parce que seule son image pouvait encore l'aider. Opale vit le visage d'Adrien s'esquisser devant elle.

Quant à Jade, préoccupée, elle entendait la voix d'Oonagh, de plus en plus envahissante : *Une d'elles convaincra les deux autres de mourir.* Et peu à peu, elle comprit qu'elle n'avait pas le choix. Si elle obéissait au Treizième membre, si elle s'en allait, le mal triompherait. Son Don deviendrait le désespoir et lorsqu'elle mourrait, peut-être se répandrait-il sur le monde... Or, il fallait qu'elle donne, maintenant, l'Espoir à l'armée de la Lumière. Comment y parvenir, puisqu'elle ne pouvait pas se séparer de sa pierre?... Jusqu'à sa mort...

Jade tenta d'effacer la vérité qui commençait à émerger de ses pensées. Mais elle en était incapable. Elle respira profondément, puis s'avoua à elle-même : si elle mourait, maintenant, en un sacrifice volontaire, alors peut-être son Don irait-il se déverser sur l'armée de la Lumière, le mal serait vaincu... Mais peut-être aussi s'éteindrait-il avec elle... Comment savoir? Et comment accepter de mourir?

Elle n'avait pas le droit de s'en aller sans rien faire. Que serait sa vie? Le mal serait partout. Les rares survivants de la Lumière la détesteraient et, accablés, ne pourraient jamais fomenter de nouvelles révoltes... Toute sa vie, elle porterait sur ses épaules le poids de sa faute. Elle regretterait de n'avoir pas agi quand il en était encore temps. Elle ne pouvait pas partir, lâchement. Pourtant, ne serait-ce pas plus simple? A cette idée, elle sentait déjà les remords la guetter...

Elle leva un regard résigné vers Opale et Ambre. Seule, elle le savait, elle n'était rien. Sa mort ne servirait pas à grand-chose. Si les trois filles voulaient transmettre leur Don, il fallait qu'elles le fassent ensemble. Mais, cela, Jade était incapable de l'accepter : jamais elle ne demanderait à Opale et Ambre de sacrifier leur vie, même si elle était prête à sacrifier la sienne.

Elle se dirigea résolument vers la fenêtre sans vitre, tout en serrant sa pierre. Dans ses yeux verts scintillait une étincelle étrange ; elle ressemblait à un soldat qui va livrer l'ultime combat ou, mieux encore, à un enchanteur de la Lumière face à son pire ennemi – la peur. Elle avait si peur de sauter, de revoir la Mort et, cette fois, de quitter la vie...

Opale et Ambre devinèrent ses intentions sans en comprendre la raison. Elles se précipitèrent vers elle, la retinrent.

Le Treizième membre n'intervint pas ; il était certain que ces trois filles de quatorze ans n'auraient jamais le courage de se sacrifier. Cela changerait-il quelque chose ? Il était sûr d'avoir gagné la bataille.

« Mais il n'a pas gagné la guerre, murmura Jade aux deux autres.

— Tu n'as pas l'intention de sauter, quand même ? demanda Ambre à voix basse.

— Si, répondit Jade en réprimant un tremblement.

— Tu me disais que je n'étais pas dans mon état normal hier soir, dit Opale, mais alors, toi... Ça ne va vraiment pas !

— Des centaines de gens ont vécu dans le but de nous transmettre le Don, répliqua Jade. Des milliers d'autres nous ont attendues avec l'espoir qu'on puisse vaincre le mal. Nos parents ont été tués. L'armée de la Lumière se fait décimer sous nos yeux. La liberté, le bonheur vont disparaître. Jusqu'ici, même dans le Dehors, il existait une chance pour que tout change. Demain, il n'y en aura plus. Et nous, devant tout ça, on va rester les bras croisés ?

— Ne sois pas fataliste, dit Ambre. Ce n'est pas une raison pour sauter par la fenêtre !

— Si, chuchota Jade. Vous ne comprenez pas... La guerre n'est pas finie, pas encore. Nous sommes là, nous trois, et tout dépend de nous. Soit nous écoutons ce monstre et acceptons la défaite, soit nous offrons enfin notre Don aux autres, à la Lumière. Et alors, c'est certain : la victoire est là.

— C'est bien beau, fit Opale sur le même ton, mais on ne peut pas se séparer de nos pierres ! »

Jade regarda par la fenêtre.

« Si », répondit-elle.

Opale et Ambre suivirent son regard, horrifiées.

« Tu ne veux quand même pas dire..., commença Ambre.

— Mourir est le seul moyen d'abandonner nos pierres, assura Jade. Alors, peut-être notre Don se répandra-t-il sur la bataille... » Avec un sourire amer, elle ajouta : « Comme quoi, la Prophétie va s'avérer...

— Au moins, ironisa Opale, la Mort sera contente de nous revoir. »

Mais elles ne pouvaient pas encore se résoudre au sacrifice.

*

Elyador n'avait plus de forces. Pourtant, il ne pouvait accepter de baisser les armes. Ses parents l'avaient aimé, et ils l'aimaient toujours ; Ambre l'aimait, il l'aimait, et l'Amour le soutenait, le forçait à continuer.

Soudain, le ciel s'obscurcit. Tous les combattants levèrent le regard. D'immenses oiseaux au plumage gris planaient au-dessus du champ de bataille. Les rapaces. Ils avaient senti les torrents de peur qui émanaient du combat et avaient accouru pour s'en délecter et achever les derniers survivants.

*

Lorsque Ambre et Opale virent les rapaces, elles poussèrent un cri perçant. Si Elyador et Adrien avaient survécu jusqu'à cet instant, il était certain qu'ils succomberaient à ces monstres.

Elles regardèrent Jade. Toutes trois serrèrent leurs pierres. Jamais elles n'avaient eu aussi peur. Jamais elles n'avaient été aussi déterminées. Elles esquissèrent un sourire crispé. Puis, sous le regard incrédule du Treizième membre, elles se jetèrent dans le vide.

Alors, les pierres disparurent de leurs mains, leur Don les quitta. Une lumière éblouissante les aveugla.

Elles se sentirent tomber, tomber... L'Espoir qu'elles avaient enfin donné aux autres se mua en une pluie d'or qui déferla sur le monde, abreuvant le cœur de chacun. Les soldats de l'Obscurité, ceux de la Lumière cessèrent le combat, levèrent les yeux au ciel, le visage baigné de pluie d'or et de bonheur.

Quant aux trois filles, elles n'étaient plus qu'à quelques mètres du sol, du trépas. Elles s'étaient sacrifiées, elles avaient perdu leur Don... et pourtant l'Espoir les emplissait plus que jamais.

Tout à coup, elles sentirent des serres s'enfoncer dans leur chair. Les rapaces les avaient saisies. Mais elles n'avaient pas peur, au contraire, toutes leurs angoisses s'effacèrent et elles pensèrent, soulagées, qu'elles étaient bien vivantes. La pluie d'Espoir avait nimbé d'or le plumage des rapaces et les avait transformés. Jade, Opale et Ambre sentirent qu'ils ne leur voulaient pas de mal. Ils leur avaient sauvé la vie.

Ils piquèrent vers le champ de bataille et, avec délicatesse, ils y déposèrent les trois filles avant de s'élever de nouveau.

Jade, Opale et Ambre ne parvenaient pas à comprendre ce qui leur arrivait. Elles virent Elyador, Adrien et Oonagh s'avancer vers elles. Autour d'eux, tous les adversaires avaient cessé de combattre et semblaient gagnés par une soudaine béatitude.

Opale et Ambre étouffaient de joie. Elles se précipitèrent vers les deux jeunes hommes, émues. Jade, elle, se dirigea vers Oonagh.

« Est-ce qu'on a réussi? demanda-t-elle. On a vaincu le mal?

— Oui, répondit la créature magique. Vous avez repoussé le mal. Mais, un jour, il reviendra. On ne peut jamais l'anéantir définitivement.

— Mais alors, balbutia Jade, tout ce qu'on a fait... ça n'a servi à rien!

— Grâce à vous, le mal a été éloigné. Maintenant, la paix régnera pour quelques siècles... Et si on continue à lutter, à chaque instant, contre la colère, la peur, l'intolérance, qui habitent nos propres cœurs, peut-être ne reviendra-t-il jamais. »

Jade en aurait pleuré. Elle qui avait cru anéantir l'Obscurité pour toujours!

« Et maintenant, que va-t-il se passer? interroge-t-elle.

— Le Dehors et le Conte de Fées vont être réunifiés en un seul pays, le Royaume.

— Et l'Elu va être notre Roi? »

Entendant son nom, Elyador s'approcha, accompagné d'Ambre.

« Non, dit-il doucement, je ne serai pas Roi. Je ne veux pas gouverner.

— Au début, d'après le Treizième membre, expliqua Jade, le Conseil des Douze voulait instaurer la paix... Peu à peu, enivré par le pouvoir, il a ôté sa liberté au peuple. Je ne sais pas si c'est vrai, mais...

— Ça l'est, coupa Oonagh. C'est précisément pour cela qu'Elyador a raison. Il a été Roi le temps d'une bataille, il le sera encore jusqu'à ce que le Royaume soit unifié. Ensuite, il rendra la liberté à tous ces gens qui ne l'ont jamais connue... Il ne faut pas répéter l'erreur du Conseil des Douze. Le pouvoir transforme les hommes. Elyador ne sera pas Roi.

— Et moi? demanda Jade. Et Ambre, et Opale? Qu'est-ce qu'on va devenir?

— A vous de le choisir, déclara Oonagh. Vous êtes libres désormais de décider de votre destin. »

Jade songea à son père, le duc de Divulyon, qu'elle allait bientôt revoir.

Soudain, une pépite d'or tomba aux pieds d'Elyador. Il la ramassa. Elle avait la forme d'une graine. Il la montra à Ambre.

« Est-ce que c'est ta pierre? demanda-t-il.

— Non, répondit la jeune fille en riant. Nos pierres n'existent plus. Elles se sont changées en pluie d'or. »

Opale et Adrien s'approchèrent.

« Que se passe-t-il? demanda Opale.

— On a trouvé ça », répondit l'Elu en lui montrant la graine d'or.

Oonagh observait la pépite d'un air songeur.

« Mets-la dans ton écrin, Elyador, dit-elle.

— Qu'est-ce que c'est?

— Une graine d'Espoir », murmura Oonagh, pensive.

Elyador suivit les recommandations de la créature magique.

« Maintenant, enterre l'écrin », dit Oonagh.

Elyador, de plus en plus intrigué, obéit. Aussitôt, un arbre se mit à pousser. Son tronc avait la couleur de l'argent pur En quelques instants, il déploya de longues branches sur lesquelles se balançaient des feuilles d'or étincelantes.

« Grâce à cet arbre, expliqua Oonagh, le souvenir du combat d'aujourd'hui traversera les siècles. Tant qu'il resplendira, cela signifiera que le pays est en paix. Lorsque son tronc noircira et que ses feuilles tomberont, l'Obscurité sera proche. Aujourd'hui, le bien est vainqueur. Réjouissons-nous. »

Jade, Opale et Ambre regardèrent l'arbre de l'Espoir, qui resplendissait, auréolé de gouttes d'or.

Paris, 2002

Je me suis réveillée. Cette fois, c'est fini. La Mort va venir me chercher. Pourtant, il faut que je vive. Pour que mon rêve devienne réalité.

Je regarde une dernière fois ma main droite. Au creux de ma paume, un soleil déploie ses rayons avec majesté. L'Espoir. Je l'ai gardé pour moi ; j'ai laissé ma maladie me vaincre. Je vais mourir, l'Espoir va s'éteindre. Je ferme les yeux. C'est beaucoup trop dur de partir.

Ça y est. J'entends le pas de la Mort. Son souffle froid me frôle la joue. J'ai envie de pleurer. Les larmes ne viennent pas. J'ai envie de hurler, mais je n'en ai plus la force.

J'aurais voulu partir sans peur. Sans regrets. C'est impossible.

Je suffoque. Tout s'efface autour de moi. Il n'y a plus que la Mort et moi. Elle me tend la main. J'ai si mal...

Les infirmières se bousculent dans la chambre. La porte s'ouvre. Le Dr Arnon entre, impassible.

« Que se passe-t-il ? demande-t-il.

— C'est la petite, celle qui n'a plus de parents, répond une infirmière. Elle va très mal. »

Le Dr Arnon s'avance vers le lit où est étendue la malade. Son corps décharné est secoué de spasmes ; des gémissements s'échappent de ses lèvres sèches.

« C'est la fin », déclare-t-il gravement.

Soudain, un éclair de lucidité semble traverser la mourante. Elle crie :

« Le téléphone ! » Puis, d'une voix chevrotante, elle murmure : « Il faut... il faut... que j'appelle... quelqu'un. »

Le Dr Arnon fait un signe d'assentiment à une des infirmières.

« C'est son dernier souhait, chuchote-t-il, on ne peut pas le lui refuser. »

Je n'ai pas le droit de mourir ! Je dois transmettre l'Espoir. Et si ce n'était pas trop tard ? La Mort est là. Pourtant, je continue à croire en mon rêve, à l'impossible. Il ne me reste plus que ça, l'Espoir. J'aurais dû le donner aux autres. Mais je ne l'ai pas fait. Pourquoi ne pas croire encore en lui ? Tant qu'il est en moi, la Mort peut-elle vraiment m'emporter ?

Le médecin et les infirmières sortent de la salle. La malade saisit fébrilement le téléphone, compose un numéro. Elle le connaît toujours par cœur. La voix qui a hanté ses rêves comme ses cauchemars lui répond.

« Je vais mourir, dit-elle faiblement. Je te pardonne. Mais maintenant, à toi de choisir. Soit tu m'oublies, soit... tu sais ce qu'il te reste à faire.

— Joa ? C'est toi, Joa ? »

Mais la malade avait déjà raccroché.

Voilà, c'est fait. Je l'ai appelé. Elie Ador, celui que j'aimais, celui qui m'a abandonnée. Pourquoi s'est-il enfui, la première et dernière fois qu'il est venu me voir ? J'ai cru que je ne comptais pas pour lui. Mais peut-être avait-il peur. De l'hôpital, de la Mort qui rôdait dans les couloirs. De ce que j'étais devenue.

Maintenant, ça n'a plus d'importance.

Au fond, l'Innomé est sorti des ténèbres. Le sang qu'il avait sur les mains ne l'a pas empêché de devenir l'Elu. Si on a su lui pardonner, faire de lui un Roi... Pourquoi ne pardonnerais-je pas à Elie ?

Ma respiration est de plus en plus haletante. Je n'entends presque plus les battements de mon cœur. La Mort m'attend, impatiente.

« Ecoutez, elle est très faible, dit l'infirmière. Elle vit peut-être ses derniers instants.

— Vous ne pouvez pas m'empêcher de la voir ! s'emporte le jeune homme. Il faut que je sois près d'elle. Il faut qu'elle vive !

— Je crains qu'il ne soit trop tard », réplique l'infirmière.

Elle observe le jeune homme. Il a des cheveux bruns ébouriffés, un regard désespéré.

« Vous n'êtes jamais venu la voir, avant ? demande-t-elle.

— Une fois », dit le jeune homme d'une voix amère. « Laissez-moi la voir », implore-t-il.

L'infirmière réfléchit un moment.

« Allez-y, murmure-t-elle, mais faites vite. »

Je ne sais pas si Elie viendra. Mais je regarde le soleil au creux de ma paume et je crois. Je crois en l'impossible, je crois à mon rêve. Je crois à Elyador. J'espère. Tout simplement.

La Mort est près de moi. Tant pis. Elle attendra.

Je vivrai. Parce qu'il le faut. Parce que je le veux. J'ai rêvé. Maintenant, je préfère vivre, même si cela revient au même.

Mon rêve m'a rendu la vie. Il me reste à rendre le rêve à la vie.

Cet ouvrage a été réalisé par

FIRMIN DIDOT

GROUPE CPI

Mesnil-sur-l'Estrée

pour le compte des Éditions Anne Carrière
104, bd Saint-Germain 75006 Paris
en juillet 2002

Imprimé en France
Dépôt légal : août 2002
N° d'édition : 240 – N° d'impression : 60083